MARGHERITA OGGERO

L'AMICA AMERICANA

OSCAR MONDADORI

© 2005 Arnoldo Mondadori Editore S.p.A., Milano

I edizione Omnibus aprile 2005
I edizione Oscar bestsellers aprile 2006

ISBN 978-88-04-55381-6

Questo volume è stato stampato
presso Mondadori Printing S.p.A.
Stabilimento NSM - Cles (TN)
Stampato in Italia. Printed in Italy

Anno 2009 - Ristampa   5 6 7

www.librimondadori.it

L'AMICA AMERICANA

Per Alberto

Aspettate un momento, non so ancora cosa ho in mente.

RAYMOND CHANDLER, *Il lungo addio*

1

«Sono indistruttibile, indistruttibile!» gridava l'uomo con l'impermeabile grigio troppo lungo saltando giù dal marciapiede in mezzo alle macchine che avanzavano incolonnate nel traffico del mattino. Inchiodate brusche, stridio di freni, finestrini che si abbassavano, imprecazioni, bestemmie. Qualche volta ci scappava un tamponamento leggero con cocci di fanaleria sparsi sull'asfalto e guidatori inferociti che si scaraventavano fuori dall'abitacolo. Ma lui, mentre si scatenava il concerto rabbioso dei clacson, aveva già scantonato a destra o a sinistra ed era ormai impossibile raggiungerlo. Sempre la stessa scena, un paio di volte la settimana, sempre alla stessa ora, tra le sette e le otto, in via della Consolata o nelle strade vicine. Quella mattina però le regole erano saltate: era più tardi del solito e il teatro dell'azione non era quello abituale.

«Indistruttibile!» gli gridò dietro lei, «ti va un cappuccino al bar?»

Lui si voltò, strizzò gli occhi, la riconobbe e si fermò. Non c'era stato nessun tamponamento e nessuno lo inseguiva.

«Cappuccino e croissant con la Nutella. Offri tu.»

«Si capisce che offro io. Come mai da queste parti?»

«Così, per cambiare. Anche tu sei fuori zona. Non lavori, oggi?»

«Comincio più tardi.»

«E non mi fai la predica?»

«No. Sono stufa di fartela. Le ossa sono tue.»

«Senza predica non vale.»

«Che fai? Mi pigli per il culo?»

«Bella professoressa che sei! Parli come un carrettiere.»

«I carrettieri non esistono più. Parlo come una che si è presa il solito *s-ciopón* di spavento.»

«Eccola, la predica. Brava, è così che si fa. Lo sai che vendono la tua casa?»

«Cos'hai detto?»

«Che vendono la tua casa, quella che ti piace tanto. C'è un cartello: "Vendesi".»

«Da quando?»

«Da oggi. Ieri non c'era.»

Certe case innamorano al primo sguardo: un interesse e una passione che si accendono imprevisti e improvvisi. Lei di quella casa si era innamorata dieci anni prima, passandoci davanti per caso. Continuava a passarci spesso, non più per caso, quasi in pellegrinaggio, e ogni volta si fermava a guardarla. Sempre disabitata. Sempre uguale a se stessa ma ogni anno un poco più sbiadita. Il giallo prima acceso dell'intonaco ora sfumato nell'ocra, il verde delle imposte senza più lucentezza, il giardino inselvatichito, il cancello slabbrato dalla ruggine. Comincia a mostrare le sue rughe, aveva pensato, ma le rughe delle cose non ne appannano la bellezza, anzi.

«"Vendesi", e poi?»

«Poi basta. "Vendesi" e un numero di telefono.»

«Che non ricordi.»

«Invece sì.»

«Dimmelo.»

«Se te lo dico, cosa fai?»

«Telefono.»

«E poi?»

«Che ne so. Sento cosa dicono, quanto vogliono... Lo cacci sto numero sì o no?»

«Al bar, dopo croissant e cappuccino.»

Davvero non sapeva cosa avrebbe fatto dopo. Sulla casa gialla aveva costruito castelli in aria e fantasie consolatorie per addormentarsi la sera. Sarebbero rimaste fantasie, perché una casa così lei e il marito non potevano comprarla. Una villa con giardino in una zona centralissima, una costruzione della metà dell'Ottocento senza smanie di appariscenza, ma solida e insieme aggraziata, con una piccola loggia al primo piano festonata da un glicine centenario. Quando ci passava davanti nella primavera avanzata, Camilla restava incantata a guardare la cortina di grappoli viola e, se solo spirava una bava di vento, a respirarne il profumo. Per tanti anni disabitata e adesso in vendita. Non avrebbe più potuto immaginarsela sua: anche le fantasie più assurde hanno bisogno di un sottile aggancio col reale. Le finestre sarebbero state aperte, le stanze arieggiate e ridipinte, qualcuno avrebbe messo mano nel giardino tra alberi arbusti e rovi, un cane ci avrebbe scavato buche e teso agguati alle lucertole. Non il suo cane. E un gatto, un bel gattone placido e pasciuto, si sarebbe stiracchiato al sole su un davanzale.

L'Indistruttibile intingeva il croissant con la Nutella nel cappuccino e la guardava divertito e insieme preoccupato. Aspettava che lei glielo chiedesse di nuovo, quel benedetto numero, ma aveva anche paura di non ricordarlo giusto. In mezzo c'è un 89 – pensava – che però forse è un 98, non me lo sono segnato perché non avevo carta e matita e poi come facevo a sapere che avrei incontrato la profia? Che non si capisce perché ci tenga tanto a quella casa, visto che ne ha già una. Una casa vale l'altra, l'importante è avere un tetto sulla testa. Io ce l'ho, diciotto metri quadri precisi precisi, una volta ho misurato due pareti e dopo ho fatto la moltiplicazione, area del rettangolo uguale base per altezza, quella del triangolo base per altezza diviso due, l'ho imparato alle elementari. Il cesso sta fuori in cortile ma chissenefrega, basta non bere troppo la sera e poi di notte tenersi vicino la latta dell'olio Erg col manico. La latta me l'ha data il benzinaio di corso Regina ma il manico di fil di ferro gliel'ho fatto io, il manico è importante perché se no mette male a svuotarla. E tenersi puliti non è un problema: ci sono i bagni pubblici, quelli non li hanno ancora smantellati come gli Ubaldo Renzi,* che se ti prende voglia per la strada non sai come fare. Anche per il mangiare mi arrangio: ho la mia pensione di invalidità e sono capace di farmela bastare, poi, se proprio va male perché ho avuto delle spese extra vado a far la fila per il pasto alla mensa del Cottolengo, solo che lì è sempre pieno di barboni che puzzano dal fiato, dai piedi e da altre parti, e ci sono anche i marocchi e i negri che hanno un odore diverso da noi e che secondo me qui non stanno tanto meglio di dove stavano prima.

«Allora, sto numero?»

«Ho paura che non me lo ricordo. C'è un otto e un nove in mezzo, e anche prima, il prefisso, tre tre nove o quattro nove... Sei arrabbiata?»

«No, non importa, va bene lo stesso.»

«Se mi dai un foglio e una matita io ci torno e lo copio.»

«E poi?»

«Poi ti aspetto davanti a scuola.»

«Esco all'una e un quarto, devi aspettare troppo.»

«Ma no. Mi siedo sulle panchine della piazza con la colonna.»

«E ti butti di nuovo sotto qualche macchina.»

«Io non mi butto sotto, mi butto in mezzo.»

«Perché, Indistruttibile?»

«Perché mi piace. Come a te piace la casa.»

* Orinatoi pubblici per uomini, progettati dall'architetto Ubaldo Renzi negli anni Trenta e successivamente collocati nei centri urbani.

2

All'una e un quarto lui era fermo davanti alla scuola ad aspettarla.

«Profia!» gridò.

I ragazzi e i professori che stavano uscendo dal portone si guardarono intorno per scoprire a chi si rivolgeva quel menteco dall'aria stralunata. Lei attraversò la strada.

«Ti ho portato il numero. E sai una cosa? C'erano le finestre aperte.»

«Hai visto qualcuno?»

«No.»

«C'era dentro qualcuno?»

«Come faccio a saperlo? Il cancello era chiuso.»

«Col lucchetto?»

«Fammi pensare. Che furba che sei. Sì, col lucchetto e allora dentro non c'era nessuno. Non mi hai neppure detto grazie.»

«Scusa. Ti va di mangiare un panino?»

«Ho già mangiato. Quand'è che mi dici grazie?»

«Grazie grazie grazie. Basta o continuo? No, davvero, grazie. Sicuro che non lo vuoi, il panino?»

«Sicuro. Dove vai adesso?»

«A casa.»

«Ti accompagno un pezzo. Poi ho da fare, devo vedere i lavori della metropolitana.»

«Ma è lontano.»

«Prendo il tram.»

«Ce l'hai, il biglietto?»

«Ho l'abbonamento. Me l'ha dato l'assistente sociale, a gratis. Prendo sempre il 16 perché è arancione. E anche perché è di quelli vecchi, che ti siedi da solo, guardi fuori e viaggi come un papa. In quelli nuovi la gente ti siede di fianco e in faccia. Oggi il 16 non mi porta giusto, ma io li frego.»

«Chi freghi?»

«I tram nuovi. Io ne prendo tre o quattro di quelli vecchi e ci arrivo lo stesso, agli scavi della metropolitana. Anch'io sono furbo, mica solo tu.»

Dopo, a casa, Camilla si rigirava in mano il foglio con il numero di telefono e non sapeva decidersi. Aveva portato giù il cane e gli aveva riempito la ciotola, il pensiero fisso a quelle finestre aperte che preludevano a un cambiamento definitivo. Chissà perché proprio adesso, si chiedeva, proprio adesso dopo tanti anni. Il cane, Potti, la guardava preoccupato dal silenzio, dalla mancanza di coccole, dai gesti distratti. Ma la padrona aveva il solito odore, non di paura, non di rabbia, non di malattia, perciò non doveva essere una cosa grave: e lui si rintanò sotto la madia con le zampe in avanti, il muso poggiato a terra, restando immobile, solo gli occhi che ruotavano lenti a seguire gli spostamenti di lei. Cosa telefono a fare, si chiedeva lei, telefonare è una pura perdita di tempo e anche un frugare nella propria scontentezza. E chissà in che condizioni è la casa all'interno: umidità, muffe, intonaci che cadono a pezzi, pavimenti probabilmente da rifare, impianto elettrico non a norma, bagni in sfacelo... Potremmo chiedere un mutuo, però. Un lavoro fisso ce l'abbiamo tutti e due, non siamo ottuagenari, mai fatti assegni a vuoto o cambiali non onorate. E poi? Con che soldi la rimettiamo a posto, come campiamo dopo aver pagato ogni mese la rata del mutuo? Campiamo a pane e cipolle, peccato che né la bimba né il cane mangino le cipolle. A loro pane e basta. No, non si può.

E siccome non si poteva, si mise in poltrona e sollevò la cornetta del telefono. Il cane le saltò subito in grembo.

Fu solo verso le tre che si accorse di non aver mangiato. Glielo fece venire in mente un languore misto a un crampetto alla bocca dello stomaco e glielo confermò l'assenza di piatto posate bicchiere e stoviglie nella vasca del lavandino. Stordita, pensò, sono stordita. Le spie di Fleming Follett e Le Carré restano lucide e vigili anche davanti ai killer che si stanno avvicinando, i piloti di aereo mantengono i nervi saldi di fronte all'avaria dei motori e io mi dimentico di mangiare dopo una banale telefonata. Beh, non proprio banale, non era il solito "Come va, quando ci vediamo?", in quella telefonata c'erano imbarazzo insicurezza apprensione curiosità, c'erano le fantasie di dieci anni di vita. Forse le spie sono glaciali solo nei romanzi e di sicuro qualche volta i piloti smarronano e si fracassano giù. Autoassolta. Bisogna volersi un po' di bene e compatire le proprie debolezze.

Stava davanti alla porta spalancata del frigo a inventariarne il contenuto, ancora distratta, ancora svagata, ancora incapace di gesti ordinati – una confezione di prosciutto cotto sottovuoto (ha un colore malaticcio, un'aria da tisi, perché l'ho comprato?), un assortimento di formaggi ad alto contenuto di colesterolo, una vaschetta di frutta in pieno processo di devitaminizzazione, burro uova olive eccetera –, quando arrivò la solita scampanellata di sua madre. Drin drin drin driiin driiiiiin… E abbi un po' di pazienza, sbuffò tra sé, dammi tempo, e magari ricordati che non sono sorda.

«Non sei neanche passata a salutarmi.»

«Scusa, mi è uscito di mente.»

«Ti è uscito di mente che hai una madre.»

Come riesce a deprimermi questo rapporto che si è fossilizzato in uno schema immutabile, questo abbarbicarsi di mia madre al ruolo della vittima, della derelitta, della malamata. Lei perfetta e io ingrata; lei bersaglio privilegiato della malignità del destino (piove quando esce dal parrucchiere fresca di messinpiega; qualcuno sposta sempre i contenitori dell'immondizia sotto le sue finestre; le banane che le piacciono tanto costano il doppio rispetto all'anno scorso...) e io indifferente alle sue disgrazie. Un giorno sì e uno no vorrei vivere a cinquecento chilometri di distanza. Quello no è quando le chiedo di occuparsi della bimba o del cane. Carogna e opportunista che non sono altro.

«Ma no. Ero soprappensiero. E avevo anche mal di testa.»

«Ti è passato?»

«Quasi.»

«Hai preso qualcosa?»

«Della Novalgina.»

«Alla tele hanno detto che fa venire il cancro.»

«Ma figurati.»

«Non ci credi?»

«Che l'hanno detto alla tele o che fa venire il cancro? Comunque lasciamo perdere. Dove vai, oggi?»

«Al cine con Rita.»

«Brava. E dopo a mangiare una pizza, magari.»

«Non so, vediamo. È che ormai in pizzeria si spende come una volta al ristorante.»

«Vero, però non sei in miseria.»

«Sì, ma non si sa mai cosa può capitare...»

Inondazioni, terremoti, scontri di civiltà, guerra atomica... Ma forse ha ragione lei, basta molto meno per ridursi sul lastrico, basta una malattia lunga, basta una grana giudiziaria che non finisce mai...

«Non pensarci, mamma, e divertiti.»

La voce che prima aveva risposto al telefono era gradevole e gentile. Una voce di donna non più giovanissima, ma stabilire con precisione l'età non le era stato possibile. No, la vendita non era stata affidata a un'agenzia: lei, la proprietaria, voleva occuparsene di persona. Il prezzo? In via di definizione, aspettava delle valutazioni sensate da un paio di esperti. Intanto però poteva far vedere la casa a chi fosse eventualmente interessato all'acquisto. Camilla non se l'era sentita di fingere, aveva preferito dichiarare subito che quasi sicuramente era al di sopra delle sue possibilità, ma per giustificare la telefonata aveva aggiunto che di quella casa era innamorata da dieci anni e che ci passava davanti apposta per godersi con gli occhi l'esterno e immaginarsi l'interno. Dall'altra parte c'era stata una breve pausa e poi una proposta di appuntamento. Non restava che aspettare.

Capace che non telefona, ma il numero io gliel'ho dato, pensava l'Indistruttibile. Sono uno preciso, io, e quando prendo un impegno lo mantengo. Se lei non telefona sono affari suoi e me ne lavo le mani, quello che dovevo fare l'ho fatto e non mi può trovare niente da ridire. Lei non è una che rompe, mi fa solo la predica per le macchine, perché non vuole che mi spacchi le ossa dice, ma secondo me è perché fare la predica le piace per via del suo mestiere. Anche alla mia maestra piaceva, Luigina Porrovecchio vedova Porrone si chiamava e noi giù a ridere sui suoi cognomi. Ma lei non se la prendeva e se ci dava qualche scappellotto era quasi per scherzo, solo quando l'avevamo proprio stufata e non ne poteva più. Però le prediche le piaceva farle, anche se lo sapeva benissimo che servivano a poco. La profia, lo stesso. È anche lei una maestra e ha il vizio del mestiere. Però poi non rompe come la Iris Pecorara, che anche lì ci sarebbe da ridere sul nome e cognome ma io non l'ho mai fatto per rispetto. Però alla Iris Pecorara darei volentieri tante stecche sul coppino, come faceva il maestro che è venuto dopo la Luigina, che non era per niente uno giusto e ce lo siamo tenuti per due anni, poi è andato a finire in un fosso con la bici e siccome era bevuto è rimasto lì a faccia in giù, annegato in una mano d'acqua. Con noi bambini faceva la carogna, uno in ginocchio qua, l'altro dietro la lavagna, giù *pensi* a non finire se sbagliavamo qualcosa, e alla povera Chiarito Teresa una volta ha dato una sberla che le è uscito il sangue dall'orecchio. E quando suo papà è venuto a protestare ha detto che non era vero, che lui i bambini non li toccava neanche con un dito. Bugiardo come Giuda, quella carogna, capace che il papà della Chiarito gli ha dato una spinta e lui è crepato come neanche un cane, perché i cani se cadono in un fosso sono buoni a tirarsi su. La Iris Pecorara è carogna anche lei e fa i ricatti. Io ti regalo l'abbonamento del tram ma tu devi fare questo e non fare quello se no lo riprendo indietro, mi dice. Devi venire nel mio ufficio nel tal giorno alla tal ora, hai capito? Si capisce che ho capito, sono mica scemo. Tutt'al più mi dimentico. Non è mica un delitto dimenticarsi delle cose. E quando mi dimentico viene lei a rompermi le scatole e siccome non può trovare niente da ridire sulla casa perché la tengo pulita e neanche su di me perché faccio la doccia quasi una volta alla settimana e mi lavo tutti i giorni e non puzzo – me l'ha detto anche la profia che non puzzo e a lei ci credo –, siccome non mi può piantare grane sulla pulizia, allora trova altro da dire, per esempio che devo cambiare nome al gatto o che devo darlo via. Io caso mai do via lei, non il mio gatto, e lo chiamo come l'ho sempre chiamato. Lei dice che è un insulto alla religione, ma è una stupida che non capisce niente e non ha mai letto un libro in vita sua, perché se no saprebbe che a Maometto i gatti gli piacevano e una volta che uno si era addormentato addosso a lui sulla manica della vestaglia ha tagliato la manica per non svegliarlo. Erano i cani che non gli piacevano, ma cosa vuoi che ne sappia quella lì. Capace che mi prendo anche un cane, piccolo però perché a quelli grandi costa troppo dargli da mangiare e poi gli trovo un nome che le faccia dispetto, tanto le bestie non me le può portare via se le tengo bene, perché occuparsi di una bestia è un fattore terapeutico dice il dottore, proprio così, "fattore terapeutico" e se lo dice il dottore lei deve ingoiare e stare zitta. Peccato che non beve, la Iris Pecorara, e su una bici non l'ho mai vista, ha un culo così grosso che su una sella sola non ci sta e forse è per questo che non l'ha comprata. Però trovare un nome al cane è difficile. Se lo chiamo Fido o Bobi non serve a niente, se provo con Iris o con Pecorara forse riesco a farla arrabbiare, ma devo prendere una femmina che poi fa i cuccioli e mi mette nei pasticci. A parte il fatto che non so se a una cagna che non guarda le pecore le piace chiamarsi Pecorara. Se prendo un cane lei comincia di sicuro a tormentarmi e mi chiede se gli ho fatto tutti i vaccini e se l'ho tatuato e se ho il libretto e se questo e se quello e mi fa venire mal di testa con tutte le domande. Non so, forse è meglio che non lo prendo. Anche perché poi bisogna essere precisi negli orari e portarlo fuori tre o quattro volte al giorno e io non so se ce la faccio coi miei impegni. Il gatto invece si arrangia da solo, esce dalla gattaiola, va a fare i suoi bisogni e torna quando vuole. Col cane è diverso e anche se lo prendo piccolo dalla gattaiola non passa, a meno che non sia uno di quelli che assomigliano ai topi, ma quelli non mi piacciono per niente. Magari chiedo alla profia cosa è meglio che faccia, lei di cani se ne intende, visto che ne ha uno: un bassotto, però peloso, non come quelli soliti che sembrano salcicce, il suo l'ho visto ed è più bello, ha una coda lunga con le frange, però se io mi fossi comprato un cane l'avrei preso con le zampe lunghe normali. Forse è per il cane che vorrebbe quella casa là, perché così lui avrebbe il giardino dove andare a fare i suoi bisogni e potrebbe uscire quando gli viene voglia, oppure potrebbero mettergli la cuccia fuori e lui stare lì all'aria aperta a svariarsi, a vedere passare la gente, a fare le sue corsette, intanto gli passerebbe il tempo e non si annoierebbe. E così non dovrebbe essere tanto precisa negli orari, lei.

Lei si era alzata prima del solito, dopo una notte di sonno leggero e intermittente. Sbrigate le incombenze mattutine con distratta efficienza, stava andando a scuola di buon passo e intanto considerava tra sé che la mattinata sarebbe di sicuro trascorsa con esasperante lentezza. Due ore di lezione in terza, una di sorveglianza in biblioteca, altre due in quinta, un paio di panini al bar e ancora una ventina di minuti da far passare prima dell'appuntamento. Poi visita della casa, quattro chiacchiere con la proprietaria, un saluto e amen: la faccenda si sarebbe chiusa. Archiviare, passare ad altro, smetterla di crogiolarsi in fantasticherie senza futuro. Scansò una macchina dei vigili parcheggiata in sosta vietata, di traverso sul marciapiede, diede un'occhiata all'orologio e scoprì che aveva ancora tempo per un cappuccino al bar Centrale. Un cappuccino e un croissant con marmellata di albicocche, quelli col cuore di Nutella non le erano mai piaciuti e comunque lì non li tenevano. Spinse la porta a vetri, entrò, si tolse gli occhiali subito appannati, si avvicinò al bancone e captò un frammento di conversazione tra il barista e due clienti, un uomo e una donna, tutti e due alti e robusti.

«No, non tutte le mattine, un paio di volte la settimana, massimo tre.»

«Sempre qui?»

«Di solito qui, qualche volta nelle traverse. Sempre verso le sette e mezzo. Meno male che siete venuti.»

Lei si fece attenta e si rimise gli occhiali.

«Ma cosa fa di preciso?»

«Si butta davanti alle macchine. Poi scappa, ma prima o poi va a finire che qualcuno lo stende.»

«Perché lo fa?»

«E che ne so? Chiedetelo a lui. Dev'essere fuori di testa. Però gli ingorghi si sprecano e anche i tamponamenti.»

Vigili in borghese, a caccia dell'Indistruttibile. Meglio che stamattina non compaia, pensò lei. O forse no, forse è meglio che gli mettano un po' di strizza così la pianta con la sua versione della roulette russa e si risparmia l'ospedale. Però se lo beccano...

Pagò, uscì e lo incontrò dopo due isolati, fermo davanti a una vetrina con la serranda a maglie larghe, intento a contemplare abiti da sposa monumentali.

«Indistruttibile...»

«Lo so, li ho visti scendere dalla macchina. Sono mica tanto furbi, loro senza divisa ma la macchina con le scritte. L'hanno lasciata in sosta vietata e sul marciapiede. Dovrebbero darle la multa.»

«Chi dovrebbe dargliela?»

«I vigili.»

«Sono loro, i vigili.»

«Per questo fanno quello che vogliono. Bell'esempio!»

«Indistruttibile, me lo fai un favore?»

«Te l'ho già fatto l'altroieri.»

«Fammene un altro.»

«Che favore?»

«Va' a sorvegliare la casa in vendita. Io ho appuntamento alle due e mezzo, ma vorrei sapere se stamattina ci vanno altri, a vederla.»

«Allora hai telefonato.»

«Sì.»

«Poi la compri?»

«Non credo.»

«Non è un favore, è una scusa. Vuoi che vada là per via dei vigili.»

«Anche.»

«Ci vado, ma solo perché sei tu. Perché non sei bugiarda.»

«Hai già fatto colazione?»

«Sì, due volte. Il cappuccino me lo offri domani.»

La mattinata, dopo, era passata più in fretta del previsto. A scuola lei aveva avvertito una corrente sotterranea di tensione, come prima dello scoppio di una tempesta, che infatti era regolarmente scoppiata. Alle dieci meno un quarto, cioè prima dell'inizio della terza ora, i due lider maximi avevano proclamato lo stato di agitazione contro il comportamento arbitrario della prof Idelba Briccarello che aveva rifilato un tre a tutti i suoi allievi, sorpresi in atto di flagrante e sfacciata copiatura durante una *verifica sommativa*, che una volta si chiamava compito in classe. Quindi baraonda ovunque, ragazzi ammassati nei corridoi anziché nelle aule, bidelli starnazzanti qua e là, insegnanti in stallo, madama Buonpeso (la preside) impegnata nella mediazione.

Camilla si infila svelta in biblioteca per scansare il casino e un probabile mal di testa. Sta lì da dieci minuti e non ha ancora cominciato a mettere in ordine le schede dei prestiti quando entra Gianni Marchese, un suo allievo di quinta.

«Salve prof. Che fa, medita?»

«Più o meno.»

«Su cosa?»

«Sul fatto che mi piacerebbe essere altrove. Come vanno le cose là fuori?»

«Non troppo bene, credo. Anche alla preside piacerebbe essere altrove.»

«In un altro altrove, nel mio non ce la voglio.»

Con Gianni può permettersi qualche sfogo. Diciannove anni ancora da compiere, ma lei lo sente alla pari.

«E chi vorrebbe nel suo altrove? O è una domanda indiscreta?»

«Molto indiscreta. Posso fartela io, una domanda?»

«Faccia.»

«Com'è che ti sei scheggiato st'incisivo? Sono tre anni che ho voglia di chiedertelo.»

«Cadendo dalla bici. Però poteva chiedermelo prima. Le ragazze me lo chiedono subito.»

«Io non sono una ragazza.»

«Già. Che ne dice, sta tanto male?»

«No, ma se te lo aggiusti è meglio.»

«Perché?»

«Perché così è fragile e a lungo andare lo diventa ancor di più.»

«Non sapevo che avesse studiato da dentista.»

Ridono tutti e due e Gianni si tocca l'incisivo scheggiato con l'indice della destra.

«E la tua ragazza che dice?»

«La mia ragazza?»

«Ce l'avrai pure una ragazza. O hai fatto voto di castità?»

Gianni è in lieve imbarazzo.

«Dice come lei.»

«E allora?»

«Allora me lo faccio aggiustare. Dopo l'esame.»

«Nel frattempo non spaccarci le nocciole. Come si chiama?»

«Eleonora.»

«Bel nome. Siete giovani, siete innamorati, siete felici. Beati voi, beato te.»

«Beato non tanto.»

«Non tanto? Perché?»

«Beh, non è così semplice.»

«Spiega.»

24

«Lei è ricca, ma proprio ricca ricca. Un'altra classe sociale.»

«Gianni, l'Ottocento è finito più di un secolo fa. Il Settecento ancora prima.»

«A parole. In certe cose ci siamo ancora dentro.»

«A me non pare.»

«Invece sì. Non è che i suoi la possano chiudere in convento o spedire lontano e neppure le impediscono di vedermi, però...»

«Però?»

«Però non è così facile, gliel'ho detto.»

«Vediamo se indovino. Lei ha la macchina e tu no, casa in montagna, villa al mare per l'estate... cose così.»

«Ok, ha indovinato. E quando usciamo insieme, dov'è che possiamo andare? Pizzeria, bar, cine: tutto costa un sacco di soldi e non mi va di chiedere più di tanto ai miei.»

«Biblioteche.»

«Infatti. Ci sverniamo, nelle biblioteche. Quelle di quartiere, soprattutto. Si sta al caldo, in certe ore non c'è gente e possiamo parlare. Finché dura.»

«Perché non deve durare?»

«Perché lei si può scocciare delle biblioteche e di me.»

«E tu di lei. Piantala di grondare lacrime verbali. Sei un bel ragazzo, sei intelligente, sei spiritoso, sei...»

«Senza soldi e prossimamente disoccupato.»

«Sei innamorato e corrisposto.»

«Dice che basta?»

«Basta eccome» dice lei, anche se non ne è così sicura. A Gianni preferisce fornire una sicurezza, perché di incertezze il ragazzo ne ha già tante di sue.

Il cancello non aveva il lucchetto ed era accostato. Camilla appoggiò l'indice su un campanello di ottone verdastro che oppose resistenza e non affondò di un millimetro. Premette con maggior forza, ancora senza risultato, e intanto si guardò intorno, in cerca dell'Indistruttibile di cui però non c'era traccia. Ovvio, pensò, non può essere rimasto tutta la mattina di guardia e comunque l'incarico che gli avevo affidato era pretestuoso, la presenza o no di altri eventuali acquirenti non può riguardarmi, visto che io non entro in lizza. Ma adesso che faccio? Entro nel giardino, aspetto qui, chiamo la proprietaria al cellulare? Mentre frugava nella borsa per pescarlo, la porta-finestra sulla loggia si aprì e ne uscì una donna. Sui cinquant'anni, per quello che Camilla poteva giudicare a distanza, di media statura e di corporatura snella.

«La signora Baudino?»

La voce era quella che aveva sentito due giorni prima al telefono.

«Sì, sono io.»

«Entri, la prego. Il campanello non funziona. Scendo subito.»

Lei spinse il cancello, entrò e scoprì parti del giardino che il muro di cinta occultava alla vista. Un giardino fuori moda e inselvatichito, ma con un pergolato di rose rampicanti che al tempo giusto sarebbero fiorite, anche se in modo stentato per la mancanza di potature, e sotto il pergolato c'era un vecchio tavolo di graniglia un po' corroso dalle intemperie. Bello mangiare sotto le rose, nascosti alla vista dei passanti, nelle sere di tarda primavera e d'estate, quando la luce indugia a lungo e le ore sembrano più dolci; bello anche leggere su una sdraio comoda, con Potti accucciato ai piedi che ogni tanto si alza per inseguire il volo di una farfalla o farsi pungere da un calabrone. Intanto Livietta gioca, da sola o con un paio di amiche, all'ombra di quel tiglio argentato che a giugno mescolerà il suo profumo con quello degli altri sulla piazzetta, un profumo inebriante e carnale da deliri amorosi. Illustrazione da libro inglese di fine Ottocento, fotografia da rivista patinata, io invece dei pantaloni ho un abito di mussolina bianca a fiori, la bimba i capelli lunghi tenuti da un nastro, calzette bianche e scarpine di vernice col cinghietto. Fantasie risibili ma consolatorie. Acquerello accademico di vita alternativa.

La signora della loggia intanto aveva aperto il portoncino d'ingresso. Forse un po' sopra i cinquanta, ma non sono mai stata brava a stabilire l'età, dei capelli biondo-castani schiariti dai colpi di sole, con un bel taglio, viso delicato con un trucco leggero che lo ravviva e non lo involgarisce. Sorride gentile, ma gli occhi non sorridono.

«Dora, Dora Vernetti; lieta di conoscerla.»

«Camilla Baudino, anch'io sono contenta di conoscerla. E la ringrazio per la sua disponibilità.»

Formule di sedimentata cortesia, che però sembravano rispondere alla realtà del sentire.

Entrarono. Le finestre e le porte-finestra del piano terra erano tutte spalancate, ma all'interno l'odore di chiuso e di muffa persisteva tenace, come compenetrato nei muri e nella scarsa mobilia rimasta. Un grande soggiorno: caminetto di marmo chiaro ingrigito dalla polvere, parquet leggermente rigonfio in alcuni punti, intonaco qua e là screpolato o cadente. Lei popolò subito la stanza di scaffali librerie divani poltrone e un grande specchio di Pistoletto che portasse il verde del giardino in casa. Sala da pranzo: tappezzeria logora e stinta con tralci di piante indecifrabili, volta a padiglione affrescata agli angoli con fiori simili; io qui ci piazzo lo studio, pensò lei, non sacrifico di sicuro una stanza così ampia solo per le cene ufficiali. Via la tappezzeria, si rifà l'intonaco e lo si tinteggia con un colore chiaro, ma i fiori sulla volta vanno mantenuti per rispetto alla casa e alla sua storia, solo che farli riprendere da un bravo restauratore costerà di sicuro una fortuna. Però potrebbe provarcisi Renzo, ha una bella mano, e se si informa sulle tecniche... Passarono in cucina e l'innamoramento di Camilla sfociò nella passione: un ambiente vasto, niente a che vedere con le risicate proporzioni moderne, un luogo in cui stare con la famiglia e gli amici più cari. Pavimento di piccole piastrelle esagonali bianche e nere, qua e là scheggiate o rotte ma troppo belle per poter pensare di sostituirle, una finestra e una porta-finestra affacciate sul pergolato, e soprattutto, troneggiante al centro di una parete, una stufa a legna in ghisa con decorazioni in maiolica, enorme massiccia e benigna come un nume tutelare. Una stufa da pere al forno con chiodi di garofano e vino rosso, da dolci a lievitazione lenta, da gratin di patate alla lionese, da cosciotto di agnello caramellato, da arista di maiale lardellata di aglio e rosmarino, da spaghetti al cartoccio, da pescespada branzino orata salmone... In questa scena lei si immagina con un paio di jeans comodi, una vecchia camicia un po' lisa al colletto e ai polsi, un paio di silenziose friulane di feltro mentre tira la sfoglia della torta pasqualina, prepara il soffritto per la minestra di fagioli, sbatte i tuorli per la bavarese. Anche il resto della famiglia è presente, perché da una cucina così ci si allontana a malincuore, infatti Livietta disegna a un angolo del tavolo, o seduta a terra su un cuscino strapazza i suoi peluche, Renzo sistema una mensola o libera dalle ventose il polipo appena cotto, Potti sta a muso in su in attesa di qualche svista, un tocchetto di lardo che cade o una scaglietta di parmigiano lasciata cadere...

«È bella, vero?» stava dicendo la signora Dora proprio rivolta alla stufa. «L'abbiamo lasciata lì perché quello è il suo posto, non siamo mai riusciti a immaginarla in un'altra casa.»

Camilla annuì. E si chinò ad aprire lo sportello di alimentazione, il cassetto della cenere, il forno e lo scaldavivande, e in una presa di possesso simbolica si sporse a controllare la valvola di tiraggio come se avesse dovuto accenderla subito dopo.

«Ci sono ancora la dispensa, la camera di servizio, la lavanderia e il bagno. Il bagno, si capisce, ha bisogno di essere rifatto. Poi saliamo al primo piano.»

La signora Vernetti non doveva avere fretta e Camilla si era presa un pomeriggio di libertà, delegando le sue incombenze alla madre. Che stavolta non aveva protestato perché la richiesta di aiuto era stata confezionata con tutti i dettagli più toccanti. Una collega ricoverata in ospedale, ricoverata per esami, perché il suo medico aveva paura di qualcosa di brutto e voleva vederci chiaro. La madre aveva assunto un'aria di circostanza che incoraggiava un seguito, e Camilla glielo aveva fornito.

«Questa collega – Samantha, si chiama, Samantha Calabresu – è sola come un cane, perché i suoi, padre madre e due fratelli, stanno giù, in Calabria appunto, e lei non li ha avvertiti per non spaventarli...»

«Ma si spaventano ancora di più se la cercano al telefono e non la trovano mai.»

«No, perché non ha il telefono fisso, le conviene di più il cellulare e caso mai le cabine, per le chiamate urbane. Comunque, cosa ti stavo dicendo? Ah sì, che piove sempre sul bagnato, perché lei era giù di morale, anzi il morale ce l'aveva proprio a terra, perché il fidanzato l'ha piantata e così in un primo momento non ha dato peso alla stanchezza, al mal di testa, alle vertigini...»

«Il mal di testa ce l'hai sovente anche tu. Faresti meglio a farti vedere.»

Lei aveva incrociato le dita dietro alla schiena e siccome la storia le stava riuscendo bene (a parte il cognome della sventurata calabrese che le era scappato un po' ovvio), le era venuta voglia di portarla a termine.

«L'ex fidanzato è di Torino, un geometra che lavora al catasto. Si sono conosciuti a Roma, a un raduno della gioventù cattolica e poi hanno cominciato a scambiarsi sms, a telefonarsi, sai com'è. Insomma, siccome dopo un po' avevano cominciato a parlare di amore, lei ha mosso mari e monti per avere il trasferimento qui e grazie a un cugino che lavora al ministero dell'Istruzione e ha le maniglie giuste ci è riuscita. Viene a Torino, affitta un monolocale che le mangia praticamente la metà dello stipendio, ma è contenta, perché la storia sembra seria, cominciano a parlare di matrimonio, vanno in giro a vedere case, visitano i saloni dell'arredamento, però lui non la presenta mai ai suoi e trova sempre una scusa, che sono malati, che sono via, che sua mamma deve badare al nonno che gli era preso un ictus... Io qualche sospetto ce l'avrei avuto, ma l'amore è cieco e non pensa mai al peggio. Insomma, dopo neanche cinque mesi che lei è qui, lui la pianta con la scusa che non è sicuro dei suoi sentimenti, che ha bisogno di una pausa di riflessione... e sai come glielo dice? Con una e-mail. Poi piglia le ferie, scompare e non risponde alle sue telefonate al cellulare.»

«Che farabutto. Certe cose una volta non succedevano.»

«Vero, le e-mail non c'erano. Bastardo, più che farabutto.»

«Camilla, ma come parli?»

«Mamma, qualche volta ci vuole. Magari aveva capito che lei non era tanto in salute e le ha dato il benservito prima di esserne proprio sicuro. Oppure ha trovato un'altra a un altro raduno o chissà dove, o forse un'altra ce l'aveva già da prima e teneva il piede in due scarpe. Bastardo è il termine giusto. E adesso lei non ha il coraggio di dirlo in famiglia, perché tutti, i fratelli in particolare, le avevano sconsigliato la partenza, le avevano detto di aspettare un po', di vedere come si mettevano le cose... e così si tiene tutto dentro, l'abbandono e la malattia, poveretta. Se tu ti occupi di Potti e poi vai a prendere Livietta a scuola, io passo in ospedale a tenerle compagnia, a tirarle un po' su il morale, e anche a compilarle tutte le scartoffie in vista della chiusura del quadrimestre, perché la supplente non so se è in grado di farlo.»

«Va' pure, tanto io per domani pomeriggio non ho combinato niente. E portale due fiori, che i fiori fanno sempre piacere.»

«Grazie, hai fatto bene a suggerirmelo, meglio i fiori di una scatola di cioccolatini che forse non può neppure mangiare.»

«Ma fino a quando ti lasciano stare dentro?»

«Non lo so, ma al pomeriggio non è che badino tanto all'orario...»

Al primo piano c'erano tre camere da letto, un altro bagno, una stanza degli armadi, un grande ripostiglio e la loggia festonata dai rami del glicine ancora spoglio.

«Ha già avuto le indicazioni per il prezzo di vendita?» chiese Camilla.

«Non ancora, ma se vuole glielo farò sapere appena le avrò. Che ne dice se andiamo a prenderci un tè? O vuole restare ancora un po'?»

«Io ci resterei tutta la vita, in questa casa.»

«Lei non ha proprio l'animo da commerciante...»

«Perché mi sbilancio troppo? Ha ragione, non farei grandi affari in un bazar. Mi lasci dare ancora un'occhiata al giardino e poi vada per il tè.»

«Ho detto tè ma prenderò un caffè.»

«Anch'io. Mi piace di più.»

Anche Dora le piaceva. Non quanto la casa ma quasi.

6

Stavano sedute al bar e si raccontavano cose.

«Vede» diceva Dora, «la casa era di mio marito, che è mancato un anno e mezzo fa. Era vissuto lì coi suoi e sua sorella fino a quando ci siamo sposati e ci siamo trasferiti. Non ha mai voluto venderla, neppure dopo la morte di padre madre e sorella. Ci era troppo affezionato. Io invece...»

Camilla taceva. Della storia della casa voleva sapere tutto, ma preferiva non sollecitare confidenze.

«Io, invece» continuò Dora dopo una pausa, «quando sono tornata qui non me la sono sentita di andare ad abitarci: troppo grande per una persona sola, troppi lavori da fare. Adesso ho preso la decisione di venderla perché non voglio che vada in rovina.»

«Capisco.»

«Però non vorrei venderla al primo che capita, che poi la snatura, la fa diventare troppo diversa da com'è e com'era, cerco un acquirente che le porti rispetto, che ci faccia, sì, i lavori necessari ma senza sventrarla.»

Camilla continuava a tacere e intanto rifletteva che la signora Dora e il defunto marito non dovevano aver avuto figli, perché se si ha un figlio (o una figlia) è lì che lo si immagina vivere, lui (o lei) con la sua nuova famiglia: la casa, quella casa, come luogo ideale di una continuità di affetti e di memorie. No, non saltare a conclusioni affrettate, si correggeva, il figlio o la figlia magari vivono lontani e nel loro futuro non c'è la prospettiva di un ritorno stabile; oppure i figli sono più di uno e la madre preferisce vendere perché non sorgano grane nella divisione dell'eredità; oppure ancora i figli amano un altro genere di casa, che so l'attico il loft o il rustico riattato in campagna, lontano dalla polvere e dallo smog, in mezzo a pollini e zanzare.

«Vede» continuò Dora, «stamattina avrei dovuto incontrare due possibili acquirenti, ma ho telefonato per disdire gli appuntamenti. Il primo era un uomo e aveva un tono di voce così arrogante, così da padrone delle ferriere, che ho subito pensato che ci volesse speculare sopra. Ristrutturarla chissà come e poi rivenderla a chissà chi. La seconda era una donna e sbagliava i congiuntivi.»

Camilla scoppiò a ridere di gusto.

«Neppure lei, signora, ha l'anima da commerciante. Però ha ragione: una persona che sbaglia i congiuntivi non la merita, la sua casa. Posso chiamarla Dora?»

«Possiamo anche darci del tu, che ne dice?»

«Dico di sì, con piacere. Io i congiuntivi non li sbaglio, ma in compenso ti faccio perdere del tempo.»

«Non mi è dispiaciuto affatto, non preoccuparti...»

Dora impallidì improvvisamente. E subito sulla fronte le comparvero minutissime gocce di sudore.

«Ti senti male?» chiese Camilla.

Dora fece un gesto con la mano come per tranquillizzarla, a occhi chiusi.

«Vuoi un bicchiere d'acqua, vuoi qualcosa di forte?»

Un leggero movimento della testa come rifiuto. Camilla restò in silenzio, sapeva che chi ha un malore improvviso, ma in qualche modo abituale, desidera soprattutto essere lasciato in pace. Intanto Dora si stava riprendendo e dopo qualche secondo riaprì gli occhi.

«Scusa. Mi capita ogni tanto. Sai, il malanno delle donne di una certa età.»

Menopausa, pensò Camilla, il fosso che dobbiamo tutte superare. La fine delle stagioni ascendenti e poi piane e la natura che ricorda brutalmente l'inesorabilità delle sue leggi, che si possono aggirare per un po' ma non eludere per sempre. Così si spiega anche il sottofondo di malinconia non tanto nelle sue parole, ma nel modo di porgerle. Una menopausa un po' strana, con attacchi di pallore anziché di rossore.

«Cosa stavamo dicendo?» chiese Dora.

«Niente. Eravamo in stallo.»

«Mi racconti qualcosa di te?»

«Quarant'anni, una figlia un marito una madre un cane qualche parente. Non sbaglio i congiuntivi perché di mestiere faccio la prof di lettere alle superiori.»

«Sei felice? No, scusa, la felicità non è una condizione permanente. Sei serena?»

Camilla restò un momento interdetta. Era una domanda dura, troppo diretta per una conoscenza iniziata da neppure due ore. Ma era anche una domanda coraggiosa, una richiesta implicita di amicizia.

«Di solito sì, ultimamente un po' meno.»

Dora richiamò con un gesto il cameriere.

«Io prendo un altro caffè. E tu?»

«Anch'io, ristretto.»

Il cameriere si allontanò e Dora rivolse un mezzo sorriso a Camilla.

«Fammi indovinare. Lavoro no, denaro no, salute neppure. Qualche inquietudine sentimentale?»

Fu Camilla stavolta a sorridere. Per una duplice sorpresa: per la spregiudicatezza con cui Dora affrettava le tappe dell'intimità e per la sua capacità di colpire nel segno.

«Sì. Come hai fatto a indovinare?»

«Te l'ho letto negli occhi. Tu nei miei cosa leggi?»

«Solitudine.»

7

Sera, interno domestico. Tensione nell'aria. "Quant'è grave la mia inquietudine?" si chiede Camilla mentre sfac-
cenda e guarda la sua cucina con occhi comparativi. Non
è una brutta cucina, non ha la fredda e innaturale perfe-
zione di quelle proposte dalle riviste di arredamento, è
una cucina un po' disordinata che rivela amore per il cibo
e interessi condivisi, anche se non può competere con
quella vista e immaginata nel pomeriggio. "Quant'è grave
la sua inquietudine?" si chiede ancora Camilla guardando
il marito che ripara in silenzio il manico rotto di una pa-
della. E la sua è una conseguenza della mia o ha origini
autonome?

Il mal di testa che due giorni prima aveva millantato con
la madre, che quella mattina aveva scansato nella quiete
della biblioteca, era finalmente riuscito a raggiungerla. Un
mal di testa psicosomatico, secondo la sua diagnosi, mani-
festazione evidente di un certo disagio interiore e di di-
scordia emotiva, e anche punizione inconsciamente au-
toinflitta. Perché desidero tanto quella casa, perché non mi
accontento di quella che ho, di quella che abbiamo deciso
insieme di comprare, Renzo e io? Che domanda retorica.
La casa del glicine mi piace dalla prima volta che l'ho vista
o meglio notata passandoci davanti per caso. Ci ho fatto
sopra dieci anni di fantasticherie intermittenti, ma senza
smanie di possesso. Fantasticherie platoniche, come im-

maginarmi più alta di quindici centimetri, con gli zigomi scolpiti e la voce di Maria Callas. Adesso invece la desidero, ma so anche che è un desiderio sostitutivo di un altro. Credevo di aver messo un ordine definitivo nei miei sentimenti e invece l'ordine non c'è. Forse basta aspettare, basta avere pazienza e i cerchi generati dal sasso buttato nello stagno finiranno con lo scomparire. Intanto anche Renzo è in lotta col suo disagio, preferisce non parlarne ma i rapporti quotidiani hanno un sottofondo di fatica, che esplode ogni tanto con la battuta astiosa, col gesto di insofferenza.

«Cos'hai fatto oggi pomeriggio?» chiede lui alzando gli occhi dal lavoro.

«Sono andata a vedere la casa che mi piace tanto, quella col giardino e col glicine.»

«Credevo fossi stata in ospedale a visitare una collega.»

«Era una balla confezionata per mia madre. Di fronte a ospedali e funerali non oppone resistenze.»

«Vedere in che senso? L'hai già vista centinaia di volte.»

«Vedere da dentro. È in vendita.»

«Ma cosa ti salta in mente? È una casa da miliardari. Oppure hai vinto all'Enalotto senza dirmelo?»

Grazie, pensa lei, grazie per la battuta e il tono in cui l'hai detta.

«Magari! Ma non gioco all'Enalotto e se vincessi non riuscirei a tenermelo per me. È che avevo una gran voglia di scoprire se la realtà è inferiore o supera la fantasia.»

«La supera?»

«Sì. È una casa bellissima. Dovresti vederla.»

«Non ci penso nemmeno. Ah, dimenticavo, stasera vado da Ezio per un pokerino.»

La tregua è già finita. Non ha detto "Ti dispiace se stasera vado...", ha detto semplicemente "vado", e prima, come per inciso, un "dimenticavo" che non indica affatto dimenticanza. Niente è meno innocente della sintassi, proprio vero. Ha bisogno di una pausa lontano da me, per il pokerino o per altro, ma non voglio indagare. Come invece ha fatto lui sul mio pomeriggio.

«Sei riuscito ad attaccarlo?»

«Sì, finché dura. Stacci più attenta, però.»

«Guarda che non l'ho rotto io. È riemerso così dalla lavastoviglie.»

«Dove l'avevi messo tu, alla come-viene-viene.»

«L'avevo messo io perché caricare la lavastoviglie è un compito che tu mi scarichi sempre.»

«E tu scarichi a me tutte le riparazioni della casa. Lavandino intasato, valvola del termosifone che perde, presa elettrica in cortocircuito...»

«Il lavandino l'ha disintasato l'idraulico. Tu hai solo allagato la cucina.»

«E chi l'aveva intasato, io o tu?»

Si accorgono entrambi dell'impennata della conversazione e della sua vacuità. Sono due adulti ragionevoli e lasciano perdere.

Solitudine, stava intanto pensando Dora, è la solitudine che Camilla ha letto nei miei occhi. Ma non è andata oltre, non ha letto quello che c'è dietro, più difficile ancora da tenere a bada. Comunque ha visto giusto: la solitudine è una prigione dura che non ero preparata ad affrontare, una prigione che ha mura troppo alte per consentirmi un'evasione. Forse non ha più troppa importanza adesso, perché ci si abitua a tutto e si finisce col chinare la testa. Credevo che tornando a Torino sarebbe andata diversamente, che avrei potuto riallacciare qualche conoscenza o addirittura qualche vecchia amicizia, ma era un'illusione assurda, irragionevole perché dopo più di trent'anni di assenza si trova il deserto. La colpa è mia e adesso è tardi. Ma Washington è una città così ostile, così glaciale e io mi sono accorta di quanto mi era estranea soltanto dopo la morte di Andrea. Prima c'era lui e mi bastava, non avevo bisogno di spazi miei, di un'area separata in cui muovermi. Non mi sono preparata a restare sola, non sono stata capace di attrezzarmi, ho vissuto con un ritardo di un secolo e anche più, una donna ombra, senza spessore proprio. Perché l'ho fatto?

Perché stavo bene così, perché non avvertivo vuoti. No, non è del tutto vero, un vuoto c'è stato, ma quello non abbiamo potuto colmarlo, il vuoto del figlio che non è venuto. Medici esami cure e intanto gli anni passavano. Avrei dovuto insistere, con Andrea, spiegargli quanto mi mancasse, ma ogni volta che sfioravo l'argomento lui lo troncava e io ho sempre pensato che fosse per delicatezza, per non farmi sentire in colpa. Adesso non lo so più. Forse lui di un figlio non sentiva il bisogno, aveva i suoi studi e le sue carte da decifrare e interpretare, le relazioni da stendere, le discussioni da affrontare. E aveva me, "la sua ragazzina" diceva nei primi anni, quando la differenza di età si notava di più. Quella volta, quell'unica volta in cui io ho parlato di adozione, la risposta è stata un rifiuto: "Un figlio" ha detto, "se non è nostro non lo voglio". Ci ho pianto di nascosto per qualche giorno, perché avevo capito che era un no definitivo, e poi ho archiviato il rifiuto come un segno di amore. A trent'anni e poi a quaranta e anche dopo la nostra vita mi sembrava dovesse continuare sempre uguale o con cambiamenti minimi: il suo lavoro e gli impegni connessi, cene ricevimenti convegni, a sciare d'inverno, al mare d'estate. Lui in barca a vela tutto il giorno, io quasi sempre a terra, perché il mal di mare non sono mai riuscita a vincerlo. Ma era così sereno, così allegro quando tornava e chiedeva come stava la sua ragazza... Litigi, incomprensioni, ripicche? Non ci sono mai stati e non credo di barare coi ricordi. Qualche momento di nervosismo, qualche parola brusca per la fretta o la stanchezza, si capisce, ma niente di più. Intorno a noi le unioni franavano nei divorzi, con liti e processi snervanti per gli alimenti e la custodia dei figli, poi c'erano nuovi matrimoni che sembravano più meditati e destinati a durare e invece naufragavano presto. Le mogli dei colleghi di Andrea erano comparse precarie, a Jane subentrava Julia e poi arrivava Kate o Ellen o Maud e io mi stufavo di tenere il conto. Qualche volta mi sembrava che la nostra serenità, il nostro accordo fossero immeritati, un colpo di fortuna capitato per caso.

Poi è finito tutto in un mezzo pomeriggio. Una telefonata, una corsa in taxi e quando sono arrivata Andrea era già morto, un lenzuolo bianco a coprirgli la faccia. Il dolore è arrivato dopo, prima ci sono stati l'incredulità, lo sbalordimento, il rifiuto. Prima ho dato corpo a ombre assurde, mi sono lanciata a cercare ragioni dove invece non ce n'erano. Ma quando è arrivato, il dolore ha picchiato duro e ha fatto pagare un conto pesante.

8

L'Indistruttibile sembrava scomparso dai paraggi abituali, ma era ricomparso Tavernello. Assente da un paio di mesi, forse messo in quarantena in qualche luogo di recupero dopo una crisi etilica. Adesso, alle undici e mezzo di mattina, stava seduto sui gradini davanti a una vetrina della libreria San Paolo e a tenergli compagnia c'erano già due cartoni vuoti di vino da discount. Radiolina all'orecchio, bandana sulla fronte e sguardo come sempre annebbiato, perso in un mondo popolato di musica voci e confusi deliri. Sollevò un poco la testa, la riconobbe e farfugliò un saluto impastato e bavoso. Camilla ricambiò il saluto, per un momento incerta se fermarsi o no, poi tirò dritto. Tavernello è al di fuori delle mie possibilità, pensò, non sono in grado di fare niente per lui. Cosa cerchi di dimenticare nella deriva dell'alcol non mi è dato di sapere e il massimo che gli posso offrire è un saluto amichevole, senza condiscendenza e senza riprovazione. Non è più la fame o la fatica ad abbrutirci, ma la solitudine, la lontananza dagli altri in mezzo a migliaia di esseri umani che ci camminano quasi sui piedi. Dev'essere la solitudine che ha spinto Dora a chiamarmi ieri e a propormi di pranzare insieme: l'invito, fatto con apparente disinvoltura, tradiva una vera urgenza. Ho detto di sì per tanti motivi e il primo è che cerco di sgusciare dalla vecchia pelle, come un serpente a primavera. Voglio essere più leggera, con l'umore virato verso l'allegria. Ribellarsi alle inquietudini non serve a niente, meglio accettarle, come le rughe di espressione. Senza inquietudini, o meglio senza questo tipo di inquietudine, non so se starei meglio. E comunque alle telefonate con Gaetano non mi va di rinunciare.

«Ciao, come stai?» ha detto ieri lui.

«Bene, grazie, e tu?»

«Non male. Adesso puoi chiedermi dove sono e che tempo fa.»

«Guarda che hai cominciato tu. Che sei a Roma lo so già e del tempo non me ne frega niente. Dimmi piuttosto del lavoro.»

«Quello che mi aspettavo, un incarico organizzativo. Non mi dispiace ma preferisco le indagini.»

«Preferisci gli omicidi.»

«Se vuoi metterla così. A dire il vero preferirei che gli omicidi non ci fossero, ma visto che ci sono tanto vale che qualcuno cerchi di incastrare i colpevoli.»

«Quando torni?»

«Non lo so. Tu quando vuoi che torni?»

«Che domanda. Dipende mica da me.»

«Non svicolare.»

«Cosa vuoi che ti dica? Che mi manchi?»

«Appunto. Ti manco?»

«Sì. Chiacchierare al telefono non è la stessa cosa che farlo di persona.»

«Sempre riduttiva.»

«Ma che vuoi? Una dichiarazione d'amore?»

«Magari! Comunque non so per quanto ne avrò qui, ma vedrò di tagliar corto e poi ricominciamo a chiacchierare di persona.»

Chiacchierate pericolose, lo so, ma camminare sul filo del rasoio ha un suo fascino. Erano anni che nessuno mi faceva la corte e mi ero dimenticata di quanto sia piacevole esserne oggetto. Piacevole, gratificante, addirittura esaltante. La corte maritale è una cosa diversa, è il mazzo di fiori inatteso che fa sorridere di tenerezza ma non di eccitazione, è il regalo di compleanno in qualche modo suggerito o previsto. I quarant'anni, invece, a me hanno regalato un imprevisto: un corteggiatore ironico e una sbandata sentimentale. Sono passata attraverso le tappe canoniche che una brava moglie, sensata e responsabile, incontra sul percorso in questa circostanza: la negazione della sbandata, il riconoscimento della sua esistenza, l'accettazione con annesso senso di colpa. Adesso però cerco la leggerezza. La leggerezza dell'umore. Che bello aspettare una telefonata, che bello il formicolio nel riceverla. Perché non devo gustarmi questo frizzante rimescolio della quotidianità, queste bollicine di spensieratezza? Non ho mai voluto una vita spericolata, ma adesso mi piace. Poi rientrerò in carreggiata.

«Hai l'aria più allegra, oggi» dice Dora.

«Infatti sono più allegra.»

«Sparite le inquietudini?»

«Non proprio. Ma ho deciso di accettarle.»

«Accettare cause e conseguenze?»

«Dora, che vuoi? Una confessione?»

«No, figurati. E non era curiosità pettegola, era interesse sincero. Non parliamone più.»

«Possiamo anche parlarne. Meglio con te che con un'amica di lunga data, c'è meno imbarazzo.»

«Come con una sconosciuta in treno. Che poi non si vedrà mai più.»

«Esatto.»

«Allora non dirmi niente. Mi piacerebbe che ci vedessimo ancora.»

Com'è franca questa donna nelle sue richieste, pensa Camilla, com'è priva di imbarazzo nel rifiutare i paraventi dell'amor proprio. E questa sua urgenza di intrecciare un legame con me... Così si decide a parlare e a trasformare Dora nella compagna di banco del liceo.

«Ci sono novità sulla casa?» le chiede dopo, a racconto terminato.

«Quattro aspiranti compratori. Abbastanza decenti ma non entusiasmanti.»

«E il prezzo l'hai poi deciso?»

«Sì, un milione e trecentomila. Che te ne pare?»

«Non saprei, non sono addentro al mercato immobiliare.»

«Hai in mente un ristorante preciso o faccio io?» dice Dora cambiando argomento.

«Scegli tu, mi fido.»

Scendono lungo via Garibaldi, si fermano ogni tanto a dare un'occhiata alle vetrine, una sola perché non c'è quasi niente che ne valga due. Quasi all'altezza di piazza Castello Camilla sposta lo sguardo sull'altro lato della strada e le sembra di vedere la silhouette dell'Indistruttibile che si infila in un portone. Si volta per esserne sicura, ma l'androne è troppo in ombra.

Dopo, sono sedute a un tavolo del ristorante e si godono da dietro la vetrata, al riparo dal freddo di fine gennaio, il passeggio sotto la galleria Subalpina.

«Interrogo io?» propone Camilla.

«Sì, adesso tocca a te.»

«Domande e risposte o racconti tu?»

«Cominciamo con domande e risposte, poi vediamo.»

«Hai detto che sei tornata: da dove?»

«Stati Uniti, Washington per la precisione.»

«Che ci facevi?»

«La moglie. Ero Mrs Andrea Cantino, la donna ombra senza identità propria.»

«Ti dispiaceva?»

«Allora no, adesso non serve più dispiacersi né compiacersi.»

«E tuo marito che cosa faceva, a Washington?»

«L'analista, il consulente, scegli tu.»

«Analista di che?»

«Qui la risposta si fa lunga.»

«Abbiamo tempo. Il risotto ce lo fanno espresso.»

«Lo credo bene. Il tartufo su un riso passato di cottura sarebbe una cosa da barbari.»

«Allora, sta risposta lunga?»

«Parto da lontano. Mia suocera riesce a scappare dall'Unione Sovietica nei tempi bui. Ripara negli Stati Uniti, chiede asilo politico, lo ottiene poi incontra mio suocero – cioè quello che sarebbe diventato tale – che era a Boston per lavoro; si innamorano, si sposano e vengono in Italia. Dopo un paio d'anni nasce Andrea, il mio futuro marito, che impara a parlare il russo prima che l'italiano. Dopo la laurea, i diplomi di specializzazione e varie consulenze per grosse industrie, gli propongono un lavoro in America come analista dei documenti ufficiali e ufficiosi di provenienza sovietica. Un esperto di faccende russe, insomma, non sospetto di simpatie filocomuniste data la storia familiare. Un cremlinologo, se preferisci.»

Una specie di spia, pensa Camilla, ma preferisce non dirlo.

9

Ma quando si decidono a uscire da sto cazzo di ristorante?
Quasi due ore che stanno lì dentro e tra un po' io ci rimetto
i piedi. Congelati, come quelli di mio nonno, fottuti nella
ritirata di Russia, me l'ha raccontato almeno un milione di
volte. Se mi mettevo gli scarponcini pesanti con la suola di
para e le calze di lana era meglio, ma le Nike mi piacciono
un casino, con le Nike mi sento in tiro e non faccio una figura da pezzente. Rosse, di pelle, strafighe. Ci ho speso un
terzo dell'anticipo che mi ha mollato il capo ma ne valeva
la pena. Ci sbavavo sopra da più di un anno, ma mai che
avessi abbastanza soldi. I lavori non durano e l'affitto devo
pagarlo puntuale, se no quella merda di padrone di casa
mi sbatte fuori come niente, me l'ha detto subito chiaro
quando mi ha consegnato le chiavi. E per farmelo capire
meglio si è fatto accompagnare dal suo guardaspalle, un
gemello di Mike Tyson, grande e grosso come un armadio
a tre ante, con un collo che ci vorrebbero quattro mani per
strozzarlo. Un cesso di casa, roba che mia mamma si ver-
gognerebbe a metterci piede, se fosse ancora viva. Non che
prima stessimo a palazzo reale, ma era un appartamento
discreto, tre camere e cucina, piano alto, zona semicentra-
le. Poi le cose hanno cominciato ad andare male, di soldi
ne entravano meno e ci siamo trasferiti. Camera tinello e
cucinino in Borgo San Paolo, quarto piano senza ascensore, muri di carta velina, riscaldamento a singhiozzo e io a

dormire sul divano-letto in tinello, sai che allegria a quasi trent'anni. Ma il peggio è venuto dopo, quando lei è morta e il funerale l'ha dovuto pagare mia sorella, perché io stavo a secco. A nostro padre non glielo abbiamo neanche fatto sapere, perché chissà dove sta adesso, Australia Argentina Colombia, sempre che sia ancora vivo.

Ma quanto mangiano le due stronze là dentro? Meno male che posso tenere d'occhio l'entrata senza farmi vedere, anche se qui corro il rischio che arrivino gli sbirri a chiedere che cosa ci sto a fare. Ci sto a fare il cazzo che voglio, non mi buco, non mi faccio di niente, non ho roba addosso e sono incensurato, cosa volete da me? Pigliatevela con i tre tossici seduti due gradini più sotto, che sono strafatti. Strafatti e scemi, con la bottiglietta di minerale accanto e la siringa ancora lì, una sola per tutti e tre. Si vede che dell'AIDS non gliene frega niente perché ce l'hanno già.

Trecentocinquanta euro al mese, e in nero, per il buco dove abito adesso, un ex ripostiglio dove prima ci tenevano un carretto del mercato e le ceste, ma se non hai un lavoro fisso, se non ci sono conoscenze che garantiscono per te, più che strozzini non puoi incontrare. Un lavoro fisso chi riesce a trovarlo di questi tempi? Bisogna essere forti in qualcosa, avere un titolo di studio, sapere le lingue... Alessia si è presa il diploma da maestra, ma il massimo che è riuscita a trovare era un impiego part-time da cassiera al supermercato, una roba da uscire di testa. Poi però ha incontrato il macellaio e ha continuato a stare alla cassa, ma nella bottega del marito, a Ciriè. Le è andata bene per via delle tette e del culo che si ritrovava, ma adesso dopo i due figli straborda da tutte le parti. Sempre stato difficile andarci d'accordo, già da bambino mi bacchettava e dava ordini, ci pativa perché ero il preferito e me la faceva pagare. Fortuna che a vent'anni si è tolta dalle palle e senza di lei io con mamma ci stavo bene. Adesso la vedo sì e no ogni due mesi e mai che si dimentichi di chiedermi se voglio qualche bistecca o un bollito. No che non li voglio, tieni pure la tua elemosina, boriosa di merda.

Chissà perché il capo vuole sapere tutto della bionda, che poi proprio bionda non è ma quasi, vuole sapere chi vede, cosa fa, dove va. Affari suoi, basta che mi paghi e io le vado dietro anche all'inferno, però mi deve un supplemento per il motorino. Richi me l'ha dato che più scassato non si può, ma mi ha assicurato che è pulito, in regola con tutto, perché se mi capita di andare nelle grane, col cazzo che poi il capo mi molla un altro lavoro. Ah, meno male...

«... meno male che ce l'avevi tu. Davvero, non so come scusarmi, ho fatto una figura da... com'è che si dice?»

«Lascia perdere, ti sei già scusata abbastanza, può capitare a tutti...»

«No, non a tutti. Ma dimmi come si dice: figura da...?»

«Cioccolataio.»

«Già, chissà perché.»

«Se vuoi te lo spiego.»

E mentre glielo spiegava (un antico aneddoto su un fabbricante di cioccolata che per *spatuss*, cioè sfoggio di ricchezza, aveva voluto una carrozza più lussuosa di quella del re), e mentre notava tra sé l'incongruenza della storia e dell'espressione con quanto era appena capitato, riusciva anche a rimpiangere la sberla di euro che il pranzo le era costato. Risotto, carne cruda battuta al coltello – entrambi cosparsi da un'abbondante nevicata di tartufo bianco –, sformatino di porri, torta ai marron glacé, una bottiglia di ottimo Roero del 2001 e due caffè. Quando era arrivato il conto Dora si era accorta di aver lasciato a casa portafoglio carte di credito e tutto e lei non aveva potuto fare altro che pagare. Buon viso a cattivo gioco. Intanto il povero Renzo avrà dovuto accontentarsi di un monopiatto in uno dei tanti bar-ristorante convenzionati. Moglie sciupona, ma chi andava a immaginarselo. L'invito è partito da lei, il ristorante l'ha scelto lei, e sempre lei ha detto che, siccome è stagione di tartufi, bisogna approfittarne. Io cosa dovevo fare? Dire no grazie, per me una minestrina di dado e una pera cotta? Comunque è meglio non farne parola a casa, meglio non turbare l'atmosfera che da qualche giorno pare in schiarita. Che poi è una cosa ben buffa e intricata la convivenza matrimoniale: prima, quando mi rifiutavo di accettare la mia sbandata sentimentale e la spingevo giù nel pozzo profondo delle cose da seppellire, in casa la tensione si tagliava col coltello, adesso che l'accetto come un fatto naturale non dico che l'armonia sia quasi ristabilita, però si respira un po' di più.

«Che ne dici?» stava chiedendo Dora.

«Scusa, ero distratta. Mi capita più spesso del solito, ultimamente.»

«Perché pensi al tuo bel commissario?»

«Per la verità pensavo a mio marito. Però hai ragione, Gaetano era sullo sfondo.»

«Me lo fai conoscere quando torna da Roma?»

«Volentieri.»

«Volentieri? Come sarebbe? Sarebbe che secondo te non posso entrare in concorrenza, che non rappresento un pericolo? Bella risposta che mi hai dato...»

«Cosa potevo dire? No, non te lo faccio conoscere, me lo tengo per me e cancello dalla faccia della terra tutte le donne dai quindici ai settanta?»

Si presero sottobraccio continuando il loro divertito cicaleccio, mentre a debita distanza qualcuno le seguiva.

Quel pomeriggio era stato difficile liberarsi di Dora. Voleva fare un giro per vetrine, voleva andare al cine, voleva sentire una conferenza alla fondazione Rebaudengo, voleva tutto. E Camilla a districarsi con educati dinieghi, a valutare il pericolo di ulteriori esborsi di denaro. Anche a pensare in modo intermittente ai fatti suoi. Al cane alla figlia al marito, non in ordine di importanza ma di urgenza. Ai compiti da correggere al bucato da sistemare alle tende da stirare.

«Quello al Lux l'ho già visto. Una boiata tremenda.»

«Ma sulla "Stampa" aveva tre palline.»

«Gliele avrà date un orbo. Oppure il regista era amico suo.»

Meglio che le stiri io – rifletteva a brandelli –, Luana è capace di lasciarci sopra l'impronta del ferro o di ridurle color nocciola. Dar ragione a mia madre mi dispiace sempre, però qualche volta mi converrebbe abbassare le ali e ascoltare i suoi consigli. Luana è una frana, ha sintetizzato Renzo e come si fa a dargli torto? Va d'accordo col cane e non ruba, ma lì finiscono i suoi meriti. Il primo poi è un merito a metà, perché con la scusa di fargli le coccole se lo prende in braccio e passa delle mezz'ore a confidargli i fatti suoi, cioè le sue incomprensibili inverosimili interminabili vicende di amore e di sesso. Come se il cane potesse darle la dritta giusta. E poi cosa sono, ste smancerie? Lei tutto un carezzarlo, un grattarlo sulla pancia e dietro le orecchie, lui tutto un mugolare in sordina, uno sventagliare di coda, un darle musate e bacetti. Potti riesce addirittura a ridere con Luana, e non è un bel vedere, perché quando ride gli viene un muso da iena, da iena ridens appunto. Ma lui è mio e deve ridere solo con me.

«Ti va un giro in via Roma?» stava proponendo Dora. «Magari ci cade l'occhio su qualcosa di bello.»

«Qualcosa di che genere?»

«Chi lo sa? Lo shopping improvvisato è quello che riesce meglio.»

Senza portafoglio? Senza carte di credito? Che bel pomeriggio di bancarotta mi si sta prospettando. È meglio che le spruzzi con lo Stira-e-Ammira, le tende, perché Luana si è di sicuro dimenticata di mettere l'ammorbidente nel risciacquo e mi verrà un braccio di piombo nel ripassarle avanti e indietro col ferro. Di nylon o poliestere sono più comode, le lavi le stendi e le appendi, ma vorresti essere orbo quando ti cade l'occhio sopra. Orbo come chi ha dato le tre palline a quella fetenzia di film, che io mi sono fidata, che ho trascinato Renzo a vederlo e dopo lui ha detto che era meglio se prendeva i sali inglesi, perché a stare due ore sul water si sarebbe divertito di più. Potevamo anche alzarci e andarcene, ma con noi c'erano Marisa e Filippo, e a loro basta che un film

49

sia del Burkina-Faso o della Mongolia per essere un capolavoro.

«Ma mi stai a sentire o pensi a Gaetano?»

«Penso alle tende che devo stirare.»

«Tu? Non la colf?»

«La colf viene solo tre volte la settimana ed è anche un po' grezza.»

«Allora andiamo a casa tua. Ti aiuto io a stirarle.»

«Ma non vorrei...»

«E dai, non è il caso di fare complimenti.»

Dora sapeva stirare molto meglio di lei e maneggiava il ferro come se a Washington non avesse mai fatto altro. Il marito a spiare e la moglie a stirare, una coppia imprevedibile. Ma alla fine della prima tenda era impallidita, aveva chiesto un bicchiere d'acqua e buttato giù un paio di compresse tirate fuori dalla borsa.

«Chiamami un taxi, per favore» aveva detto dopo, «è meglio che vada a casa, mi sento un po' stanca.»

«Ti accompagno io.»

«Neanche per sogno, tu finisci le tende.»

Camilla aveva telefonato al 5737, l'aveva accompagnata davanti al portone e solo quando il taxi aveva ormai scantonato si era chiesta come avrebbe fatto Dora per pagarlo.

10

«Salve prof. Sta di nuovo meditando?»

«Sì, ciao Gianni.»

«Stavolta non le chiedo su cosa.»

«Stavolta dovresti chiederlo.»

«Su cosa allora?»

«Su un'indagine.»

«Vado avanti o è terreno minato?»

«Va' pure avanti.»

«Indagine su chi, su cosa?»

«Su una persona.»

«La conosco?»

«Te ne ho parlato una volta. L'Indistruttibile.»

«Quello che si butta sotto le macchine.»

«Proprio lui. Voglio sapere dove abita.»

«Perché non glielo chiede?»

«Perché è scomparso. Sono quasi due settimane che non lo vedo.»

«L'avranno preso sotto.»

«Speriamo di no ma ho paura di sì.»

«Ha provato con gli ospedali?»

«Non posso, non so il suo vero nome.»

«Sta messa male, prof. Ovviamente non sa neppure il suo numero di telefono.»

«Non credo che abbia il telefono. Né il fisso né tantomeno il cellulare.»

«Da dove si parte, allora?»

«Da quello che so. Esibizioni un paio di volte alla settimana, sempre in via della Consolata o limitrofe. Orario: sempre tra le sette e venti e le otto meno un quarto.»

«Abita in zona. Viene a piedi.»

«Probabile ma non certo. Ha l'abbonamento del tram.»

«Lavoriamo sul probabile. Non me lo vedo andare a prendere il tram, aspettarlo, farsi scarrozzare, scendere, camminare per un pezzo e poi esibirsi. Diciamo che abita in zona, ma non troppo vicino al teatro delle operazioni. Non vuole essere sorpreso in azione dai coinquilini. Quadra?»

«Quadra. A modo suo è una persona discreta, che non sbandiera le proprie faccende.»

«Pensiamo al tipo di casa.»

«Nel centro storico, quindi stabile d'epoca, come dicono gli agenti immobiliari. Ma del genere disastrato, non rimesso a nuovo, se no uno come lui l'avrebbero già sfrattato. Adesso ricordo: abita al pianterreno, un interno cortile.»

«Non ricorda altro?»

«Fammici pensare.»

«Allora?»

«Compra il pane in un minimarket vicino, dice che costa meno che in panetteria.»

«Si ricorda il nome?»

«No, non me l'ha detto. Un minimarket dove la cassiera è gentile.»

«Che sia gentile non ci serve granché.»

«Però è meglio che sia gentile.»

«Meglio per lui.»

«Meglio per tutti. Di arroganza ce n'è anche troppa in giro.»

«E poi?»

«Poi c'è una cosa sui croissant, è lì lì ma non affiora.»

«Sgombri la mente, chiuda gli occhi e si rilassi.»

«Fai il guru, adesso? O credi di essere alla tele?»

«Mi sembrava una bella frase. Lei doveva rispondere

"Okay", dar retta al mio consiglio e dopo dieci secondi le veniva in mente l'indizio risolutivo.»

«L'indizio mi è venuto in mente lo stesso. E può davvero essere risolutivo. I croissant alla Nutella del bar vicino a casa sua fanno schifo.»

«Risolutivo, dice?»

«Sì.»

«Andiamo ad assaggiare i croissant alla Nutella di tutti i bar del centro storico?»

«No, il bar in questione è il bar della Juve. Prendi la guida, guarda dov'è.»

«Lo so io dov'è. Da tutt'altra parte, in Borgo San Paolo.»

«Tu guarda lo stesso.»

«Guardo su Internet, faccio prima.»

«Se lo dici tu.»

«Eccolo qua: bar Juventus, via Monginevro.»

«Ha detto bar della Juve, non bar Juventus.»

«Mi sembra la stessa cosa.»

«Non è la stessa cosa, caro il mio Watson. Fa' scorrere l'elenco e ingrandisci i caratteri, ché gli occhi mi servono anche dopo. Parti dall'inizio.»

«Vado troppo veloce?»

«No, puoi anche accelerare. Miseria, ce n'è una mezza bibbia.»

«Visto dove sta il bar Juventus?»

«Visto, ma non è quello. Avanti... avanti... ancora avanti... fermo! Bar Zebra: eccolo lì il bar della Juve, in pieno centro storico, sei o sette minuti a piedi da via della Consolata.»

«Controllo incrociato con i minimarket della zona?»

«Sì, vedrai che ce n'è uno nei paraggi.»

«C'è. È un Dì per Dì. Sta dall'altra parte della strada, tre numeri dopo. E adesso cosa fa?»

«Adesso finisco il mio orario, mangio un panino e vado a vedere come sta l'Indistruttibile. Ti va di accompagnarmi?»

«Stavo per chiederglielo.»

Le coordinate erano giuste ma ancora un po' vaghe. Il minimarket con la cassiera gentile era chiuso per la pausa pranzo, al bar coi croissant da schifo pensarono che era meglio non chiedere informazioni, data l'imprevedibilità delle reazioni dell'Indistruttibile, che magari aveva fatto chissà che piazzata guadagnandosi l'odio eterno del proprietario. Visitarono quattro cortili, si arresero davanti a tre portoni sbarrati e poi interpellarono una settantenne sfatta e ansante che stava aprendone uno, impedita dal guinzaglio con cui teneva a bada un cane spelacchiato e ringhioso.

«Ah, il matto volete dire.»

«Beh...»

«Il matto sta al ventitré. Ma il portone non lo apre a nessuno.»

«Grazie signora, molto gentile.»

Il portone del ventitré era uno di quelli davanti ai quali si erano arresi. Di legno marcio, sghembo sui cardini, sarebbero bastate tre o quattro spallate decise per farlo spalancare, ma erano le due e mezzo di pomeriggio e nella via passava gente. Gianni tirò fuori di tasca un coltellino similsvizzero e:

«Ci provo?» disse indicando la serratura.

«Neanche per sogno. Seguiamo i consigli dei classici, che la sanno lunga. Ti ricordi cosa dice in proposito Machiavelli?»

«No.»

«Bravo asino. Io cosa insegno a fare?»

«Dica cosa dice, così non stiamo qui una vita.»

«Dice che prima di usare la forza bisogna tentare le vie tortuose.»

«Si vede che quel giorno ero assente.»

«Oppure dormivi. O pensavi a Eleonora.»

«Un anno fa pensavo a Romina.»

«Quella col naso rifatto?»

«Come fa a sapere che si è rifatta il naso?»

«Basta guardarla. Prima aveva un naso giusto, adesso

ce l'ha di serie, diciamo tipo C 4 della classe economica. A scuola ce ne sono altri due o tre uguali. Stesso chirurgo, stesso modello. Adesso sta' zitto e impara qualcosa.»

Pigiò il palmo su tutti i campanelli della pulsantiera e subito si scatenò un concerto di "Chi è?"

«Omaggi in buca della profumeria Clerici.»

La serratura del portone scattò una dozzina di volte in rapida sequenza.

«Truffaldina la prof!» commentò Gianni.

«Sfrutto le debolezze del prossimo per un nobile fine. La gente quando sente la parola "omaggio" o "gratis" è pronta a fare qualsiasi scemenza. Io invece ho la stessa reazione di Goebbels di fronte alla parola "cultura": mi viene voglia di metter mano alla pistola.»

Nel cortile c'erano un laboratorio di falegnameria, due garage e tre porte a mezzo vetro. Da una uscì una donnetta vecchissima, che lentamente andò a unirsi alle altre che scendevano dalle scale per raggiungere le buche delle lettere.

«Quale delle due?» chiese Gianni.

«Proviamo quella di sinistra. Ha delle tendine impenetrabili.»

Bussarono. Niente. Ribussarono. Un gatto uscì dalla gattaiola e si strusciò voluttuoso contro le caviglie di Camilla. Dall'interno giunse un rumore di sedia spostata.

«Indistruttibile, aprimi. Sono la profia, voglio parlarti.»

La porta, non subito, si aprì di uno spiraglio. Dietro c'era lui, in perfetta forma, perlomeno nella sezione verticale che offriva alla vista.

«Quello chi è?»

«Un mio allievo, si chiama Gianni Marchese. Ci fai entrare sì o no?»

La porta si aprì del tutto, l'Indistruttibile si fece da parte e loro entrarono. Era una tana, ma non sgradevole. Una tana pulp e insieme pop, come uscita da un film di Tarantino. Le pareti interamente ricoperte da targhe di latta pubblicitarie, tutte di gelati: Motta Algida Chiavacci Sammontana Pepino Sanson Le tre Marie, un'orgia di coni coppe ricoperti cornetti ghiaccioli granite torte. Scatole di cartone dappertutto, ma diligentemente impilate e con il contenuto indicato sulla facciata apribile. Un armadio di lamiera da spogliatoio sportivo che – secondo l'etichetta affissa – ospitava

Impermeabile grigio
Giacca a vento verde
Tute n° 2
Maglioni n° 3
Biancheria Intima
Cambio Lenzuola
Coperta di Puro Casmir

Sul Puro Casmir (o cachemire) lei nutrì qualche dubbio, ma dovette ammettere che c'era un certo metodo nella follia. Un tavolo due sedie un fornello un'ottomana che fungeva da letto invasa da altre scatole.

«Chi te l'ha detto dove abito, la Pecorara?»

«Chi è la Pecorara?»

«L'assistente sociale, una carogna.»

«Non la conosco, l'ho scoperto da sola.»

«Ah già, sei furba tu. Però anch'io ho scoperto dove abiti.»

«Posso sedermi o mi fai stare in piedi?»

«Siediti pure. Aspettate un momento ma non toccate niente.»

Uscì e ricomparve quasi subito con uno sgabello. Mentre lo posava a terra e faceva cenno a Gianni di sedersi, si sollevò una nuvola di segatura.

«Che piacere ti devo fare stavolta?» chiese col tono di un maestro burbero.

«Nessun piacere. Ma ero tanto in pensiero per te, perché avevo paura che ti fosse successo qualcosa. Tieni, ti ho portato dei croissant con la Nutella.»

«Li hai presi al bar della Juve?»

«No, quelli fanno schifo, me l'hai detto tu. Sono del bar Mogador.»

«Meno male, grazie. Li mangio stasera col cappuccino.»

«Indistruttibile, non ho mai saputo come ti chiami.»

«Mi chiamo Indistruttibile.»

«Sì, ma sulla carta d'identità che nome c'è scritto?»

«Non lo so, l'ho persa.»

«E sull'abbonamento del tram?»

«Lì c'è scritto Traversa Secondo.»

«Secondo. Allora hai un fratello o una sorella più grande.»

«Mai avuto fratelli o sorelle.»

«Secondo era il nome di un nonno?»

«Di nonni ne avevo uno solo e si chiamava Argeo, che non è un nome bello per un bambino.»

«E allora perché Secondo?»

«Perché a mia mamma non piaceva Primo.»

«Come preferisci che ti chiami?»

«Come mi hai sempre chiamato. E te continuo a chiamarti profia, anche se so che ti chiami Camilla, Camilla Baudino.»

«D'accordo. Posso venire qualche volta a trovarti?»

«Sì, però sono pieno di impegni. Magari non mi trovi.»

«Se non ti trovo ripasso. E tu, se ti capita di venire dalle mie parti, sali a prendere un caffè o un cappuccino, mi farebbe piacere.»

«Terzo piano, scala A.»

«Sai proprio tutto.»

«Sì. Lo vuoi un regalo?»

«Certo che lo voglio.»

«Ti lascio scegliere. Preferisci le torte o le coppette?»

Lei si guardò intorno.

«Preferirei i ricoperti e i granellati.»

«Sempre furba, vuoi il più bello. Ma te lo do lo stesso.»

La targa della Gelateria del Corso, che lei si proponeva di archiviare subito in cantina, mandò invece Livietta in totale visibilio.

11

Un terremoto – pensava Dora –: dev'essere così che ci si sente dopo. Crollate le case, cancellati i punti di riferimento, il paesaggio abituale diventato un luogo sconosciuto. La sensazione che tutto può ancora franare, che la terra su cui si cammina è solo una crosta sottile. Tornare indietro, annullare una scelta, impedire che un pensiero prenda corpo e si traduca in azione. Angiolina, la madrina di Andrea. La mia stupida ricerca di inutili radici. Una vecchia con la faccia di carta velina, gli occhi infossati nelle orbite, le mani nodose come rami di ulivo. Una casa di riposo lussuosa immersa nel verde della collina ma impregnata dell'odore di morte. Non avevo annunciato la mia visita, potevo tornare indietro, fermare il tempo dieci minuti prima del sisma. Sono stata lì lì per farlo quando ho sentito l'odore di morte. Ma sapevo che Andrea le era stato affezionato, che aveva avuto con lei una specie di affinità nel capire e giudicare. Poi, la lontananza... Nei primi anni qualche lettera, qualche telefonata, più avanti il biglietto affettuoso con gli auguri di Natale, poi più niente. Avrei potuto mantenere io i contatti ma per me era poco più che un'estranea, una presenza alle nozze, un viso nelle fotografie, un nome ricordato saltuariamente. E adesso, adesso che gli altri sono morti tutti – i miei, i suoi –, il mio intestardirmi per ritrovarla, l'unica ancora in vita.

La vecchiaia è una stagione orribile. Rovina il corpo, ruba la mente, fa affiorare lo scheletro e il lato peggiore dell'anima, quello che l'educazione e il rispetto di sé e degli altri avevano confinato giù giù in fondo, in una cella oscura. Il corpo esibisce le miserie della carne – pelle macchiata e squamosa, articolazioni deformi, bargigli flaccidi di polpa – e la mente si rinchiude nei propri livori, egoismi, ossessioni, povero topo impazzito in un labirinto senza uscite. Dice cose che doveva tacere. Apre ferite. Distrugge equilibri faticosamente raggiunti.

Angiolina ha aperto la scatola di marron glacé che le avevo portato, ne ha mangiati tre o quattro con una voracità da profugo, senza offrirne, tutta concentrata nel suo momentaneo piacere. Come una bambina, ma i vecchi non ispirano la stessa tenerezza, la stessa indulgenza affettuosa. Non riusciamo a perdonargli di essere quello che sono, quello che sono diventati. Quello che diventeremo anche noi.

«Come sta il figlio di Andrea?» ha chiesto.

«Il figlio di chi?» ho chiesto io.

«Di tuo marito.»

Ho pensato che stava vaneggiando. Ma mi si è insinuata dentro una crepa sottile di inquietudine, perché prima l'infermiera mi aveva detto che i marron glacé non le erano vietati e che era debilitata ma lucida. I marron glacé nella scatola che teneva ferma con tutte e due le mani sopra le ginocchia. I marron glacé che non aveva offerto. L'ultimo residuo di urbanità lasciato alle spalle. Sono stata zitta, speravo che non continuasse. Avrei dovuto alzarmi e andarmene.

«Il figlio di Andrea ha trentacinque anni.»

Trentacinque anni fa ci eravamo conosciuti fidanzati e sposati, tutto nell'arco di neppure sei mesi. Subito dopo eravamo partiti per Washington. Sono rimasta ancora zitta. Ma Angiolina ha continuato e ha raccontato tutto. Tutto quello che sa. O forse no.

Una relazione con una donna sposata, un marito forse

assente, forse separato. Lei resta incinta, lo rivela ad Andrea. Che tronca la storia, che del figlio non vuole sapere nulla, mai. Però fa versare alla donna un assegno, per venticinque anni. Chi è la donna, chi è il figlio? Angiolina non lo sa, Andrea le aveva confidato soltanto una parte della storia, non altro, e solo a lei. Chi versava l'assegno alla donna? Una banca, probabilmente. Non l'amministratore di Andrea, il defunto dottor Bonadé-Bottino? Angiolina dice di no, perché Andrea voleva tenere la faccenda segreta a tutti.

«Perché me lo hai detto, Angiolina, perché dopo tutti questi anni?» le ho chiesto.

«Perché era giusto che lo sapessi» ha risposto. Poi ha chiamato l'infermiera per farsi riportare in camera e io sono rimasta lì, stranita e confusa.

Le domande vere ho cominciato a farmele dopo. Come si fa a rifiutare in un modo così brutale il proprio figlio. Per quale ragione, ammesso che una ragione ci sia. Perché non parlarmene mai, nei trentatré anni della nostra convivenza. Ma, soprattutto, come conciliare l'uomo del rifiuto e dell'indifferenza con quello che avevo sposato. Un figlio, aveva detto una volta, se non è nostro non lo voglio. Poteva essere un'allusione alla sua storia segreta, la riconferma di una decisione mai revocata, oppure un tardivo rammarico. Non lo saprò mai.

Ho anche cercato delle scappatoie alle troppe domande. Che la rivelazione di Angiolina fosse soltanto la fantasia di una mente offuscata. Oppure una lucida invenzione per punirmi di qualcosa, per esempio di non averla cercata durante tutti gli anni americani: anche se non eravamo in confidenza, anche se non c'era tra noi nessuna consuetudine di affetto, io, la moglie, avrei dovuto essere la custode dei legami familiari, mentre Andrea era immerso nel lavoro. Forse è questo che ha pensato Angiolina, che l'ha spinta a una maligna estrema vendetta.

Alle scappatoie, però, bisogna credere in modo assoluto se si vuole che funzionino. Io invece non ho altro che dubbi e un'amarezza infinita. E la voglia di lasciarmi andare. Chiudere gli occhi, al buio, per non vedere e sentire niente e nessuno.

«Com'è che la new entry nel Barnum domestico non si fa più sentire?» chiede Renzo mentre armeggia sotto al lavandino nuovamente intasato.

«La new entry chi?»

«La tua amica americana.»

«Non lo so. Però non ti capisco: quando mi tempesta di telefonate, ti lamenti; quando è latitante ti preoccupi.»

«Preoccupato non lo sono per niente, solo stupito. Adesso prendo la pistola.»

«Per ammazzarmi?»

«Per sturare sto lavandino della malora. Ma si può sapere cosa ci butti dentro?»

«Non ci butto niente che non debba essere buttato. È l'impianto idraulico che è fatto alla cazzo di cane.»

«Se lo dici tu che sei un'esperta sarà vero.»

«Hai poco da sfottere. Nella vecchia casa il lavandino non si è mai intasato, qui tutti i momenti. Siccome io sono sempre la stessa, sono i tubi che sono diversi, più piccoli magari.»

«Nella vecchia casa non avevamo la macchinetta dell'espresso e tu non buttavi nel lavandino i fondi del caffè.»

«E secondo te dove li buttavo i fondi della moka? Giù dalla finestra?»

«Credevo nella pattumiera, che sarebbe il loro posto.»

«Nella pattumiera puzzano subito.»

«Basterebbe vuotarla un po' più spesso.»

«Come no. Portare giù il sacchetto della spazzatura è uno dei miei divertimenti preferiti. Viene subito dopo le passeggiate escrementizie col cane.»

«Perché la gente che si sposa poi litiga sempre?» si inserisce Livietta che è appena entrata in cucina.

«Buona domanda» osserva il padre, «ma non so la risposta.»

«Potete sempre separarvi. Nella mia classe siamo solo io, Vanessa e Roberto che i genitori non li abbiamo separati. Poi anche Radu, Ion e Mirela ma loro non contano.»

«Perché non contano?»

«Perché sono arrivati da poco dalla Romania e non hanno ancora fatto in tempo.»

«Tu vorresti che ci separassimo?» chiede Camilla con un po' di apprensione.

«No. Di che marca è la pistola? Beretta, Smith and Wesson, Colt, Browning, Walter...?»

«Continui a guardare le dispense sulle armi con Francesco?»

«Francesco ha cambiato scuola. Gliel'ha consigliato la psicologa a sua mamma.»

«E tu come lo sai?»

«Lo sanno tutti. Francesco è un bambino disturbato.»

«Chi l'ha detto?»

«La psicologa.»

«Ma se diceva che era normalissimo!»

«Quella di prima. Quella di adesso dice che è disturbato.»

«E a chi l'ha detto?»

«Boh! A noi ce l'ha detto la bidella che è contenta perché non deve più accompagnarlo al gabinetto.»

«Come mai lo accompagnava?»

«Perché è disturbato, te l'ho detto. Se andava da solo, faceva la pipì con lo schizzo sui muri e la cacca sempre per terra. Dice che è caduto dal seggiolone da piccolo.»

«Sempre la psicologa.»

«No, lui. Però non era poi così antipatico. Dopo che l'ho picchiato io, lui a me non mi picchiava più.»

«Me, non a me. Anzi...»

«Mamma, per favore, non cominciare.»

«Non cominciare tu, piuttosto.»

«Okay, vado dalla nonna. Siete tutti e due nervosi. Domani mi fai vedere la pistola, papà?»

«Falla vedere anche a me. Da quand'è che abbiamo una pistola?»

«Mi sa che siete cadute dal seggiolone anche voi. È una pistola per sturare gli scarichi, non per sparare.»

«Allora non m'interessa. Posso restare a mangiare dalla nonna?»

«Come vuoi.»

«Anche a dormire, così litigate tranquilli?»

«Non stiamo litigando.»

«A me mi pare di sì.»

«Non si dice "a me mi".»

«Mamma! Rispondi al telefono che è mezz'ora che suona.»

12

Al telefono c'era Dora. La voce era da camposanto.

«Pranziamo insieme domani?» aveva chiesto con un tono che era una preghiera più che una domanda. E lei aveva risposto di sì, raccomandandole mentalmente di ricordarsi del portafoglio.

Il giorno dopo erano alle Tre Galline, cucina piemontese interpretata con sapiente inventiva, e in omaggio al nome del ristorante avevano ordinato un'insalata di gallina con sedano e noci che si stava rivelando una vera squisitezza. Dal momento che Dora non si decideva a parlare, Camilla richiamò il cameriere:

«Faccia i complimenti al cuoco. È un sapore che non sentivo da almeno vent'anni.»

«Veramente è una cuoca. Ma il merito è soprattutto della bionda di Villanova.»

«Come ha detto?»

«La bionda di Villanova. Una gallina di razza pregiata e a denominazione di origine protetta. Una gallina che non si può allevare in gabbia, un prodotto per buongustai che adesso stanno lanciando alla grande.»

Ho mangiato una bionda, rifletteva Camilla oziosamente nel silenzio che si prolungava. E in altre occasioni una milanese o una viennese, una svizzera un messicano un savoiardo un tocchetto di parmigiano. Ho bevuto americani marocchini e moretti. Cannibalismo sublimato nella gastronomia.

«Non so da dove cominciare» attaccò finalmente Dora deponendo la forchetta nel piatto.

«Dal principio. È sempre una buona norma.»

Dopo, Camilla non sapeva cosa dire, da dove partire nell'opera consolatoria. Decise di seguire anche lei la buona norma.

«Ammettiamo, come dici tu, che la storia sia vera. Ma ci possono essere tante ragioni per il comportamento di tuo marito.»

«Io non riesco a vederne nessuna.»

«Perché parti dal tuo punto di vista, dal tuo desiderio di un figlio. E perché credi che quel figlio tu lo avresti allevato volentieri.»

«Infatti.»

«Anche trentacinque anni fa? E comunque quel bambino una madre ce l'aveva. Una madre che non ha fatto ricorso all'aborto.»

«Trentacinque anni fa in Italia l'aborto era illegale.»

«Ma praticato largamente.»

«E allora?»

«Allora puoi chiederti perché non ha abortito. Perché era contraria per principio, perché era troppo tardi, perché una gravidanza poteva costituire un buon ricatto sentimentale...»

«Nei confronti di mio marito?»

«Forse. E forse anche del suo.»

«Ma come, scusa?»

«La maggior parte delle persone ritiene che la presenza di un figlio tenga unita una coppia.»

«Di un figlio proprio, non di un figlio adulterino.»

«E chi ti dice che lei abbia detto al marito che il figlio era di un altro? E chi ti dice che tuo marito fosse proprio convinto della sua paternità? Hai in mano troppo pochi elementi per giudicare.»

«Ma io voglio sapere. Voglio trovarlo, questo figlio.»

«Pessima idea, non farlo.»

«Perché?»

«Prima di tutto perché non hai nessun diritto di intrometterti nella sua vita. Di fare rivelazioni che possono risultare sconvolgenti per lui. Poi per una forma di rispetto verso le decisioni di tuo marito.»

«Mi stai dando un consiglio cinico.»

«Ti sto dando un consiglio di prudenza. Se la madre e il figlio non hanno mai cercato un contatto in tutti questi anni, devono avere anche loro delle buone ragioni.»

Non l'ho affatto convinta, pensava più tardi Camilla tra una commissione e l'altra. Ma Dora aveva soltanto bisogno di sfogarsi con qualcuno, non di ricevere consigli. Adesso butterà all'aria un sacco di stracci, rimesterà nel pantano e tutti saranno un po' più infelici di prima. Bel tipo però lo spione, di cui io ho assunto la difesa d'ufficio. E che dire di quell'arpia di madrina che magari non si ricorda che giorno è oggi ma va a rivangare una storiaccia di trentacinque anni fa? L'ignoranza ha degli squisiti effetti collaterali, ma ce lo dimentichiamo troppo spesso.

E mentre continuava a rimuginare, le parve di vedere la macchina di Renzo che scattava in avanti al verde del semaforo dall'altra parte del corso. Accanto a Renzo – se era lui – c'era una donna. Di sicuro una collega, cercò di convincersi.

13

Qualche giorno di pausa. Non farsi troppe domande, concentrarsi sulle incombenze materiali, si ripeteva più volte al giorno. L'Indistruttibile scomparso ma rintracciabile e Dora non imperversante di persona o al telefono facilitavano la pausa, ma risultava un po' arduo accantonare la visione di una Tipo color amaranto con due persone a bordo. Intanto arrivavano le telefonate di Gaetano, erano chiacchierate di adulti regrediti all'età dell'adolescenza, felici di esserlo ma anche consci della patina di ridicolo che si era posata sulla loro reticente relazione. Che stava sfuggendo loro di mano e trasformandosi in qualcos'altro. L'innamoramento è sempre ridicolo, pensava distrattamente Camilla, a qualunque età e in qualunque contesto, se lo si guarda dal di fuori. Bisognerebbe avere l'innocenza della prima volta, non essere capaci di osservarsi e di sdoppiarsi, bisognerebbe abbandonarsi alla pienezza del vivere senza rifletterci sopra. Bisognerebbe essere nati almeno un paio di millenni fa e avere letto tanti libri in meno. Però anche così, anche con la bilancia della consapevolezza a calcolare tutte le tare possibili, l'innamoramento è un'avventura bellissima, un'incursione in un luogo noto eppure esotico. Ma allora perché non posso essere generosa, perché non mi va di consentire a Renzo la stessa scorribanda? Perché sono o meglio siamo imperfetti e contraddittori, perché il nostro stesso comportamento tenuto da altri ci indigna o ci ferisce, se è rivolto contro di noi. Ma adesso basta. Fuori c'è come un anticipo di primavera che scioglie in dolcezza le ginocchia, che favorisce un abbandono molle a tutte le fantasie possibili, originali o recuperate da vecchi libri e film: camere d'albergo affacciate su un boulevard o su una distesa di tetti, un treno che corre nella notte, una minuscola baia difesa da una barriera di fichi d'India e agavi, un giardino mediterraneo nella spossante calura della controra, il tepore caldo di fiato dentro una tenda in montagna mentre il sole comincia ad alzarsi... Lasciarsi andare, arrendersi senza vergogna all'immaginazione...

«Professoressa Baudino, ci vuol dire se vota sì o vota no?»

«Voto no.»

«Di nuovo? Le ricordo che l'adesione o no al progetto START inciderà profondamente sul futuro del nostro Istituto.»

«Ho detto no.»

«Si metta a verbale che con il voto negativo della professoressa Baudino il progetto START viene per il momento rinviato. Personalmente me ne rammarico molto.»

Il rammarico della preside non la turbò per niente. A dire il vero non aveva ben capito cosa fosse il progetto START – ogni mese bisognava esaminarne uno nuovo – ma ce l'aveva fatta a intuire che era costoso e che qualcuno lo caldeggiava con troppa foga. Qualcuno che doveva avere la sua convenienza. Sono stufa di progetti fumosi, pensò, di invenzioni geniali dell'acqua calda, possibile che sia la sola? Si guardò intorno: alla sua destra la Canavero uncinettava con movimenti minimi delle mani e gomiti immobili una cuffietta da neonato, la Puglisi leggeva un quotidiano piegato a fisarmonica, Reinaudo faceva le parole crociate sulla "Settimana Enigmistica". Lì terminava la fila. Si voltò dall'altra parte: Arnaud era scivolato sulla sedia e, protetto dalla barricata delle spalle atletiche del nuovo supplente di ginnastica, aveva abbassato le palpebre, la Ferroni annuiva metodica a ogni frase pronunciata dalla preside e intanto rimetteva in ordine i numeri sulla rubrica del cellulare, la

Costamagna, ormai al sesto mese di gravidanza, si sventagliava con aria affaticata e sguardo nel vuoto. Intanto la psicologa dello sportello di ascolto aveva preso il posto della preside e annunciava che avrebbe intrattenuto l'uditorio sulla sindrome di deficit di attenzione. Camilla fu colta da un attacco di *fou rire* incontenibile che pilotò in un falso attacco di tosse apparentemente incontenibile.

«Chiedo scusa» bofonchiò, e si mise in salvo in corridoio.

Quando arrivò a casa, un paio d'ore dopo, ebbe la sorpresa di trovare l'Indistruttibile davanti al portone.

«Vuoi salire? Ci prendiamo insieme un caffè» gli propose.

«Devo fare merenda. Oggi a pranzo non ho mangiato.»

«Come mai?»

«Ero impegnato.»

«Ti va un tè con biscotti o preferisci un panino?»

«Uno è troppo poco.»

«Te ne faccio quanti ne vuoi.»

«Tre.»

«Va bene.»

Erano entrati in casa e il cane corse ad annusarlo.

«Come si chiama?»

«Potti.»

«Secondo me sta bene anche qui.»

«Cos'hai detto?»

«Che il cane sta bene anche senza giardino.»

«Quale giardino?»

«Quello della casa che ti piace. Adesso la padrona non la vende più.»

«Come fai a saperlo?»

«Non c'è più il cartello. L'ha tolto.»

«Allora l'ha venduta. Però non me l'ha detto. Strano.»

«Ti dico che non l'ha venduta.»

«Come vuoi.»

«Non mi credi? Non c'è più venuto nessuno, a vederla, e lei l'altro ieri ha tolto il cartello.»

«L'hai vista tu?»

«Sì. Quanti anni ha?»

«Cinquantasei.»

«E non ha più il marito.»

«Vedova. Senza figli e ricca.»

«Anche bella.»

«Sì, anche. Ci vuoi un velo di maionese sul pane?»

«No, mettici un po' d'olio, ma poco. Tu non hai fame?»

«Ma sì, ti tengo compagnia. Vino, birra o acqua minerale?»

«Un bicchiere di vino se ce l'hai buono.»

«Certo che ce l'ho buono.»

Stavano lì, seduti in cucina come due vecchi amici all'osteria, quando lo squillo del telefono li fece sobbalzare.

14

Dovevo dar retta a Camilla. Accettare l'accaduto come si accetta di invecchiare, di ammalarsi, di perdere le persone care. Ancorarmi, come ha detto lei, al ricordo che ho di Andrea, degli anni passati insieme. Restarci legata e fedele, perché quello che non sapevo non ha mai fatto parte della mia vita. Ma adesso che l'ho saputo non riesco a non pensarci.

Sono tornata da Angiolina, non riesco neppure a capire perché. Se anche avesse mentito, non l'avrebbe mai ammesso, non dopo la pugnalata che mi aveva inferto con tanta apparente noncuranza. Forse speravo in qualche spiegazione che rendesse più accettabile il fatto, ma lei non ha voluto tornare sull'argomento. «Non so altro» ha detto, ha voltato la testa e si è messa a guardare nel vuoto, come se io non fossi rimasta lì davanti a lei, come se me ne fossi andata senza salutarla. La sua parte l'aveva fatta, le bastava.

Ma io mi sono messa in movimento. Prima dal Bonadé-Bottino, anche se Pietro, il compagno di liceo di Andrea, è morto quattro anni fa e nello studio è subentrato suo figlio Enrico. Con Pietro avrei parlato apertamente, senza tanti giri di parole e avrei saputo subito se sì o no, ma col figlio è stato diverso, con lui non ho nessuna confidenza e sembrava un dialogo tra sordi. C'è il divario dell'età e c'è anche il fatto che non mi andava di fare la figura della povera vedova che scopre in ritardo gli scheletri nell'armadio di famiglia. Ho dovuto girare intorno all'argomento e non devo aver imbastito una storia troppo convincente perché lui mi guardava con un certo stupore. O con apprensione, come se gli chiedessi chissaché. Mi ha detto che non ne sapeva niente, che non gli risultava che ci fossero stati per tanti anni dei versamenti su un conto corrente bancario, ma che comunque avrebbe controllato tra le vecchie carte in archivio e poi mi avrebbe fatto sapere. Mi ha chiamata due giorni dopo per dirmi che non aveva trovato niente e siccome suo padre era sempre stato molto scrupoloso e preciso non solo nell'amministrazione del nostro patrimonio, ma anche nel tenere in ordine tutti i documenti, ho dovuto lasciar perdere e cercare un'altra strada.

Volevo tentare con un'agenzia investigativa. Ho aperto le pagine gialle e mi sono subito scoraggiata perché ce n'è un'infinità, troppe per scegliere al buio. E quasi tutte promettono miracoli in ogni campo, dal controspionaggio industriale al controllo dell'assenteismo, dalle perizie calligrafiche all'individuazione di amicizie sospette. Mi sono ricordata di Alec, dei parecchi anni che aveva passato in Italia e l'ho chiamato a Washington. Con lui non ho avuto bisogno di inventare storie fasulle, e poi gli ho detto che mi serviva un bravo investigatore che lavorasse in fretta e mi desse delle risposte precise, e ho aggiunto che il costo non era un problema. Così, su sua indicazione, ho fissato un appuntamento col dottor Amoruso, il cui nome non compare sulle pagine gialle e neppure su quelle bianche: Alec gli aveva telefonato pregandolo di occuparsi subito del mio caso. Massimo understatement anche nell'ufficio, centrale e in un bello stabile, ma senza nessuna ostentazione di competenze o referenze. Gli anni di Washington mi hanno insegnato a valutare, da dettagli apparentemente neutri, la professionalità di chi opera in certi settori, e del dottor Amoruso mi sono fidata subito. Mi ha ascoltata senza prendere appunti e mi ha detto: una settimana, massimo dieci giorni e le farò sapere, ma non le prometto niente perché credo che suo marito sapesse tutelare bene i suoi segreti. Già, che stupida, non ci avevo pensato, nello sconcerto delle emozioni sono proprio le riflessioni più ovvie quelle che non si fanno.

Aveva ragione, il dottor Amoruso: Andrea era riuscito a rendere inesistenti una relazione, un figlio e un impegno economico durato venticinque anni. Non insista, signora, mi ha detto, perché non ne ricaverà niente. Poi, mentre me ne stavo andando, ha aggiunto: probabilmente suo marito aveva delle buone ragioni per comportarsi così. Le stesse parole di Camilla. Erano quasi due settimane che non la chiamavo. Mi sono sentita in colpa, ma non le ho telefonato subito, perché avevo ancora un paio di cose da fare.

«Dora, come stai? Cominciavo a essere in pensiero.»

«Bene grazie. Abbastanza. Ho sentito i tuoi messaggi, ma ero giù di umore e non volevo contagiarti.»

«Adesso come va?»

«Meglio. Ho sbrigato delle faccende, ho preso delle decisioni. Mi sento più tranquilla.»

«Hai venduto la casa?»

«No, una delle decisioni era proprio quella. Non la vendo più. Resta così com'è ancora un po', poi qualcosa succederà.»

«Non hai trovato un acquirente degno?»

«No. Possiamo vederci?»

«Certo.»

«Quando?»

«Dipende da cosa vuoi fare. Io sabato mattina vado a fare un giro al Balon e poi la spesona a Porta Palazzo: potremmo andarci insieme. Dopo, se ti va, ti fermi a mangiare a casa mia e conosci la famiglia.»

«D'accordo. A che ora?»

«Alle nove.»

«Dove?»

«Al caffè Ambaradan, così facciamo colazione insieme.»

L'Indistruttibile aveva seguito parte della conversazione, quella udibile, e aveva ricostruito l'altra.

«Visto che avevo ragione? Non la vende più. E tu devi credermi quando ti dico le cose. Adesso vado via perché ho degli impegni.»

«Ma si può sapere che gente ti tiri in casa?» chiede la madre a Camilla. Appena l'Indistruttibile se ne è andato, lei si è catapultata al piano di sopra dalla figlia.

«Cosa fai, mi spii? E comunque è un amico, se proprio vuoi saperlo.»

«Da quando in qua hai dei barboni per amici?»

«Non è un barbone. Ha una casa, è pulito e non puzza. E poi se anche fosse...»

«Ma Renzo lo sa?»

«Mamma, se per una volta ti facessi i fatti tuoi...»

«Grazie, bel modo di rispondere. Se mi facessi i fatti miei, non mi occuperei di tua figlia e del tuo cane tutte le volte che ne hai bisogno.»

Non ha tutti i torti, pensa Camilla, per non avere la vita invasa dagli altri bisogna non invadergliela. E potrei anche essere meno piccata nelle risposte, avere con lei la stessa pazienza che ho con l'Indistruttibile. Ma con la propria madre il controllo emotivo sembra impossibile, o perlomeno a me è impossibile. Fare marcia indietro e ricominciare da capo.

«Non è una cattiva persona, mamma, è solo un tipo un po' strambo, con qualche mania.»

«Strambo come?»

«Come tanti, ne hai conosciuti anche tu.»

«Come il prozio Michele?»

«Più o meno. Il prozio aveva la mania di andare in giro dal mattino alla sera per raccogliere le mollette della biancheria cadute dai balconi, questo qui invece si butta sotto alle macchine, no, non proprio sotto, in mezzo.»

«Beh, un conto sono le mollette, un conto buttarsi sotto le macchine.»

GRAZIE A TUTTI COLORO CHE, DESIDERANDO FARCI UN REGALO,
VORRANNO DONARE UN CONTRIBUTO PER:

BURKINA FASO - PROGETTO DI FORMAZIONE E ALFABETIZZAZIONE RAGAZZI ESCLUSI
DAL SISTEMA SCOLASTICO (COSTRUZIONE AULA E SOSTEGNO ECONOMICO MAESTRI)
ASSOCIAZIONE KATOUMÀ ONLUS (WWW.KATOUMABLOGSPOT.COM)
IBAN: IT 47 H 02008 01003 000011164722

MALI - COSTRUZIONE DI UN POZZO MODERNO NEL VILLAGGIO DI GAYE,
NEL COMUNE RURALE DI HAIRÉ, A POCHI KM DA HOMBORI
ALÌ 2000 ONLUS (WWW.ALI2000.IT)
IBAN: IT 39 E 08324 12600 0000000500359

CAUSALE: "PER MARIA LUISA E MARIO"

«Sì, però in casa il prozio ne aveva almeno due dozzine di sacchi, di quelli grossi.»

«Ma buttarsi sotto è pericoloso!»

«Lui dice che gli piace e che è indistruttibile.»

«Poveretto. Prima o poi va a finire in ospedale. A proposito, come sta la tua collega?»

«Quale collega?»

«Quella che è in ospedale.»

«L'hanno dimessa questa settimana.»

«Guarita?»

Potrei miracolarla, pensa Camilla, ma forse è meglio di no, meglio infierire. Il pretesto ospedaliero può sempre venirmi buono.

«No, purtroppo. Devono operarla. Torna in ospedale lunedì.»

15

Come fanno in fretta a radicarsi le abitudini, pensava Camilla un mese e mezzo dopo. Basta compiere un'azione tre o quattro volte e può capitare che entri nelle rotaie delle nostre giornate e settimane. Magari non per sempre, magari soltanto finché un contrattempo minimo o un imprevisto dell'ultimo momento non intervengono a scompigliare la sequenza, a renderla meno regolare e poi ad annullarla. E magari un'altra abitudine prende il posto di quella scomparsa e ci accompagna per qualche mese o anno o per un lungo tratto di vita. Questa, di abitudine, quanto durerà? Il sabato in compagnia di Dora, una via di mezzo tra un gesto di amicizia e un'azione da scout. Aiutare i vecchietti ad attraversare la strada, dar da mangiare ai gatti randagi, ripulire le sponde del Po da siringhe e preservativi. Tenere compagnia a Dora. La prima volta caffè e croissant al bar, poi un giro al mercato del Balon, a occhieggiare qualche bel mobile nelle botteghe, un'infinità di carabattole o di ciarpame pulcioso sui banchi degli ambulanti e sulle stuoie degli zingari. A respirare un po' di Maghreb di Africa Nera e di Lontano Oriente senza uscire dalla cinta daziaria. A buttare via qualche decina di euro per una collana di vera ambra finta che non metterò mai, per un ventaglio di bambù made in China ma a forma di Paperino. Dora che si diverte come una bambina e sembra aver scoperto un parco delle meraviglie in un mercato delle pulci che sta lì da sempre e che dovrebbe aver conosciuto e visitato almeno una volta prima della parentesi americana. Poi la spesa a Porta Palazzo, io mi carico di borsoni per risparmiarmi lo stillicidio degli acquisti quotidiani, lei di fronte all'abbondanza e varietà sfrontata della merce in vendita e alle urla altrettanto sfrontate dei venditori sembra addirittura stranita. Dora, ma dove vivevi? Hai mai frequentato un mercato? Dora scuote la testa: a Washington c'erano Sarah e Daniel che si occupavano degli acquisti e di tutto. E qui? Qui vivo in un residence, non te l'ho mai detto? Sono rimasta stupita, perché non lo sapevo e anche perché mi sembrava strano. Lei se ne è accorta e mi ha spiegato che non era stata una vera scelta, ma una soluzione temporanea che si stava prolungando per inerzia. Del resto, ha aggiunto, mi trovo piuttosto bene, l'appartamento è ben arredato e spazioso, non mi devo occupare della pulizia e se non mi va di cucinare scendo al ristorante o compro qualcosa di pronto nella gastronomia che c'è all'angolo. Non ho fatto commenti, ma ho pensato che il residence non mi sembrava una buona soluzione per una donna oltre la cinquantina afflitta da un lutto recente, ossessionata dalla solitudine e tendente alla depressione. Mettere su una casa nuova è un'occupazione faticosa che però distrae dai pensieri cupi, si deve andare in giro per i mobili, decidere l'illuminazione e le tende, scegliere i tappeti – sempre che piacciano e non si abbia la fobia degli acari – e intanto contattare un imbianchino per la tinteggiatura delle pareti e un idraulico perché c'è un rubinetto che perde o un sanitario da cambiare... Una casa nuova segna l'inizio simbolico di un'era nuova, traccia il confine tra un prima e un dopo, aiuta a ricominciare quando c'è stato uno strappo doloroso. Ma ho anche pensato che è assurdo prestare la propria visione del mondo agli altri e poi ho ancora pensato che la mia riflessione non era da Guinness dei primati in quanto a originalità.

Dopo la spesa alla tettoia dei formaggi, io, quella prima

volta, ho proposto il tram ma Dora non era dell'idea: taxi, ha detto, nella ressa ci siamo già state il giusto. Nell'attesa che il semaforo passasse sul verde ha chiamato il 5737, abbiamo attraversato il corso e il taxi è arrivato quasi subito. Da quella prima volta siamo scivolate nell'abitudine: colazione Balon spesa taxi pranzo in famiglia. A quest'abitudine Dora sembra aggrapparsi come a una boa nel fluttuare delle sue giornate e al venerdì non manca mai di telefonare per assicurarsi che non ci siano variazioni. La famiglia, cane a parte, non ha reagito troppo male. Per almeno tre motivi: curiosità, una certa simpatia e tornaconto. Il tornaconto è costituito dalle torte meravigliose e dalle bottiglie di eccelso vino d'annata che Dora porta in omaggio, in aggiunta a qualche regalo per Livietta (una T-shirt una sciarpa una gonna, tutte rigorosamente griffate). Io ho avuto qualche reazione di grettezza piccolo-borghese (mi sentivo in debito, pativo inconsciamente la gratitudine), ma Renzo, che in certe cose è più acuto di me, me l'ha fatto notare e mi sono messa tranquilla: la vita è tutta un do ut des, anche nell'amicizia e negli affetti. Persino nell'amore. E i vini pregiati del Roero e delle Langhe non li beviamo tutti i giorni. Finché dura...

Dora si ferma buona parte del pomeriggio e quando vengono le amiche di Livietta a giocare anche fino a sera, il che consente a Renzo di andarsene per i fatti suoi (senza sentirsi in debito, presumo) e a mia madre di non scendere a casa sua col pretesto di aiutarmi in qualche lavoro. Chissà se qualche volta i boy-scout si voltano dall'altra parte quando vedono una vecchietta che deve attraversare la strada.

Finito anche questo lavoro, rimuginava intanto l'uomo. La bionda non gli interessa più. Si vede che ha saputo tutto quello che voleva sapere. Non devo lamentarmi, dato che non è stato a piantare rogne sulle ore che gli ho segnato e mi ha pagato bene, meglio delle altre volte, anzi più che bene. Però certe volte il capo non lo capisco. Dopo che mi sono fatto dare da Richi il motorino e poi la Renault, seguire la bionda è stato più facile perché potevo andarle dietro anche quando prendeva un taxi, però il mio era lo stesso un pedinamento per modo di dire, perché ci andrebbe una squadra per tampinare sul serio una persona. E poi di sera io smontavo; a parte il fatto che ero stanco morto, mica potevo stare ore e ore davanti a casa sua: chiuso in macchina faceva un freddo cane e sai che ridere se tenevo acceso il motore, come minimo mi notava mezzo mondo. Ma oltre a questo, io come investigatore non è che posso scoprire un granché, per esempio che ne so delle telefonate che fa o riceve, le intercettazioni non sono il mio campo e ci vogliono le attrezzature. Anche fotografare non è il mio campo, cioè io fotografo ma non è che le foto riescano sempre bene, perché sti cazzo di apparecchi moderni ti dicono tutti che li sanno usare anche i bambini ma non è vero niente. Comunque, al capo gli è andata bene così, e se l'incarico l'ha dato a me invece che a un professionista è per via che costo meno. Se non ti specializzi in qualcosa non è che puoi pretendere, e adesso, con st'invasione di morti di fame che c'è stata, tutti tirano a pagare di meno, perché se non ci stai tu ci sta qualcun altro. A me mi sarebbe andato di entrare nel mondo dello spettacolo, che tanti ci sono riusciti, dato che adesso qui a Torino girano un fottio di film e di fiction, ma ai provini non mi hanno mai preso. Prendono cani e porci, certi scorfani che te li raccomando, e io che di fisico sono niente male resto sempre fuori. Il fatto è che lì bisogna darsi da fare con quelle del casting, sbatterle se vogliono essere sbattute o cosa, ma la volta che ci ho provato è andata buca, perché si vede che non ero il loro tipo. Se c'era ancora mamma di sicuro me la passavo meglio, ma si è fatta stendere da un camion bastardo che però aveva i testimoni che passava col verde. Io non c'ero e lei la sera prima era andata giù pesante coi sonniferi, che glieli hanno poi trovati nel sangue con l'autopsia, così può darsi che davvero era fuori di testa e non ha visto il semaforo e il camion che arrivava. Sfigata lei e sfigato io, due volte, che sono rimasto solo e l'assicurazione non ha pagato un tubo. Mamma era una vera signora. Dev'essere per questo che Alessia non la poteva soffrire, che la trattava come una merda, con tutto che era anche la sua, di madre. Una volta che aveva diciott'anni o giù di lì e stava per uscire quasi con le tette di fuori e un trucco da puttana di ultima e mamma gliel'ha fatto notare, lei ha avuto il coraggio di rispondere *senti chi parla*. Mi sono messo di mezzo io e le ho mollato un pugno dritto nell'occhio destro, che per una settimana non ha più avuto bisogno di metterci l'ombretto o quello che ci metteva sopra. E dopo il pugno, dato che aveva perso l'equilibrio ed era crollata giù, le ho rifilato due calci con gli scarponcini che le hanno incrinato una costola. Ma al pronto soccorso non ha fatto la spia e ha detto che era caduta per conto suo. Mamma ci ha sempre trattati bene, mai una sberla, e non ci ha fatto mancare niente. Ma Alessia era gelosa, perché anche se allora era un bel pezzo di fica, mamma era più bella di lei, con tutto che aveva i suoi anni. E se il capo mi passa ogni tanto qualche lavoro è sempre grazie a mamma, che è stata lei a presentarmi lì, dove tanti anni fa l'avevano presa a lavorare quando una era andata in maternità. Sono sempre lavori che non durano, ma io non pianto grane e, se mi dicono di stare zitto perché sono faccende delicate io non apro bocca con nessuno e so stare in campana. E dato che il capo mi ha anche dato una mazzetta in più, una specie di gratifica, oggi è proprio una giornata buona e non mi va di pensare al dopo.

16

Bravo, ragazzo-cane, è così che si fa. Musate leccatine e bacetti alla tua padrona, che sono io, e che mi occupo del tuo benessere psicofisico in tutti i suoi aspetti, dal prepararti la pappa al portarti a fare la cacca, dallo spazzolarti da capo a coda al grattarti sulla pancia e dietro le orecchie. Ti porto anche a lavare, che non ti piace tanto, ma è per il tuo bene, dal momento che non sei un gatto e non sai tenerti pulito da solo, come fanno invece loro che sono schizzinosi e narcisi e si curano il corpo come starlette e veline. Tu e tutta la caninità siete invece degli zozzoni, con sta stupida mania di rotolarvi sul marciume e sulle carogne, che non vi serve a niente visto che non vivete allo stato brado e non avete nessun bisogno di confondere i nemici con un odore diverso dal vostro. Ma anche se sono passati millenni non lo avete ancora imparato, capoccioni come siete. Bravo, ridi, ridi pure, ma devi ridere solo con me, capito? Con gli altri devi stare un po' sulle tue, qualche sventagliata di coda per far vedere che sei un cane ben educato e sai stare in società, ma niente di più, nessuna confidenza eccessiva. A proposito di buona educazione, cosa ti ha fatto Dora, che tutte le volte che compare qui tu volti il muso schifato e vai a nasconderti sotto la madia? Non credo ti abbia mai mollato un calcio, non sarebbe da lei, e comunque in quel caso tu ti saresti rivoltato e le avresti lasciato il segno dei denti o le avresti assaggiato un bocconcino di polpaccio: e allora perché? Comodo, eh, non saper parlare il linguaggio articolato degli umani, comodo quando non ti va di rispondere...

«Quando avrai finito di vaneggiare col cane, che ne diresti di darmi una risposta?»

«Risposta su cosa?»

«Sull'invito dei Bruzzone. Ci andiamo questo weekend o il prossimo?»

«Meglio il prossimo.»

«Perché?»

«Perché così lo dico a Dora con anticipo.»

«Guarda che non l'hai sposata, e soprattutto non l'ho sposata io.»

«Lo so, ma mi fa un po' pena.»

«Dille che si dia una mossa. Che si metta a lavorare, che faccia del volontariato, che si trovi un uomo, che si tolga un pochino dalle palle...»

«Di' un po', sei sverso o cosa?»

«Non sono sverso per niente, solo un po' stufo delle tue imposizioni.»

«Imposizioni?»

«Come lo chiameresti tu, maestra del lessico, il bivacco continuo di Dora e di tua madre qui da noi?»

«Lo chiamerei bivacco, come hai fatto tu.»

«Imposto da te.»

«Non imposto, soltanto tollerato da me. Che sono più duttile di te.»

«Litigate di nuovo, voi due?» si inserisce Livietta.

«Non stiamo litigando affatto, solo discutendo.»

«Sarà. Io vado dalla nonna, ma non le dico cosa ha detto papà.»

«E io vado a portare la macchina dal meccanico.»

«Adesso? E a che ora mangiamo?»

«Più tardi. Come hai detto che sei, duttile?»

Fuori tutti e due, sai che dolore. E sta macchina che da un po' di tempo ne ha sempre una. A sentire lui. A crederci. Neanche fosse una Ferrari da formula uno. Meglio continuare a non pensarci. Per intanto mi bevo un bicchiere di Arneis bello fresco e chiamo Gaetano.

Invece no, accidenti, perché stanno suonando al citofono.

«Chi è?»

«Sono Gianni Marchese, prof. Se ha da fare, me lo dica pure che non sto a salire.»

«Sali, ti apro.»

Cosa vorrà mai? È venuto soltanto un paio di volte a casa mia, insieme a quattro compagni e compagne per mettere a punto un articolo da spedire a un concorso studentesco. Con quell'articolo hanno anche vinto un premio e a me hanno regalato un vasetto con un cactus. Gentili. Io detesto le piante grasse, soprattutto se spinose – quella ovviamente lo era –, ma loro non potevano mica saperlo. Il cactus, dato che continua a non piacermi, cresce e prospera che è una meraviglia, ha pure fatto un fiore, concimato dalla mia indifferenza. Se invece mi avessero regalato un capelvenere, che mi piace tantissimo, sarebbe già stecchito da mesi. Il destino è carogna anche nelle piccole cose.

«Entra. C'è qualcosa che non va?»

«Si vede così tanto?»

«Direi di sì. Vieni in cucina, ci beviamo un aperitivo. Per te analcolico, se no potrebbero accusarmi di traviarti.»

«Non ci sono testimoni, mi pare.»

«Allora un bicchiere di Arneis, e dei taralli per mandarlo giù. Intanto mi racconti.»

«Non indovina?»

«Forse. C'entra Eleonora?»

«Esatto. È andata come pensavo io. Lei, prof, non ci aveva azzeccato.»

«Non sono mica l'oracolo di Delfi.»

«Ma le pensava davvero le cose che mi ha detto quel giorno in biblioteca?»

«Non del tutto.»

«E allora perché...?»

«Perché qualche volta bisogna mentire, ma l'elogio della menzogna te lo faccio in un altro momento. Adesso raccontami tu.»

«C'è poco da raccontare. Oggi ci siamo visti e mi ha detto che è finita, che si è innamorata di un altro.»

«Vuoi delle banalità consolatorie o preferisci dei luoghi comuni sulla volubilità delle ragazze?»

«Qualche osservazione originale non sarebbe meglio?»

«Su questo argomento l'originalità è impossibile. È già stato detto tutto.»

«Allora è inutile parlarne.»

«No. Parlarne può servire, ma il dolore della ferita ha bisogno di tempo per attutirsi e poi sparire. Intanto ti dico una cosa, anche se magari non la prenderai tanto bene.»

«Sarebbe?»

«Che avevi fatto una buona scelta con Eleonora.»

«Grazie tante, bella consolazione. Perché era una buona scelta, secondo lei?»

«Perché ha avuto il coraggio di dirtelo di persona. Perché ti ha trattato con lealtà.»

«Innamorandosi di un altro.»

«Non fare lo scemo. Non si è innamorata di un altro a comando, o per fare dispetto a te. L'innamoramento non dipende dalla volontà, capita e basta. Lei ha avuto l'onestà di dirtelo. E tu, innamorandoti di lei invece di una che si fa rifare il naso senza averne nessun bisogno, avevi fatto una buona scelta.»

«Guardi che non mi sta consolando per niente.»

«Cosa vuoi che ti dica? Che lei è una stronza? Non te lo dico perché non è vero. Che è stato meglio che sia finita così? Neppure. Ti dico invece che poi passa, anche se adesso non lo credi possibile. E ti dico una cosa ancora peggiore: che in amore una delusione è quasi indispensabile. Insegna a non sentirsi onnipotenti. Ce l'hai sempre la bici?»

«Sì, ma che c'entra?»

«C'entra che magari telefoni a Loris e gli proponi per

domani una bella sgroppata in bicicletta. Le previsioni danno bel tempo: vi portate dietro qualche panino e una bibita e macinate un bel po' di chilometri, fino a sentirvi le gambe di piombo. Poi diventa di piombo anche la testa ed è quello che ci vuole.»

«Domani c'è la verifica di inglese.»

«E voi tagliate, che sarà mai...»

«Prof, ma cosa...?»

«Per favore, non fare il secchione con me. Siete maggiorenni tutti e due, non avete neppure bisogno di falsificare le firme.»

«La Rivetti si incazza di brutto se saltiamo la verifica.»

«Domani la Rivetti non farà nessuna verifica, le dirò che io ho assoluto bisogno della sua ora. Siccome è giovedì e al mercato viene il suo scarparo di fiducia, farà salti di gioia all'idea di poterci andare.»

«Di nuovo una trovata machiavellica?»

«Ma no. Lui ragionava in grande, questa è cosa piccola. E poi tu e Loris continuate a darci dentro con la bici, anche dopo.»

«Sempre tagliando?»

«Non esagerare. Al pomeriggio. Farà bene a tutti e due, a te per via di Eleonora, a lui per mettere su un po' di muscoli. Hai voglia di fermarti a mangiare con noi?»

«Sì, ma non vorrei...»

«Disturbare?»

«Esatto.»

«Non disturbi per niente, anzi io ne approfitto per sfruttarti un po'. Prima mi aiuti a preparare qualcosa, poi mi insegni una volta per tutte come si fa a comprare libri su Amazon senza combinare guai.»

«Una volta per tutte gliel'ho già insegnato un paio di volte.»

«Ma io non l'ho ancora imparato. Nessuno è perfetto, sai?»

17

Sabato mattina. Routine. Colazione con Dora, al Balon con Dora. Frugano in una cesta di passamanerie, curiosano davanti a un banchetto di vecchi giocattoli, seguono per una ventina di passi un trio di suonatori ambulanti, chitarra sassofono e fisarmonica. Dora indossa un bellissimo soprabito verde bottiglia. Roba di alta sartoria, che però non le dona per niente e anzi la sbatte. Ha un'aria affaticata e dice che ha dormito poco e male. Camilla nutre la speranza di liberarsene prima del solito. Non le ha ancora detto che il prossimo fine settimana andrà fuori città. Sta rimandando l'annuncio per vigliaccheria. Ma anche perché Dora, pallida com'è sotto il fondotinta, le fa più pena del solito. Non ha più parlato del figlio misterioso del marito, ha accennato a un'altra questione che spera di chiudere presto ma senza entrare in dettagli. Camilla ha comprato frutta verdura e formaggi alla tettoia dei contadini. Si avviano al passaggio pedonale per attraversare il corso. Dora si ferma e chiama un taxi col cellulare. Adesso sono al varco davanti ai binari dei tram. C'è una gran calca alle loro spalle. Il semaforo è rosso. Dora è alla sinistra di Camilla, mezzo passo avanti. Il tre sta arrivando a velocità contenuta. Sta passando davanti a loro. Dora barcolla e pencola in avanti. Il tram la urta violentemente, la sbatte a terra di fianco alle rotaie, a pochi centimetri dalle ruote. Poi frena di colpo, ma è tardi. A Camilla cadono le borse della spesa. C'è un urlo generale. Un attimo di immobilità sospesa: nell'urlo viene congelata ogni capacità di movimento, ogni iniziativa. Poi, all'improvviso, corpi che si scontrano, gambe che avanzano o indietreggiano, braccia che si tendono, mani che coprono gli occhi e, mentre l'urlo si smorza, esclamazioni e domande. Il tranviere apre le porte, si catapulta giù con tutti i passeggeri che nella brusca frenata non si sono contusi, si mette le mani nei capelli, fa qualche passo indietro e ripete stordito gesummaria gesummaria. Una macchia di sangue compare da sotto la testa di Dora. Camilla si piega sulle ginocchia e vomita, lo stomaco squassato da spasmi incontenibili. Il cervello le impartisce ordini confusi cui non è in grado di obbedire. I due vigili, una ventina di metri più in là, troncano il loro chiacchiericcio e si voltano: dalla loro posizione non possono capire l'accaduto, ma intuiscono che è qualcosa di grave. Corrono verso la folla che è un formicaio impazzito, il più corpulento dei due inciampa in una cunetta dell'asfalto, riesce a stento a mantenersi in equilibrio, si lascia scappare una mezza bestemmia; l'altro non si ferma, grida «Circolare, circolare!» senza sapere ancora cosa è successo, si fa largo a gomitate nella barriera di astanti e finalmente vede e capisce. Madonnasanta dice, mentre si attacca alla radio. Accanto alla testa di Dora adesso c'è una pozza di sangue. Camilla si rialza, schifata per le scarpe inondate di vomito, per i residui acri che si sente in bocca, ma soprattutto per la propria perdita di controllo. Dora Dora Dora, mormora tra sé avvicinandosi al corpo dell'amica.

18

Il suono della sirena annuncia da lontano l'arrivo dell'ambulanza. A dar manforte ai vigili si sono aggiunti i carabinieri della postazione mobile di presidio al mercato. Insieme tengono a distanza la folla, ma hanno permesso a Camilla di inginocchiarsi accanto a Dora, di tenerle una mano tra le sue, di spiarne il respiro, di sussurrarle insensate parole di conforto e recriminazione. Parole che Dora non può sentire o forse chissà... Non c'è nulla di certo in quell'interregno che separa la vita dall'agguato della morte e anche la scienza, con tutte le sue macchine e test e tracciati, deve accettare l'ombra fredda del dubbio.

Dora Dora Dora, se acconsentivo al weekend dai Bruzzone adesso tu non eri stesa qui sull'asfalto, povero fantoccio disarticolato, misero fagotto di ossa e carne, qui a terra, in attesa di mani estranee che ti sollevino e ti depongano su una barella. E bastava anche meno: non comprare gli asparagi e il cavolfiore, oppure ritardare di un minuto, un minuto e mezzo e attraversare il corso a semaforo verde, noi due al di là, in salvo sul marciapiede. Eri così pallida stamattina, così affaticata dalla tua notte insonne. O dalle tue angosce segrete che non mi hai più rivelato. È stato un capogiro che ti ha fatto perdere l'equilibrio o avevi ingoiato qualche pillola di troppo per tenere a bada i tuoi fantasmi?

Il suono della sirena è vicinissimo, l'ambulanza cerca di districarsi e scansare gli ostacoli.

«La borsa» dice Camilla a un appuntato giovane che sembra sul punto di vomitare pure lui, verde in faccia com'è.

«La borsa» gli ripete, perché lui la guarda stranito senza capire. Poi gliela indica con un cenno della testa, la borsetta di Dora che sta a terra due passi più in là. Intanto sono arrivati altri vigili, e qualcuno incomincia a fare domande, qualcun altro a studiare la scena e a fotografare, ed è pure comparsa un'auto di servizio dei trasporti pubblici metropolitani i cui occupanti si sono scaraventati fuori come dovessero spegnere un incendio, salvare vecchi e bambini dal crollo di un palazzo. L'ambulanza, con la sirena urlante, si è fermata a fianco del tram e i barellieri e il rianimatore, valutata con un colpo d'occhio la situazione, cominciano il loro lavoro. Camilla, alzandosi da terra, coglie un quasi impercettibile segno di sgomento sul viso del medico e ha la conferma di quello che temeva. Intorno il traffico è paralizzato, dietro al tram dell'incidente se ne sono aggiunti altri otto, le pensiline delle fermate sono brulicanti di folla: è sabato mattina, giorno di mercato grande.

«Chi viene con noi?» chiede sbrigativo un barelliere mentre Dora, inerte sulla lettiga, viene caricata sull'ambulanza.

«Io» dice Camilla.

«Parente?»

«No, ero con lei... Amica.»

Vigili e carabinieri hanno fatto in modo che un pezzo di strada restasse sgombro e adesso si sbracciano per facilitare l'allontanarsi dell'ambulanza. La sirena continua a urlare e a Camilla sembra che il suono la trapani ovunque, nella testa nelle ossa nelle viscere. Non ha il coraggio di guardare i maneggi di medico e aiutanti, volta gli occhi e cerca di mettere ordine nei propri pensieri.

La borsetta? Non ce l'avevo; cellulare portafoglio e chiavi li ho in tasca; devo avvisare a casa appena possibile, non qui; e poi... poi chi devo chiamare? Non ha parenti, non mi ha mai parlato di amici... Mioddio che supplemento di desolazione in questa tragedia... e non posso neppure sperare che sia un incubo perché so di essere sveglia, so che mezz'ora fa niente era ancora successo e con uno scarto minimo delle coincidenze niente sarebbe successo e tutto sarebbe continuato come prima e come sempre.

All'ospedale, Dora è inghiottita dalle porte del pronto soccorso e qualcuno intima a Camilla di aspettare e di tenersi a disposizione. «Di chi?» chiede lei, ma nessuno le risponde, perché intanto dagli altoparlanti risuonano chiamate imperiose, la dottoressa Cagetti è richiesta con urgenza in sala operatoria C; il dottor Appiano in rianimazione, ripeto il dottor Appiano in rianimazione; strumentisti gruppo H dal dirigente reparto neurochirurgia... Intorno, sulle panche e sedie della sala d'attesa, una schiera di sofferenti a vario titolo, un campionario di umanità in preda al dolore all'ansia all'impazienza alla frustrazione alla rabbia. Camilla si appoggia a un rettangolo libero di parete e comincia a piangere silenziosamente.

È passato del tempo, non sa quanto. Ci sono stati grida e litigi, due inservienti robusti e decisi hanno allontanato una coppia che smaniava in una lingua incomprensibile. Una ragazza sui vent'anni o poco più è entrata barcollando ed è svenuta davanti allo sportello dell'accettazione, l'infermiera dall'altra parte del vetro si è alzata con un sospiro infastidito e «Mario, presto» ha gridato, «siamo alle solite». Poi una donna sui cinquanta, con una cartellina in mano, si è avvicinata a Camilla:

«Era lei sull'ambulanza con la signora dell'incidente del tram?»

«Sì. Come sta?»

«Parente?»

«No. Come sta?»

«Male, purtroppo. Venga con me, per favore.»

19

«Vieni, adesso ti porto a casa» dice Renzo abbracciandola due ore dopo.

«Livietta?»

«Da tua madre. Non preoccuparti, non pensare a niente. Ti hanno dato un tranquillante?»

«No, non l'ho voluto.»

«Perché?»

«Perché sono già stordita di mio. Dici... dici che ce la farà?»

«Non lo so, non l'ho vista. Non sono un medico. Cosa ti hanno detto?»

«Che è grave.»

«Andiamo a casa, su.»

«No. Voglio vederla uscire dalla sala operatoria. Va' pure tu. Non ce la faccio a lasciarla sola.»

«Anch'io non ce la faccio a lasciarti sola. Tra un po' mi crolli.»

«Già fatto.»

«Quando?»

«Subito dopo l'incidente. Mi sono vomitata sulle scarpe.»

«Quelle lì? Le Tod's che ti sei appena comprata?»

«Proprio. Le disgrazie non vengono mai sole.»

«Brava ragazza, così che ti voglio. Quella di sempre.»

È quasi sera quando vanno finalmente a casa. Il neurochirurgo, all'uscita dalla camera operatoria, non ha fatto una prognosi incoraggiante: il trauma alla testa è stato fortissimo, la paziente è sempre in pericolo di vita e inoltre le sue condizioni generali erano già prima alquanto precarie. Non resta che aspettare e confidare in Dio, chi ci crede.

«Quando te la senti, mi racconti com'è successo?» chiede Renzo. Lei è sdraiata sul letto, Livietta e Potti in esilio dalla nonna, affidati alle sue cure. Anche la nonna vorrebbe sapere, ma le è stato risposto "Più tardi" con un tono che non ammetteva repliche.

«L'ho già raccontato a mezzo mondo. All'impiegata del pronto soccorso, ai carabinieri, ai vigili, di nuovo ai carabinieri... A furia di ripeterlo mi sembra una cosa capitata ad altri.»

«Allora lascia perdere.»

«No... Voglio raccontartelo. Adesso rivedo la scena con più chiarezza. C'è qualcosa, della scena, che mi sembra sbagliato. È stato un incidente così strano...»

«Strano in che senso?»

«Quando uno perde conoscenza, come cade?»

«Non saprei, non sono mai svenuto.»

«Neanch'io. Però...»

«Però?»

«Però mi sembra che ci si debba afflosciare, come se le gambe diventassero molli di colpo. Al cine, alla tele, le eroine che svengono si piegano con grazia sulle ginocchia, sempre che non ci sia uno zelante cavaliere o una cameriera a sostenerle.»

«Credo che si possa cadere anche in avanti, adesso che mi ci fai pensare.»

«Ma restando sul posto, no?»

«Cosa vuoi dire? Cos'è tutto st'interesse per il modus cadendi?»

«È quello il qualcosa di sbagliato nella scena. Io l'ho vista solo da un certo momento in poi, prima guardavo davanti a me. Però...»

«Però?»

«Ho visto Dora fare un passo avanti barcollando. Anzi,

fare un passo avanti, sbilanciata in avanti, barcollando. Capisci?»

«No.»

«Adesso ti faccio vedere, senza rovinare a terra però. Guarda.»

«Ti sei mossa come se avessi inciampato in qualcosa.»

«Non ci si inciampa da fermi, mi pare.»

«Credo di no.»

«E allora?»

«Allora, secondo me, Dora ha ricevuto una spinta.»

«Mi hai detto che c'era una gran ressa: una spinta non è improbabile.»

«Uno spintone, non una spinta.»

«Ma cosa cerchi di dire?»

«Cerco di dire che la spinta è stata molto forte, troppo troppo forte. Ecco, l'ho detto.»

«Una spinta molto forte mentre il tram stava arrivando. Ma allora vuoi dire che...?»

«Voglio dire che forse non è stato un incidente.»

«Sei sicura di non ricostruire la scena in modo emotivo?»

«Sicura... sicura... Sono quasi sicura, ragionevolmente sicura.»

«Spero che tu ti sbagli. Lo choc gioca dei brutti scherzi. Fissa in mente una scena che non corrisponde alla realtà, con i particolari, le tessere del puzzle, che si incastrano in modo arbitrario. O alla cazzo di cane, come dici tu.»

«Vero. Io però la scena la sto ricostruendo adesso, che non sono sotto choc.»

«Ma la ricostruisci su particolari e impressioni che hai registrato mentre lo eri.»

«D'accordo, come vuoi tu, lasciamo perdere.»

«Brava. Ne hai mica parlato coi vigili, coi carabinieri?»

«No.»

«Hai fatto bene.»

«Non ne ho parlato perché allora ero davvero sotto choc.»

«Continua a non parlarne.»

«Ma perché?»

«Perché ci andresti di mezzo.»

«Di mezzo come, perché?»

«Non so né il come né il perché, ma tu eri con Dora e il giro del sabato al Balon e a Porta Palazzo era diventato una vostra abitudine.»

«E con questo? Mica è un reato.»

«Certo. Ma se salterà fuori che è stata spinta, ti faranno un sacco di domande. Sulla vostra amicizia, su cosa sai di lei, su cosa faceva e ti diceva. Un sacco di domande e probabilmente di grane.»

«Grane?»

«Sì, grane, grane.»

«Quali grane?»

«Non lo so, non sono un indovino. Però qualcuno si chiederebbe chi ha dato la spinta e magari...»

«E magari potrebbe pensare a me. È questo che vuoi dire?»

«No, ma...»

«Scusa, che motivo avrei avuto di spingerla?»

«Nessuno. Senza contare che non ti conosco istinti omicidi. Però è meglio se i tuoi dubbi te li tieni per te.»

«Io posso anche tenermeli per me, ma verranno in mente a qualcun altro. Ai vigili, ai carabinieri, per esempio.»

«I vigili e i carabinieri non erano presenti al momento dell'incidente e quindi non hanno visto come è caduta.»

«Ma avranno di sicuro interrogato qualcuno che era presente.»

«Non credo che ne caveranno granché. La gente bada a sé, a non farsi fregare il portafoglio, a reggere le borse della spesa.»

«Le borse della spesa!»

«Sì, perché?»

«Perché io le avevo! Quattro, per la precisione.»

«Dove sono finite?»

«Chi lo sa! Mi sono cadute. Saranno rimaste là, calpestate e spiacciccate nella ressa.»

«Con che mano le reggevi?»

«Con la destra e la sinistra, due per parte. Erano pesanti. Quindi non avrei potuto, neanche volendo, usare le mani per una spinta.»

«Certo. Però, per favore, non parlare di spinte con nessuno.»

«Mi stai facendo sentire colpevole anche se non ho fatto niente. Mi stai facendo venire il batticuore. Adesso sì che lo voglio, un tranquillante. Una dose urto, da elefante. Una dose che mi metta kappaò. Che mi faccia dormire e non pensare a niente.»

20

Renzo aveva telefonato al suo amico Alberto, che era anche il loro medico. Spiegati gli eventi, gli aveva chiesto di quantificare in termini precisi la "dose da elefante" che Camilla pretendeva, ma poi preparandole il beveraggio aveva praticato un robusto sconto sul numero delle gocce prescritte. Era il suo modo abituale di agire: sui consigli altrui, anche i più assennati e professionali, interveniva con una punta di ribellione istintiva, come a ribadire la sua profonda repulsione per ogni mistica del credere e obbedire. Il risultato fu per Camilla uno stato di istupidimento soporoso, una via di mezzo tra il sonno immemore e la lucidità della veglia, in cui i pensieri non erano banditi ma non avevano la forza di svilupparsi in modo coerente. Una sorta di nebulosità della coscienza, con la percezione del tempo appiattita sul presente senza la consapevolezza del suo scorrere.

Il mattino dopo scese dal letto con l'aspetto e l'andatura di uno zombie. Sul tavolo di cucina c'erano la "Stampa" e la "Repubblica", aperte sulle pagine in cui era pubblicata la notizia dell'incidente con le foto della vittima e del luogo in cui era avvenuto. La foto di Dora era probabilmente quella della carta d'identità e non le rendeva giustizia.

Renzo le porse un tazzone di caffè e le fece una carezza veloce sui capelli.

«Va meglio?»

«Diciamo di sì. Adesso mi faccio una doccia e poi telefono in ospedale.»

Ma mentre stava rinfrancandosi sotto l'acqua, di telefonate ne arrivarono due: Dora si era aggravata e i carabinieri volevano parlare di nuovo con Camilla, alla stazione della Falchera, cioè in capo al mondo, all'estrema periferia nord.

«Perché proprio là?» chiese lei.

«E che ne so? Domenica di merda, comunque» chiosò lui.

In ospedale non era orario di visita, ma le permisero subito di salire al secondo piano, reparto rianimazione. L'accolse il neurochirurgo del giorno prima (Renzo si era fermato in sala d'attesa) e le spiegò di averla fatta cercare perché non era stato rintracciato alcun parente vicino o lontano. La paziente era in fin di vita e non aveva ripreso conoscenza.

«Posso vederla?» chiese lei.

«Se crede. Ma la signora Vernetti non è certo in grado di riconoscerla.»

«Non importa. È che non vorrei...»

«Non vorrebbe?»

«Che morisse sola. Mi sembra una cosa tremenda.»

Lui la soppesò con lo sguardo.

«A quanto pare era sola anche in vita.»

«Sì. È proprio per questo che...»

«D'accordo, la faccio accompagnare. Temo che non ne avrà per molto.»

Ne ebbe per poco più di un'ora. Un tempo quasi eterno. Poi l'attimo in cui tutto si conclude, in cui il respiro si spezza e comincia un dopo inconoscibile. Camilla colse quell'attimo e fu come un pugno in mezzo al petto.

E dopo, i carabinieri. Renzo in un'altra sala d'attesa, nella speranza che non andasse per le lunghe.

«Vengo adesso dall'ospedale» disse Camilla, «la signora Vernetti è morta.»

«Lo sappiamo» le rispose chi le stava davanti. Era lo stesso carabiniere che il giorno prima si era presentato come maresciallo, con tanto di nome e cognome che lei non ricordava, lo stesso cui aveva riferito in modo sommario e confuso le modalità dell'incidente. Nell'ufficio c'erano altre due persone, carabinieri pure loro, pensò lei, ma in borghese, che si limitarono a osservarla e ad ascoltarla. Domande di routine, fino a un certo punto non molto diverse da quelle del giorno prima, poi più insistenti e precise circa il modo in cui Dora era caduta.

«Stiamo cercando di ricostruire con esattezza le modalità dell'incidente» spiegò il maresciallo.

«Certo» disse lei, e tirò un sospiro mentale di sollievo alla parola incidente. Poi raccontò come Dora avesse barcollato in avanti, come fosse stata urtata dal tram, come fosse caduta di fianco ai binari. Omise accuratamente quello che Renzo le aveva suggerito di tenere per sé. Il maresciallo ogni tanto apriva una cartellina, sbirciava sui fogli contenuti all'interno come cercando una conferma o una smentita a quanto stava sentendo, poi la guardava come se si aspettasse qualche nuovo dettaglio.

«Non ha nient'altro da aggiungere?» si decise a chiedere.

«Non credo. Quando ho visto la signora Vernetti a terra, mi sono sentita male.»

«Male come?»

«Mi si sono piegate le ginocchia e ho vomitato.»

«Poi però ha aspettato l'ambulanza e accompagnato la signora in ospedale.»

«Sì, certo. Mi sembrava il minimo.»

«Nell'attesa dell'ambulanza la signora Vernetti ha avuto qualche momento di lucidità, ha detto qualcosa?»

«No, niente. Quando mi sono inginocchiata accanto a lei, aveva gli occhi chiusi. Penso fosse incosciente.»

«Ma lei le parlava.»

«La chiamavo per nome, cercavo di farle coraggio, credo.»

«Crede?»

«Maresciallo, ero sconvolta.»

«Sì, capisco.»

Qualche altra domanda sull'ora in cui aveva incontrato Dora, su cosa avevano intenzione di fare in quel dopo che non c'era stato (di nuovo domande a cui le sembrava di aver già risposto il giorno prima in ospedale), lettura e firma del verbale e infine il congedo. Il maresciallo, però, nell'accompagnarla alla porta disse «Arrivederci» e non «Buongiorno».

21

Due giorni e mezzo di tregua. Ma anche di una polverosa cupezza di umore che non accennava a diminuire. In quella cupezza erano mescolati confusamente sentimenti diversi: il dolore per la morte dell'amica, il rimorso per non esserle stata più vicina, per aver avuto nei suoi confronti delle punte di insofferenza, di incomprensione, quasi di meschina chiusura, ma c'era anche un persistente tarlo di inquietudine che le parole tranquillizzanti di Renzo non riuscivano a placare. Sui giornali del lunedì gli articoli dedicati all'incidente occupavano uno spazio minore, in quelli del martedì si erano ridotti a smilzi trafiletti perché altre notizie incalzavano. Ma il mercoledì tutto fu rimesso in discussione. Alle sette e mezzo di mattina, mentre lei stava quasi uscendo di casa, squillò il telefono: i carabinieri volevano sentirla di nuovo, non più alla stazione della Falchera, ma nella caserma di via Valfrè.

«Quando?» chiese.

«Il più presto possibile» le fu risposto.

«Ma io devo andare a scuola, non posso assentarmi senza giustificazione» obiettò.

«Non si preoccupi, ci dica il nome della scuola e ci pensiamo noi.»

«Ci risiamo» comunicò a Renzo che le stava accanto. «Non è affatto finita. Stavolta non mi vogliono alla Falchera, ma in via Valfrè.»

«Al Comando provinciale, allora.»

«Brutto segno?»

«Non so, non credo. Ti accompagno io.»

«E il lavoro?»

«Faccio una telefonata per avvertire che tardo.»

«E Livietta?»

«La portiamo a scuola e poi andiamo dai caramba. Dai, non fare quella faccia, è solo una scocciatura, non un dramma.»

«Speriamo.»

In via Valfrè, al primo piano, erano di nuovo in tre ad ascoltarla. Chi le stava davanti aveva gli occhi azzurri ed era in divisa. Uno nuovo, mai visto, che sulle spalline aveva delle stellette che indicavano il grado e che lei non sapeva interpretare. Un ufficiale, comunque, che si era educatamente presentato, senza che lei, ancora una volta, registrasse nome e qualifica.

«Dobbiamo rivedere le sue dichiarazioni» disse subito senza preamboli. Poi, come colto da un ripensamento di cortesia: «Le dispiace?».

«Si figuri.»

«Allora cominciamo. Quando ha conosciuto la signora Vernetti? In che circostanza?»

Camilla rispose con precisione apprezzando il fatto che lui non dicesse "la defunta".

«Di che tipo era la vostra amicizia?»

«Di che tipo in che senso?»

«Occasionale, superficiale, profonda, intima...?»

Camilla si irrigidì sulla sedia, lui se ne accorse, lei si accorse che se n'era accorto e s'inviperì. Per l'apprensione, probabilmente.

«Sono felicemente sposata e non ho propensioni saffiche, se è questo che vuol sapere. Inoltre non capisco cosa c'entri.» (Invece l'aveva capito benissimo: la dinamica dell'incidente aveva cominciato a destare sospetti.)

«Signora, non si inalberi» sospirò lui, «sono solo domande di routine.»

Non lo sono affatto, pensò lei, non fate domande di routine in continuazione, ma è meglio che mi dia una calmata. Rispondere a tono, non aggiungere particolari, stare sulla difensiva senza strafare neanche in reticenza. Ricordarsi di tutti i romanzi letti, e cercare di farli fruttare. Non hai fatto niente di male ma in cella ci stanno pure gli innocenti.

«Era un'amicizia abbastanza recente, basata sulla simpatia reciproca, che avrebbe potuto radicarsi col tempo» spiegò.

«Mi risulta» disse lui «che avevate l'abitudine della spesa settimanale al mercato.»

Da chi, da che cosa gli risulta? L'ha letto nei fondi del caffè, tira a indovinare? Oppure sono io che l'ho detto sabato a quegli altri carabinieri che mi hanno tempestata di domande in ospedale?

«Che cosa comprava in genere la signora Vernetti?»

Anche questa è una domanda di routine? Sulle vittime di un qualunque incidente stradale vi mettete a indagare in quale cinema stavano andando e quali film preferivano?

«In genere non comprava nulla» rispose.

«E allora perché andava al mercato?»

«Perché la divertiva.»

«La divertiva la bolgia del sabato mattina a Porta Palazzo?»

«Per quanto possa sembrare strano, sì: non tutti hanno l'animo degli stiliti.»

Sta' calma, risparmiati le battute, magari lui ha capito "stilisti" e pensa che sei scema.

Lui sospirò di nuovo e guardò con intenzione predatoria il pacchetto di Camel che aveva sulla scrivania. A lei sfuggì un mezzo sorriso e anche stavolta lui fu pronto a coglierlo.

«Sigaretta?» propose.

«Sigaretta, grazie» acconsentì lei. Il fumo fa male, pensò, ma qualche volta fa bene, anche se sui pacchetti non lo scriveranno mai. E due fumatori, oggi, si sentono affratellati dalla riprovazione comune.

«Riprendiamo?»

«Sì, riprendiamo.»

«Cosa facevate dopo la spesa?»

«La signora Vernetti veniva a pranzo da noi.»

«E tornavate a casa direttamente in taxi.»

«Non direttamente, di solito Dora faceva fermare il taxi e comprava una torta o una bottiglia di vino.»

«Verso che ora rientrava al suo residence?»

«Dipende: se venivano delle amiche di mia figlia a giocare si fermava sin verso le sei, le sette o restava a cena, se no andava via verso le cinque.»

«Sempre in taxi?»

«Sì.»

«Le risulta che avesse contatti con parenti o amici?»

«Mi risulta che fosse molto sola, per questo le piaceva trascorrere il sabato con noi.»

«Le ha mai fatto delle confidenze intime?»

Camilla ebbe di nuovo una reazione di fastidio – l'accenno all'intimità continuava a innervosirla – e di nuovo lui se ne accorse ma non si arrese. Aveva intrecciato le mani sotto il mento e la studiava senza preoccuparsi di nasconderlo. Anche gli altri due che erano nella stanza – carabinieri anche loro, pensò lei, ma senza divisa – la stavano osservando.

Tre gatti e un topo, il topo sono io e maledetto il momento in cui ho posticipato il weekend dai Bruzzone. Mi sarei goduta una bella giornata in montagna, chiacchierando con Malvina, che è intelligente e spiritosa, imparando da Ezio i nomi delle erbe, dirimendo le baruffe tra i bambini, tenendo a freno le esuberanze sessuali di Potti nei confronti di Arta. Se fossi andata dai Bruzzone adesso Dora sarebbe ancora viva. Magari soltanto sino al prossimo sabato, se la spinta non è stata accidentale...

«Sì, mi ha raccontato alcune cose» si decise a dire.

«Me le riferisca, per favore.»

«Mi ha raccontato che era andata a trovare la madrina di suo marito in una casa di riposo e che questo incontro l'aveva molto turbata.»

Lui si raddrizzò un poco sulla sedia e lei registrò subito che non era stato capace di dissimulare l'interesse.

«La madrina le aveva detto» continuò «che trentacinque anni fa Andrea, cioè il suo figlioccio, le aveva rivelato di avere avuto un figlio da una donna sposata. Figlio di cui la signora Vernetti ignorava l'esistenza.» E qui, rispettando i precetti che si era data, Camilla si fermò. Lui sollevò il ricevitore del telefono e intanto le chiese se non voleva un caffè. Significa che andremo per le lunghe, pensò lei, e disse:

«Un caffè no, ma un cappuccino sì, con una brioche, se possibile. E per favore faccia dire a mio marito di non aspettarmi.» Lui capì che lei aveva capito, fece le ordinazioni e mandò ad avvertire.

La faccenda del figlio adulterino sconosciuto e rifiutato era ovviamente ignota ai carabinieri e a Camilla toccò fornire tutti i ragguagli di cui era a conoscenza. Le toccò pure riferire – su precisa richiesta – quali fossero stati i suoi consigli o suggerimenti in proposito e, sebbene una specie di sesto senso l'avvertisse che quello era un terreno pericoloso, dichiarò il vero, e cioè che aveva cercato di dissuadere l'amica da ogni ricerca.

«E la signora Vernetti si attenne al suo consiglio?»

«Non lo so.»

«Come mai?»

«Non me ne ha più parlato e io ho preferito non chiedere.»

«Ma lei cosa pensa che abbia fatto?»

«Che l'abbia cercato, questo figlio, o che l'abbia fatto cercare.»

«Su che cosa si basa questa sua convinzione?»

«Sul fatto che il mio consiglio non l'aveva convinta. Inoltre per qualche tempo non si è fatta più sentire.»

Quando verrà al dunque?, si stava chiedendo lei. O sta sottovalutando la mia intelligenza, o vuole che sia io a fare la prima mossa. Quasi quasi mi sbilancio e la faccio. No, meglio di no, meglio seguire le regole di prudenza.

«Che cosa mi dice sulle condizioni di salute della signora Vernetti?»

Camilla restò un attimo perplessa: era una domanda non prevista, non in quei termini almeno.

«Aveva spesso l'aria affaticata.»

«Ha mai accusato malori in sua presenza?»

«Due volte. O forse tre, non ricordo bene.»

«Che tipo di malori?»

«È sbiancata di colpo, con la fronte imperlata di sudore.»

«Che cosa le ha detto in proposito?»

«Che erano guai della menopausa.»

«E lei ci ha creduto?»

«Sì. So che in genere la menopausa procura vampate di rossore e non pallori improvvisi, però non sono un'esperta in materia.»

«Non erano disturbi della menopausa. La signora Vernetti aveva una leucemia acuta.»

A Camilla sfuggì di mano il cucchiaino con cui stava rimestando nella tazza.

«Leucemia acuta! Acuta quanto?»

«Il quadro clinico, a detta dei medici, era disperato, indipendentemente dal trauma dell'incidente.»

«O mioddio. E lei lo sapeva?»

«Certo. Aveva fatto tutti gli esami, era stata curata, si era sottoposta alla chemio.»

«Adesso capisco...»

«Cosa?»

«Il suo bisogno di compagnia, il suo aggrapparsi a me, alla nostra amicizia... Se solo lo avessi saputo...»

«Che cosa avrebbe fatto?»

«Le sarei stata più vicina, non...»

«Non?»

«Non avrei rimandato certi appuntamenti, l'avrei cercata di più. Quanto... quanto le restava da vivere?»

«Poco, secondo i medici. Questione di mesi. Lei l'aveva voluto sapere.»

«Ma allora l'incidente...»

Le parole le erano sfuggite nell'emozione del rimorso e della sorpresa. La malattia di Dora rimetteva tutto in forse.

«L'incidente?»

«Non so. Potrebbe non essere un incidente.»

«Nel senso che la signora Vernetti si sarebbe buttata di proposito?»

«Sì. Ma non c'era niente che lo lasciasse presagire: era del solito umore, voleva comprare una torta al cioccolato per mia figlia, aveva appena chiamato un taxi... Come facevo a immaginare, a capire...»

«Non c'era niente da capire. La signora Vernetti non si è buttata. È stata spinta. Con molta violenza, a giudicare dalle testimonianze e dai rilievi.»

Camilla sentì un tuffo al cuore. Aveva visto giusto, purtroppo.

22

Grane, grane, sentiva grane grosse in arrivo. Tanto grosse
che aveva chiamato un taxi per farsi riportare a casa, supe-
rando la convinzione della maggior parte dei torinesi secondo cui il taxi si prende soltanto per andare alla stazione
o in ospedale. Dora si muoveva abitualmente in taxi, ma
perché era diventata "americana", e Camilla, quando ap-
profittava di quel lusso, si abbandonava a un'allegra e gratuita trasgressione di schemi mentali da cui non era riuscita
o non aveva voluto liberarsi. Ma adesso si sentiva esausta:
troppe emozioni in pochi giorni e una rivelazione inattesa
quanto sconvolgente. Che stupida era stata a credere che
quei malori, quella stanchezza fossero dovuti al climaterio.
Certe volte si è ciechi di fronte all'evidenza, ci si accontenta
di spiegazioni implausibili, forse per un istintivo risparmio
di energie, perché non si vogliono aggiungere altre appren-
sioni o complicazioni a quelle quotidiane e abituali. Non
sapeva quali fossero i sintomi visibili di una leucemia acuta, per la verità aveva una cognizione alquanto nebulosa
della leucemia stessa, però nel subconscio aveva intuito benissimo che gli improvvisi malesseri di Dora, il suo aspetto
tirato e sofferente erano i segni visibili di una vera malattia,
non del complesso ma previsto passaggio da un'età a
un'altra. Non aveva chiesto e Dora non ne aveva parlato.
Perché? Per pudore per discrezione per signorilità d'animo,
d'accordo: Dora non apparteneva a quella fetta di umanità

che alla domanda "Come stai?" o "Come sta?" sfinisce l'interlocutore con un catalogo sterminato di malanni. Propri, ma anche della moglie (o del marito) di suoceri cognati figli e nipoti. I più incontinenti mettono anche al corrente delle emorroidi del loro cane o della caghetta del criceto. Dora era di un'altra pasta umana, una pasta di qualità superiore. Però la loro conoscenza si era trasformata in amicizia e, se avesse parlato, un po' di conforto Camilla glielo avrebbe offerto di cuore, perché la prospettiva della morte che incalza da vicino, che "vien dietro a gran giornate", che a ogni ora riduce la distanza tra noi e lei deve essere terribile e cupa. Forse non sempre, forse quando si è molto avanti negli anni può sopraggiungere la stanchezza di vivere, l'indifferenza per la ripetizione di eventi e situazioni già vissute o che appaiono tali, e allora la morte diventa sorella e non nemica. «Non riesco a morire» le aveva detto una volta la Gigina, una prozia che a Camilla sedicenne sembrava millenaria: allora non aveva capito il senso della frase, ma ora, con l'avanzare dell'età, lo capiva con un principio di sgomento. Però Dora non aveva un'età biblica e l'attaccamento a lei, il piacere della tavola, di un acquisto, di una passeggiata erano segni di amore per la vita. Ma aveva voluto reggere da sola il peso dell'attesa della morte, aveva rifiutato la compassione nel senso etimologico del termine, e la pietà che accompagna la compassione.

Comunque la malattia spiegava alcuni suoi comportamenti. La sciagurata visita alla madrina di suo marito, per esempio. Non certo per rivelare a lei il suo male, ma per riallacciare un legame di famiglia, l'ultimo che le era rimasto. E la quasi certa ricerca del figlio misterioso. E anche la decisione di vendere la casa e il desiderio di trovare acquirenti adatti. Non spiegava però perché poi su questo punto avesse cambiato idea. A meno che sperasse di rintracciare il famoso figlio che ne sarebbe diventato il legittimo erede in senso non legale ma morale. Sì, era probabile che fosse andata così, rifletteva Camilla: la casa tanto amata da Andrea sarebbe andata al figlio non amato, come una specie di risarcimento, anche se inadeguato a compensare la durezza del rifiuto.

E poi, improvviso, un altro pensiero: chi si occuperà del funerale di Dora? No, per favore, non io; io voglio essere altrove, in un luogo irraggiungibile dalle preoccupazioni dagli affanni e soprattutto dai carabinieri.

Il giorno dopo cominciò nel modo peggiore. Con la lettura dei giornali, che invece di seppellire il caso l'avevano riesumato in forma solenne. Altro che giornata di merda, pensò lei, chissà come la definirà Renzo quando leggerà questi begli articoli. L'ipotesi – solo l'ipotesi, per carità – che si trattasse non di incidente o di suicidio ma che ci fosse stata una spinta intenzionale era filtrata o era stata fatta filtrare e i cronisti di nera c'erano andati a nozze. C'era pure da capirli, poveretti, se non ci si fosse trovati in mezzo: da almeno un paio di mesi in città non c'era un morto ammazzato su cui valesse la pena di soffermarsi, solo roba di ordinaria macelleria, extracomunitari accoltellatisi tra loro per un posto letto o per uno sgarro di droga, un mafiosetto di ultima sparato alla nuca e carbonizzato nella sua macchina, un ottantenne sprangato dall'inquilino del piano di sotto – pure lui sull'ottantina o poco meno – imbestialito per lo sgocciolio dei vasi di gerani troppo annaffiati. Delitti così non appassionano nessuno, bisogna raccontarli per dovere di cronaca ma il giorno dopo sono dimenticati. Invece nel caso di Dora, se davvero era omicidio, i presupposti per una lunga tenuta c'erano tutti, a partire dalla modalità insolita, per non dire inedita, dell'esecuzione. Sotto treni e metropolitane qualcuno era già stato spinto, ma non a Torino, dove la metro era ancora in costruzione e la stazione principale non è passante: il tram come strumento di morte sembrava frutto di macabra genialità subalpina. Poi c'era la personalità della vittima: una bella donna della borghesia ricca, con un passato americano, senza nessun parente, dalla vita appartata e senza macchie. Negli articoli non si parlava di "male incurabile" – evidentemente sulla leucemia i carabinieri si erano tenuti abbottonati –, ma si parlava anche troppo dell'amica Camilla Baudino, presente al fatto e lungamente interrogata in proposito. E, ciliegina sulla torta, c'era pure una foto, scattata a sua insaputa, mentre stava salendo sul taxi che la riportava a casa dopo la testimonianza resa in caserma. «Bastardo di uno schifoso di un paparazzo» sbottò lei, «manco il coraggio di farti vedere hai avuto! E della legge sulla privacy te ne fotti, a quanto pare!» Stava per strappare in un accesso di furia la pagina della "Stampa" quando si accorse che però in foto era venuta bene, meglio che in tante altre in cui Renzo l'aveva costretta a posare, senza accenni di rughe, con un taglio di tre quarti che la ringiovaniva. Allora spianò la pagina che aveva già in parte spiegazzato.

«No, mamma, non dirmi niente. Sono già furibonda di mio. Se mi arrestano non portarmi delle arance, ma dei kiwi che mi piacciono di più e mi regolano l'intestino.»

Sua madre, che aspettava il momento buono per rimproverarla o compatirla o tutt'e due le cose, si ritrasse, intimidita dal tono.

«E il cane, e Livietta?»

«Pensaci tu. Li hai letti i giornali, no?»

«Non ancora, te li ho solo portati, ma ho visto il tigì delle sei e mezzo. Poveri noi...»

Ah ecco, dimenticavo la tele. Alle sei e mezzo di mattina non saranno in tanti a guardarla, ma potranno rifarsi dopo, a mezzogiorno all'una alle due e poi di sera fino a notte inoltrata. Accidenti a me, se non avessi fatto quella maledetta telefonata per vedere una casa che non avrei mai potuto comprare, adesso non sarei in questa situazione, eufemisticamente definita "di merda" da Renzo. Che stamattina è uscito prima del solito, è venuto l'autista dell'assessorato a prenderlo perché devono andare in due o in tre a Zurigo a combinare una mostra: sai che allegria quando leggerà i giornali e vedrà la foto della moglie. Giornata rovinata pure per lui. Per colpa mia. No, per colpa di chi ha dato la spinta, e non sono certo stata io.

E poi, la scuola. Colleghi e colleghe con una gran voglia di fare domande, ma muti per discrezione o per impaccio. Madama Buonpeso la preside in anticipo di un'ora e mezzo sul suo orario abituale, solo per darle una sbirciatina in sala professori. Mioddio, ma penseranno mica che l'ho accoppata io? Oppure lo sperano, come diversivo alla noia di fare l'appello spiegare incazzarsi interrogare?

Poi per fortuna Uta, la conversatrice di tedesco, l'abbracciò dietro le spalle:

«Tranquilla, Schatzi, domani è tutto finito.»

«Magari!» sospirò lei.

A tirarle un po' su il morale furono, inaspettatamente, i suoi allievi di quinta.

«Prof» dichiarò Gianni Marchese a nome della classe, «non pensi neppure di fare lezione, perché tanto noi non la staremmo a sentire. Ci racconti invece bene, come se spiegasse il Machiavelli, come è andata e poi cerchiamo di risolvere il giallo.»

«Sicuri che si tratti di un giallo e non di suicidio o incidente?»

«Guardi che a leggere i giornali ce lo ha insegnato lei» intervenne Sabrina Altobello.

Un bel riconoscimento professionale nella circostanza meno adatta.

«E sui giornali era un po' troppo insistita la notizia della sua testimonianza» incrudelì Loris Mazzetti.

«Però in foto è venuta strafiga, prof!» questa era Jessica Cuscunà, che difficilmente ne azzeccava una.

«E siccome a spingere la sua amica contro il tram non è stata lei, bisogna scoprire chi è stato» cercò di rimediare Sabrina.

«Perché siete sicuri che non sia stata io?»

Ci furono due o tre secondi di silenzio, poi riprese la parola Gianni:

«Perché la conosciamo, prof.»

Nessun infame sorrise, solo lei. Che se l'era andata a cercare.

23

La bionda l'hanno ammazzata, i giornali dicono quasi così. Chissà che cazzo di misteri nascondeva quella lì, che
qualcuno le dà una spinta per farla stare zitta per sempre.
Doveva essere roba grossa, pericolosa, non roba di corna
o di qualche giro di sgallettate che la danno via per poco o
per tanto e che lei per soldi gli dava una mano, la casa o
che so io, e neanche roba di droga, perlomeno non di droga da giro piccolo – giardinetti, scuole, discoteche – se era
droga era un giro bello grosso da clienti ricchi, mezzo chilo di coca per volta per quei bei party delle ville in collina,
dove i commendatori e i dottori e quelli che contano ci
portano le loro ganze che hanno le bocce sode e le chiappe
alte, ganze nostrane o che vengono dall'Est e qualcuna ma
poche si credevano che qui diventavano tutte top-model o
vallette e poi finiscono se gli va bene nel giro dei "massag-
gi", se gli va peggio sulla strada coi garga che le pestano
di botte quando non tirano su abbastanza grana, e se gli
va di merda le trovano poi buttate in un fosso, accoppate
perché hanno detto una parola di troppo. Però per me la
bionda non aveva l'aria di una che bazzica in quei rami, a
me mi sembrava una persona fine, una che caso mai si dava da fare coi giri della grana da far volare all'estero, da
smistare in quei conti cifrati che i giudici non riescono mai
a metterci il naso dentro e le mani sopra. Oppure sapeva
delle cose che era meglio se non sapeva, cose che davano

fastidio, che avrebbero potuto far avere dei casini da galera a chi invece nei giornali lo fotografano coi ministri, i generali e gli ambasciatori. Io su di lei non sono riuscito a scoprire un bel niente, a me sembrava una che comprava roba nei negozi, che mangiava nei ristoranti dove una pastasciutta la fanno pagare uno stipendio, che si scarrozzava nei taxi, che andava in qualche ufficio o a spasso con quella sua amica che era vicino a lei quando il tram le ha dato la botta. I giornali dicono che i caramba l'hanno interrogata per un bel po', forse sospettano che c'entri qualcosa oppure che sappia delle cose importanti o anche che abbia visto, se non è stata lei, chi le ha dato la spinta. Fortuna che io da un po' non tampinavo più la bionda e che sabato mi sono svegliato che era quasi mezzogiorno, quando quella era già più di là che di qua. Insomma non ero lì e ho un alibi. Un alibi del cazzo: stavo qui solo come un cane, la sera prima mi ero fatto un giro di due pub con Richi, poi abbiamo lasciato perdere perché anche se era venerdì non c'era movimento e le ragazze che non erano cessi stavano tutte in compagnia. Comunque non ho bisogno di nessun alibi, perché io con la bionda non c'entro per niente e se le stavo dietro era solo perché il capo me l'aveva chiesto. Si vede che a lui interessavano i suoi movimenti, per motivi suoi che a me non me li ha detti, ma non dovevano essere tanto importanti se l'incarico di pedinarla l'aveva dato a me e non a un professionista, uno coi mezzi e l'esperienza. A meno che... a meno che a un certo punto a pedinarla fossimo in due, io e un vero investigatore, che di sicuro si sarebbe accorto di me, ma io non di lui. Però non è che abbia tanto senso, sarebbe anzi una vera stronzata e una perdita di soldi, e ai soldi il capo ci sta attento, non è che li butta dalla finestra, anche se stavolta ha fatto il signore e me ne ha mollati più di quanti gliene avrei chiesti io, sapendo che poi lui contratta più di un levantino e allora devo sempre partire da cento per avere sì e no quaranta. Stavolta no, è stato diverso, anche per tutte le raccomandazioni che mi ha fatto, non solo di non chiamare mai in ufficio come al solito, ma anche di non farmi vedere, di non parlarne con nessuno, di stare attento a non dare nell'occhio, e poi il cellulare nuovo che mi ha dato e che dopo si è ripreso, che dovevo chiamarlo solo con quello a un certo numero all'ora che mi diceva... Ma allora... se ero del mestiere o se ci mettevo più impegno... allora magari riuscivo a scoprire il perché e a guadagnarci qualcosa in più.

24

L'Indistruttibile le camminava accanto. L'aveva aspettata all'uscita da scuola e le si era messo di fianco, come per un appuntamento concordato. Lei lo aveva salutato con un cenno della testa senza fare domande, senza tentare un inizio di conversazione. Camminavano insieme, ciascuno perso nei propri pensieri, senza guardarsi e senza parlare. Quando furono quasi sotto casa, lei si accorse che la prospettiva di affrontare il resto della giornata le riusciva insopportabile: parlare con sua madre, rispondere al telefono, fingere una normalità inesistente.

«Ti va un panino al bar?» propose all'Indistruttibile.

«Non ho fame» rispose lui.

«Neanch'io. Ma non ho neppure voglia di tornare a casa.»

«Hai freddo?»

«No.»

«Allora andiamo ai Giardini Reali.»

«È pieno di tossici.»

«A quest'ora no. Cominciano dopo le due. Ti faccio sedere sulla mia panchina.»

La panchina dell'Indistruttibile era al sole, sotto un ippocastano centenario ancora privo di foglie. Intorno non c'era nessuno e il rumore del traffico sul corso arrivava attutito, poco più di un ronzio di sottofondo.

«È bello qui. Vuoi?» disse lei porgendogli il pacchetto di sigarette.

«No, il fumo fa venire il cancro. Perché non smetti?»

«Già, dovrei. E tu dovresti smetterla con le macchine.»

«Ho già smesso. Non te ne sei neppure accorta.»

«Da quando?»

«Da un po'.»

«Scusami.»

«Fa niente. Però metti via il pacchetto.»

«Sì, hai ragione. Grazie.»

«Tu lo sai perché si è buttata sotto il tram?»

«Dora? No, non lo so. Forse non si è buttata.»

«Allora le è venuto un capogiro, uno svenimento. Era sempre pallida, si capiva subito che non stava bene.»

«Tu l'hai capito e io no. Io ho creduto che fosse un malanno da poco e invece lei aveva una malattia grave.»

«Cancro?»

«Leucemia.»

«Che è come un cancro?»

«Sì.»

«Lei lo sapeva?»

«Sì, ma non mi ha mai detto niente.»

«Dovevi chiederglielo.»

«Forse non voleva dirmelo.»

«O forse sì, ma solo se glielo chiedevi.»

Poco dopo le due, quando tossici e spacciatori cominciarono effettivamente ad apparire, l'Indistruttibile disse che era ora di andare e la scortò in silenzio sin davanti al portone di casa. Dalla guardiola emerse la portinaia: che brutta storia, signora!; sua madre, che ne aveva spiato l'arrivo dal balcone, la bloccò sul pianerottolo: in che brutta storia ti sei andata a cacciare! speriamo in bene; nella segreteria telefonica c'era una mezza dozzina di messaggi di amici e parenti che auguravano una pronta fine della brutta storia. Ce n'erano anche due di Renzo e altrettanti di Gaetano. I primi – come se niente di nuovo e di diverso fosse capitato – tranquillizzanti nel loro comunicare e poi rettificare l'orario di ritorno, senza un accenno ai velenosi articoli di giornale; i secondi perentori e allarmanti nella loro ripetuta richiesta (Chiamami appena puoi). Lei sentì che il cuore stava cambiando marcia, bevve adagio adagio un bicchiere d'acqua chiedendosi se un infarto a quarant'anni fosse un evento tanto raro e telefonò a Gaetano.

«Non mi piace quello che ho letto sui giornali» attaccò subito lui saltando i preamboli.

«Figurati a me» disse lei che intanto cercava di autoascultarsi il polso tenendo il cordless tra orecchio e spalla.

«Cosa ti ha chiesto il tenente Craighero?»

«E chi è?»

«Come "chi è?" È l'ufficiale che ti ha interrogata.»

«Quello di via Valfrè?»

«Ma che fai, la stordita?»

«Non so riconoscere i gradi militari. Comunque dev'essere lui perché aveva delle stellette sulle maniche.»

«Sulle spalline, se mai.»

«Stai diventando pignolo come un preside. Come un burocrate. Dev'essere l'aria di Roma che ti rovina.»

«Dimmi cosa ti ha chiesto. Per favore.»

«Un sacco di cose, troppe. Di che tipo era la nostra amicizia, come è nata, perché andavamo a fare la spesa il sabato con la bolgia che c'è eccetera. Poi mi ha detto una cosa che io invece non sapevo.»

«Cioè?»

«Che Dora era malata grave, leucemia acuta, e ne aveva per poco.»

«Lei non te ne aveva mai parlato?»

«No.»

«E tu glielo hai detto?»

«A chi?»

«A Craighero, diosanto.»

«Certo che gliel'ho detto. E se anche non l'avessi fatto era lo stesso, perché me lo ha letto in faccia.»

«Brutta storia.»

«Anche tu!»

«Anch'io cosa?»

117

«Tutti mi ripetono che è una brutta storia. Ma non l'ho mica spinta io! E poi, scusa, che movente avrei avuto?»

«Nessuno, presumo.»

«Presumi? Ma che razza di amico sei? Ti rendi conto di quello che hai detto?»

«Ho detto quello che penserei se fossi il tenente Craighero. Che non ti conosce, non sa niente di te, ha per le mani un caso di sospetto omicidio ed è costretto a non dare niente per scontato. Sei ancora lì?»

«Sì.»

«Hai una voce strana.»

«Ho i prodromi dell'infarto. Anche grazie ai tuoi "presumo".»

«D'accordo, mi sono espresso male. Mi scusi, signora professoressa, ci starò più attento. Comunque l'assenza di un movente ti tirerà subito fuori dalle grane. E poi, se di omicidio si tratta, come sembra, Craighero scoverà qualche parente, anche lontano, o conoscente che aveva interesse a farla fuori. È uno in gamba e fa lavorare bene i suoi, ma tu cerca di non pigliarlo di punta.»

Farò il possibile, stava proponendosi lei a telefonata conclusa. Tono dimesso, atteggiamento deferente, rispetto per la divisa e per il ruolo. Sì signor tenente, certo signor tenente. I miei allievi e i miei amici sono sicuri della mia innocenza e mi vogliono bene, la mia famiglia è tutt'uno con me... Sposa madre e figlia ammirevole, come nei necrologi. Esempio fulgido di preclare virtù. Modello di laboriosa onestà. Di straordinaria e affettuosa mitezza. Anche Potti, se potesse parlare, direbbe che sono una padrona modello. A proposito di Potti, che scansava sempre la vicinanza di Dora: forse sentiva l'odore delle medicine della malattia della morte? Ma che cavolo è sta suoneria? Il timer del forno no, la sveglia neppure, il telefonino ce l'ho spento...

Invece sul tavolino vicino alla porta d'ingresso c'era un cellulare squillante, quello di Renzo, che l'aveva evidentemente dimenticato. Camilla fu tentata di lasciare che si sgolasse, poi cambiò idea, schiacciò il tasto di risposta e se lo portò all'orecchio:

«Renzo, com'è che non mi chiami?» miagolò una voce femminile.

Lei scaraventò il cellulare a terra e augurò al mondo intero di andare a farsi fottere.

25

Renzo, com'è che non mi chiami? Com'è che non mi chiami, Renzo? E perché ti dovrebbe chiamare, stupida zoccoletta con il birignao da sceneggiato, cosa mai ti dovrebbe dire o sussurrare o sospirare o ansimare o mugolare al telefono? Che ti pensa, che gli manchi, che ti ama, che ti desidera, che non vede l'ora di scoparti per la prima volta o di scoparti ancora? Ma cosa vuoi, ma chi sei?... Calma. Calma calma calma. Sono io che sto imbastendo uno sceneggiato per mio uso e consumo, sono io la stupida che risponde a un telefono non suo e poi salta a conclusioni affrettate sulla base di un tono di voce. Tono di voce da zoccoletta però. Lo stesso tono e birignao di Ornella anche se zoccoletta non è. O forse sì, ma di nascosto. Neanche tanto di nascosto, visto che è al quarto marito. No, solo al terzo: il vichingo di due metri e mezzo, tutto tatuato come un Maori, ha avuto il buon senso di tenerselo solo in prestito d'uso. Ma perché me la prendo con Ornella, mica era lei al telefono e se cambia i mariti come le macchine quando è scaduta la garanzia o hanno fatto cinquantamila chilometri è roba che riguarda solo lei. Non è neanche antipatica se non apre lo Zodiac di bocca che si ritrova e non comincia a flauteggiare. Va bene, mi è antipatica, non la posso soffrire e tutte le volte che la incontro ho voglia di mollarle una stecca sulle caviglie per vederla franare giù da quei trampoli di scarpe che si mette e battere il culo per terra. Non era lei al telefono, ma il tono e il birignao della zoccoletta implorante erano suoi parenti stretti, fratelli o cugini carnali.

E se la piantassi di vaneggiare dietro a una voce? Potrei fare qualcosa di più canagliescamente costruttivo, come per esempio capire da chi proveniva la chiamata, ché nella fretta di rispondere non ho nemmeno guardato... E poi? No, non se ne parla nemmeno, dopo mi verrebbe voglia di sputarmi in faccia, che non è una cosa possibile, o di sputare in faccia a qualcun altro o altra, che non è una cosa bella e la fanno soltanto i calciatori, che in gran parte sono antropologicamente attardati, oppure geneticamente deviati, visto che il cervello gli funziona quasi solo per far muovere gambe e piedi. Magari era la sua nuova segretaria, quella arrivata a sostituire la Gremo in maternità, che deve comunicargli qualcosa di urgente e non riesce a raggiungerlo... Sì, col cavolo la nuova segretaria! Con la Gremo si danno del lei dopo dieci anni che lavorano insieme, e questa qui dopo tre mesi lo chiamerebbe Renzo Reenzo Reeeenzo con tono da zoccoletta? Con la voce da lenzuola stropicciate? Col sospiro da orgasmo tra una parola e l'altra? Non è la nuova segretaria, non è una collega, non è nessuna che io conosca, è una che gli sbava dietro e che lui accudisce e si coltiva quando dice che va dal meccanico o dall'elettrauto o in palestra o a giocare a poker, a calcetto... Calcetto: se togli due *c* e una *a* me la racconti più giusta... Sempre un bel gioco è, soprattutto con una partner nuova, che devi scoprire in quali zone funziona meglio, decidere lo schema della partita, se andare subito all'attacco o fare un po' di melina per risparmiare le forze e arrivare in porta quando lei è spossata dalle finte e non ce la fa più a parare...

Sollevò il cellulare da terra: il guscio era incrinato e la lucina intermittente spenta. Ben vi sta, pensò, includendo nel voi Renzo, la zoccoletta e l'incolpevole telefonino.

Il giorno dopo fu svegliata alle sei da un mal di testa feroce e pulsante. Sta diventando una presenza continua, pensò scendendo dal letto in cerca della Novalgina, e considerò che se l'era voluta. Per tenere a bada dispetto e preoccupazioni, aveva esagerato con le sigarette e si era concessa un cicchetto di whisky un po' troppo abbondante dopo la cena consumata in solitudine, figlia e cane sempre affidati alla nonna, Renzo latitante sino alle undici. E quando era finalmente arrivato, stanco e stropicciato dalle ore di lavoro e di viaggio, lei ce l'aveva fatta a non aggredirlo e aveva preferito rimandare a un momento più disteso ogni richiesta di spiegazione. Ma sigarette whisky e tutto il resto avevano silenziosamente operato nella notte contro di lei e l'avevano conciata male. Basta sigarette, si disse, oggi non le tocco e do retta all'Indistruttibile, che come matto è piuttosto saggio.

Basta anche con le elucubrazioni su una telefonata che potrebbe benissimo non essere quello che mi è sembrato. E basta anche, mi auguro, con il tenente Craighero. Che se è davvero in gamba come ha detto Gaetano, scoprirà chi aveva davvero un movente per assestare la spinta fatale. Adesso mi metto quieta in poltrona ad aspettare l'effetto della Novalgina, poi faccio le cose normali di tutti i giorni: scendo a comprare i giornali e a salutare figlia madre e cane, risalgo e sveglio Renzo, preparo la colazione per tutti e due e dopo vado a scuola. Se faccio tutte le cose normali, se non mi agito, se non vaneggio dietro a ogni pensiero che mi sfiora la mente, se mi comporto in modo razionale, se mi faccio piccola piccola e invisibile, la giornata filerà liscia, non ci saranno grane e non mi pioverà nessuna mazzata tra capo e collo.

La giornata filò liscia sino alla fine. Anche quella dopo, ma soltanto sino alle cinque. Fino ad allora normalità quasi tutta prevedibile. Lei aveva ripreso i suoi ritmi e attività abituali: fece lezione, bevve un caffè nell'intervallo, scambiò quattro chiacchiere neutre coi colleghi e uscendo da scuola affrettò il passo perché si era messo a piovere e non aveva l'ombrello. Ma in via della Consolata, all'altezza del pornoshop Sexy-Folies, un'ambulanza ostruiva la strada e un capannello di gente il marciapiede.

Oddio no, fa' che non sia l'Indistruttibile che si è rimesso a fare le capriole tra le macchine – gemette tra sé –, lui no, non voglio perdere un altro amico nello spazio di pochi giorni, e se è lui, fa' che si sia soltanto rotto una gamba, che se poi non può camminare me ne occupo io e gli faccio la spesa e gli lavo anche la roba, lui no, perché gli voglio bene e non mi deve mancare proprio adesso!

Si accorse che stava quasi pregando, che invocava un'entità indefinita priva di nome, e rendendosi conto della propria fragilità per rivalsa spintonò con malagrazia le persone che le stavano davanti e vide di chi si trattava: di Tavernello, sdraiato a terra, svenuto in una pozza di vomito ed escrementi. Gli infermieri lo stavano sistemando sulla barella, con gesti precisi e attenti, ma con una più che comprensibile smorfia di disgusto di fronte al lerciume e al tanfo che ne proveniva.

Coma etilico o qualcosa che gli somiglia, pensò lei, e speriamo che ce la faccia ancora una volta a venirne fuori, e intanto tirava un sospiro di sollievo, perché Tavernello non le stava a cuore quanto l'Indistruttibile e perché si può avere a cuore soltanto una porzione infinitesima dell'umanità.

Arrivata a casa più bagnata che umida, scambiò di buon grado con sua madre qualche banalità sul tempo che si era messo al brutto e sempre di buon grado accettò il rimprovero sul fatto che non si portava mai dietro un ombrello, poi si occupò del cane e di alcuni indifferibili lavori domestici, infine lesse i giornali comprati al mattino e gli altri acquistati tornando. I cronisti avevano quasi del tutto sposato la tesi dell'omicidio e il "quasi" era dovuto solo alla rivelazione delle condizioni di salute di Dora. Certo, per una persona che sapeva di avere i mesi contati, un momento di debolezza, di disperazione cieca che spinga ad accelerare la fine non sarebbe stato da escludersi, ma – si chiedevano tutti con parole sobrie o grondanti pathos – come spiegare allora la chiamata del taxi fatta dalla vittima poco prima? In altri articoli era ricostruito, sempre della vittima, il background familiare: il padre, valente professore universitario di chimica, il defunto marito, consulente di vari istituti di ricerca negli Stati Uniti. Poi della vittima stessa era tratteggiato un profilo tra il sociologico e lo psicologico: nell'età più difficile per una donna prima la vedovanza, poi la malattia; la delusione di chi, tornato nella città d'origine, si sente estraneo perché non ha più legami; la mancanza di figli; la solitudine... Tutto giusto, tutto vero e chissà chi glielo aveva raccontato, ai giornalisti. Già che c'era, le pagine di cronaca Camilla se le lesse tutte, sia pure saltando righe e mollando a metà gli articoli di scarso interesse. *In trappola i topi d'auto dell'Ipercoop*: due balordi, fratelli più volte recidivi, che ripulivano le auto dei clienti durante l'ora di pranzo, avendo però l'accortezza di aprirle senza lasciare segni di scasso sulle portiere. Ordinaria amministrazione, ma con un pizzico di diligenza in più. *Fuoco in cantina, evacuato uno stabile*: forse un piromane, oppure un imbecille in vena di bravate, uno da pigliare a sganassoni, che terrorizza una ventina di famiglie, fortunosamente salvate dai pompieri nel cuore della notte. Famiglie adesso senza casa, perché tutti gli appartamenti sono inagibili. Basta un niente e la tua vita cambia, diventi un profugo in patria. *Morto di overdose: il cadavere scoperto grazie a una telefonata anonima*: poche righe, nome e cognome indicati solo con le iniziali N.S., giusto per dovere di cronaca, perché i morti di droga non interessano granché se non sono nomi eccellenti oppure divi e divetti della tivù e dei rotocalchi. I morti di droga sono come quelli degli incidenti stradali che fanno notizia solo se all'ingrosso, dalla mezza dozzina in su, e solo se ci rimettono la pelle in carambole spettacolari che bloccano le autostrade. *Ricostruiti i volti delle mummie dell'Egizio. L'architetto Kha rivive dopo tremila anni*: articolo a tutta pagina. Non me ne frega niente di sapere che faccia aveva Kha, le mummie esposte nei musei mi hanno sempre ispirato un certo disgusto estetico e anche etico, ma devo essere la sola o quasi ad avere questa reazione. E per fortuna che non insegno né alle elementari né alle medie, perché lì è praticamente d'obbligo portare le classi al Museo Egizio, dove poi un paio di allievi regolarmente vomitano e ti tocca pure ripulirli e rincuorarli. Kha a tutta pagina e il morto di overdose liquidato in dieci righe su una colonna. Ma è anche vero che il tossico la morte se l'è in qualche modo voluta.

Alle cinque arrivò la mazzata, proprio mentre si stava versando una tazza di tè. Non la mazzata vera e propria, ma il suo annuncio, consistente in una telefonata dei carabinieri:

«Il tenente Craighero, signora, la prega di favorire nel suo ufficio con la massima urgenza.» Lei buttò il tè nel lavandino – non le piaceva, se l'era fatto in sostituzione del caffè per non abusare della caffeina – e in un corto circuito di irrazionalità associò il tè alla malasorte decidendo scaramanticamente che non l'avrebbe bevuto mai più. Poi, per puro vizio professionale, si chiese in quale accezione fosse stato usato il verbo "favorire".

26

Nell'ufficio erano sempre in tre ad aspettarla, il tenente dietro la scrivania dirigenziale e gli altri due sistemati a un'altra più piccola. La gerarchia si esprime anche nei volumi, pensò, e subito dopo decise che quella sera stessa si sarebbe applicata a imparare l'alfabeto delle stellette sulle spalline. Se ne avesse avuto l'opportunità, perché tirava un'aria di tempesta.

«È emerso un elemento nuovo, signora» esordì il tenente.

Devo chiedere qual è o aspetto che me lo dica? Aspetto, tanto me lo dice di sicuro.

Aspettò anche lui e ci fu uno stallo di qualche secondo. Lei cercò di restare impassibile nell'attesa della botta.

«Non mi chiede qual è?»

«Come vuole. Qual è?»

Non pigliarlo di punta, mi ha suggerito Gaetano, e io invece di dargli retta apro subito le ostilità.

«Il testamento della signora Vernetti.»

«Ah.»

«Presumo che sia a conoscenza del fatto che la signora Vernetti aveva fatto testamento. Un testamento provvisorio, come ci ha riferito il notaio Chiaffredo Galetto.»

«Presume male. Non mi ha mai parlato di testamenti, né provvisori né definitivi. Del resto, non mi ha mai neppure parlato della sua malattia.»

Scambio fugace di sguardi tra il tenente e uno degli altri due che si era mosso dalla postazione precedente. Che cosa ho detto che non va? Qualcosa di troppo? L'accenno alla malattia? Ma era già chiaro dall'altra volta che non ne sapevo niente.

«Quindi lei sostiene di non essere edotta delle disposizioni testamentarie della vittima.»

Attacca col linguaggio burocratico: si mette male. Gaetano, perché non sei tu a occuparti di quest'indagine? Tu sapresti fin dal principio che io non c'entro niente, non mi pregheresti di favorire, ci intenderemmo subito e la faremmo finita. Però anche tu hai detto "presumo", accidenti a te e a tutti gli sbirri.

«Esattamente. Non sono, anzi non ero, edotta del fatto che avesse testato e a maggior ragione di quali siano le disposizioni testamentarie.»

Gioco sul suo terreno, tenente, e uso il suo linguaggio. Va bene così?

«Le disposizioni testamentarie della vittima la chiamano in causa, signora.»

Mi chiamano in causa? In che senso? Non mi avrà mica affibbiato qualche grana, come – che so – occuparmi dei suoi beni? Adesso mi sono rotta di questa manfrina sbirresca, adesso ne ho le scatole piene di questo procedere sospettoso, adesso mi sto incazzando sul serio, porcamiseria.

«Tenente, le spiace venire al dunque? Lei non ha di sicuro tempo da perdere e io nemmeno.»

Lesa maestà? Che può farmi? Faccia quel che crede.

«Il dunque, come lo chiama lei, è che la signora Vernetti l'ha designata come erede nel testamento provvisorio.»

«Io? Me?»

«Lei.»

Erede. Movente. Mioddio che guaio. Che merda di guaio.

«Erede di cosa?»

«Non lo immagina?»

«No. Non immagino più niente. Me lo dica lei.»

«Della casa che è stata all'origine della vostra conoscenza.»

Spero che lo sbalordimento mi si legga in faccia. Ma lui può pensare che sono una buona attrice. Tra un po' mi viene un infarto. Un ictus. Crollo per terra e resto paralizzata per sempre. Sbavante e balbettante. Sulla sedia a rotelle. Non possono mettermi in galera e mi danno l'arresto domiciliare. Lo sconto nella casa di Dora. Ma me la lasciano se pensano che l'ho ammazzata io?

«Signora, vuole un bicchiere d'acqua?»

«Sì grazie.»

Uno dei due subalterni – quello che era rimasto in piedi – andò a prendere una bottiglia di minerale. Lei ne bevve un bicchiere pieno – l'acqua era fresca e gasata: un trattamento di riguardo –, poi chiese se poteva fumare. Le risposero di sì in tre – uno, quello che le aveva portato l'acqua, soltanto con un cenno della testa – e furono accese quattro sigarette. Nell'ufficio c'era un cartello recitante "Vietato fumare" che le restituì un po' di fiducia nei suoi interlocutori.

«Tenente, perché ha parlato di testamento provvisorio?»

«La signora Vernetti, dato che era perfettamente al corrente delle proprie condizioni di salute, aveva deciso di testare. Si dice così, vero? Però prima di avere dal suo amministratore un rapporto dettagliato sull'entità degli altri beni, ha voluto fare un testamento diciamo parziale, riguardo alla casa. Che, a occhio e croce, vale più di un milione di euro, forse anche un milione e mezzo.»

L'ho sottovalutato. Sa parlare da essere umano. Sa anche cogliere le mie stupide carognate lessicali. Non deve essere affatto stupido, per mia fortuna. Speriamo, che sia per mia fortuna.

«Tenente, se ho capito bene non esiste un testamento definitivo o completo che dir si voglia, e in quello provvisorio o parziale io risulterei erede della casa.»

«Ha capito perfettamente.»

Brutta storia davvero, come hanno pronosticato in tanti. Più che brutta, schifosa. E pericolosa. Troppo tardi per giocare all'imbranata.

«Allora, tanto per parlare chiaro, lei mi sta accusando di avere un movente.»

«Io non la sto accusando di niente, mi limito a esporle ciò di cui siamo venuti a conoscenza.»

«Meno male.»

«Però, come ha ammesso lei stessa, una casa da un milione o un milione e mezzo di euro costituisce un buon movente. E al momento attuale lei risulta essere l'unica persona che tragga qualche beneficio dalla morte della signora Vernetti.»

«Bel beneficio! In questa situazione ne farei volentieri a meno. Comunque, sempre per parlare chiaro, io non ho spinto Dora. Non avrei potuto farlo neppure se ne avessi avuto l'intenzione. E questo credo che lei lo sappia.»

«Perché lei stava di fianco e non dietro alla vittima?»

«Sì, e anche perché reggevo quattro borse della spesa, piuttosto pesanti, due per mano. Con cosa l'avrei spinta?»

«Potrebbe averlo fatto con una spallata.»

«Tenente, mi guardi. Le sembro Maciste? E poi, non per insegnarle il suo mestiere, diomiscampi, ma non ha o non avete interrogato qualche testimone? Era pieno di gente al varco del passaggio pedonale: qualcuno, se c'è stata una spinta, avrà pur visto chi l'ha data.»

Ho toccato un punto sensibile. Si sono scambiati un altro sguardo, lui e quello che sta sempre in piedi. Vuoi vedere che non hanno testimoni? Ma non è un gran vantaggio per me. Anzi.

«Le testimonianze dei presenti sono state raccolte e le stiamo vagliando. Mi parli invece delle sue borse della spesa.»

«Cosa vuol sapere? Il contenuto?»

«Esatto.»

Allora glielo racconto dall'a alla zeta. Con tutti i dettagli e qualche nota a piè di pagina.

«Due chili di mele delizia e un chilo di renette, comprate dal melaro che viene solo al venerdì e al sabato e che sostiene di coltivarle in modo biologico. Se sia vero non lo so, però costano il doppio delle altre e sono più brutte d'aspetto. Un chilo di pere madernasse, una varietà che sta sparendo. Sono buonissime cotte al forno con vino, zucchero, chiodi di garofano e cannella. Siamo già a quattro chili, le faccio notare. Un cavolfiore verde – deve avere un nome specifico, ma non lo ricordo – e un mazzo piccolo di asparagi coltivati in serra. Il peso esatto non saprei indicarglielo, diciamo sul chilo e mezzo in totale. Comprati al banco della Baricia, che si ricorda sicuramente di me perché sono una cliente abituale. Poi toma di montagna, fresca e stagionata, gorgonzola e primo sale al banco della Marghera, che ha formaggi buonissimi. Credo che sia tutto.»

Quello seduto sta scrivendo qualcosa. Prende appunti per la sua prossima spesa. Si è segnato le dritte per comprare ai banchi giusti. Quando ha salutato dall'accento mi è parso pugliese. Il tenente, col cognome che si ritrova, dev'essere altoatesino o su di lì, l'altro non so, forse è muto e si esprime solo a sguardi e cenni. Il pugliese alza gli occhi dal bloc-notes. Può darsi che voglia altri ragguagli. O ricette di cucina.

«Le signore Baricia e Marghera, ho capito bene?»

«Sì, ma se le interroga per conferma, le consiglio di non chiamarle così.»

«Perché?»

«Perché non sono i loro cognomi. Baricia vuol dire "strabica" in dialetto. Talmente strabica che è quasi contagiosa. Vuol anche dire "acciuga" ma non c'entra. Marghera vuol dire "lattaia" e il termine non sarebbe di per sé offensivo per una venditrice di formaggi, ma in realtà lo usano tutti in un altro senso.»

«In che senso, scusi?»

«Abatangelo, che le importa?»

«È solo una curiosità, tenente.»

«Posso levargli la curiosità o andiamo avanti?»

«Gli levi la curiosità e poi procediamo.»

«Marghera, cioè lattaia, perché ha un seno che strabor-da. Però prima di procedere ho anch'io una curiosità, te-nente.»

«Sarebbe?»

«Le avete ritrovate le mie borse della spesa? Mi...»

Stavo per dire che mi erano cadute per lo choc. Mi sono fermata in tempo. Lui avrebbe potuto sospettare che le avevo posate a terra per avere le mani libere. Madonna, quant'è difficile essere innocenti.

«Le...?»

«Mi sono accorta di non averle più quando sono salita sull'ambulanza. Le avete trovate?»

«Le rivuole indietro, per caso?»

Mi sta pure sfottendo, il Craighero. L'ironia però è un buon segno, credo.

«No. Però vorrei sapere se le avete trovate. E per favore, dato che siamo tra persone civili, non mi dica che le do-mande le fa solo lei e che a me tocca solo rispondere.»

«Le hanno recuperate i vigili. Schiacciate dalla folla, si capisce. Il contenuto corrisponde a quanto ci ha appena raccontato. Con sovrabbondanza di particolari, devo dire.»

«Comunque, come vede, avevo le mani impegnate e non potevo dare spinte.»

«Non è detto. Poteva aver posato le borse per terra aspettando il momento buono per agire.»

Sono inutili anche le omissioni. Tentiamo un'altra strada.

«È pieno di telecamere, a Porta Palazzo. Ce ne devono essere anche lì, che è un punto strategico per i borseggi. Immagino che abbiate visionato i filmati.»

Altro scambio veloce di sguardi. Forse segno qualche punto a mio vantaggio. Oppure il contrario.

«Procediamo.»

Procedettero per un'altra mezz'ora o più. Lei di nuovo a ripetere come e quando aveva conosciuto la signora Ver-netti, perché aveva voluto vedere la casa dal momento che sapeva di non potersela permettere, se ricordava altri particolari delle loro conversazioni, nomi di conoscenti, impegni, intenzioni... Invece di ripetersi, aveva voglia di dare qualche ovvio suggerimento sulle indagini, come per esempio di occuparsi delle telefonate fatte e ricevute da Dora, ma pensò che era meglio non invadere gli orticelli altrui. Quando finalmente la congedarono, con la raccomandazione, cioè l'ordine, di tenersi a disposizione, era talmente frastornata che invece di riprendere la macchina si fece portare a casa da un taxi.

27

Non mi aveva detto tutto, la profia, chissà perché. Ma sui giornali che ho letto in biblioteca – che ci vado quasi tutti i giorni perché li lasciano leggere senza pagare niente – c'era scritto che forse è omicidio, che forse la signora bionda, la signora Dora, l'hanno spinta e ha battuto la testa forte contro il tram che stava arrivando. Poi all'ospedale l'hanno operata ma è morta lo stesso. C'era anche scritto, come ha detto la profia, che era malata grave e io me ne ero accorto, non che era grave, ma che era malata sì. A camminare si stancava subito, quando le andavo dietro vedevo che dopo un po', ma poco poco, aveva il passo diverso, quello che viene dopo che hai fatto una salita dura o che sei andato a piedi da casa mia fino al Gerbido, che io una volta ci andavo tutte le settimane a trovare la Mariuccia che stava lì e poi al ritorno prendevo il pullman anche se non avevo ancora l'abbonamento. Certe volte pagavo il biglietto e certe no, dipende. Adesso non ci vado più perché la Mariuccia è morta anche lei. Cancro, che è come la leucemia. Anche lei era bionda, come la signora Dora, un biondo quasi uguale e si somigliavano tanto, anche se la Mariuccia era vestita male perché aveva pochi soldi dato che in fabbrica la pagavano poco a fare l'operaia. E con quei soldi lì doveva pagare l'affitto e mantenere il figlio che crescendo era diventato un poco di buono e gliene chiedeva sempre di più e guai a non darglieli, che diventava una belva e la picchiava. Doveva morire lui invece di lei, ma le cose non capitano mai giuste sulla terra. Io alla Mariuccia le volevo bene, e anche lei a me, che quando glielo chiedevo mi diceva sempre "Ti voglio bene, Secondo, ma siamo due disgraziati". Lei è stata tanto più disgraziata di me, povera donna, perché il farabutto che l'aveva messa incinta quando l'ha saputo non si è fatto più vedere e lei il figlio se l'è tirato su da sola ma era meglio se non lo faceva nascere, che almeno poi non avrebbe preso tutti quei pugni e calci. Era bella la Mariuccia e mi manca tanto, perché con lei ci parlavo e ci stavo bene insieme. Quando ho visto per la prima volta la signora Dora quasi quasi mi sembrava che era lei, e dopo mi è venuta tante volte la voglia di parlarle ma non mi sono mai osato, anche perché c'era quello con le scarpe rosse che le andava dietro, che forse era la sua scorta e io non volevo avere grane. E anche quando non l'ho più visto andarle dietro, continuava a mancarmi il coraggio. Sui giornali c'è scritto che forse l'hanno spinta e si vede che la profia non se ne è accorta anche se le stava vicino. Ma non si era neanche accorta che era malata e io invece sì. E neppure che non mi butto più davanti alle macchine. Si vede che legge troppi libri e poi ci pensa e non sta più attenta alle cose vere, ma l'altro giorno aveva un'aria proprio giù, con delle occhiaie come avesse sessant'anni e si vedeva che aveva voglia di piangere ma non ci riusciva o forse non voleva davanti a me. Avevo voglia di piangere anch'io, ma sulla panchina che poi arrivavano i tossici non mi andava, però a casa mi sono buttato sul letto e non mi sono più tenuto. E mentre ero lì che pensavo alla Mariuccia e alla signora Dora che forse l'hanno ammazzata è arrivata la Pecorara che si è messa a picchiare forte sulla porta e a dire "Apri, lo so che ci sei, apri subito se no ti ritiro l'abbonamento!". Io allora le ho aperto ma sono stato stupido, perché se non le aprivo come faceva a ritirarmi l'abbonamento che ce l'avevo in tasca? E poi ha cominciato come al solito a rompermi le scatole, a chiedermi perché non rispetto gli impegni, perché non vado quando devo nel suo ufficio o dal dottore e se continuo a prendere le medicine che mi ha ordinato. Io le ho detto che le prendo sempre, gliel'ho anche giurato ma non è vero niente, era solo che volevo che andasse via presto. Le gocce sono quasi un anno che non le prendo più, invece di prenderle un giorno sì e un giorno no le butto nel lavandino, così quando lei viene a controllare come ieri, vede che il flacone è vuoto giusto, non di più e non di meno. Infatti quando ha visto il flacone e accanto il bicchiere che ce lo lascio sempre vicino, si è calmata e ha cambiato umore, poi mi ha chiesto se avevo bisogno di qualcosa e io ho risposto niente. Solo che quando vedo la Pecorara, dopo le gocce avrei bisogno di prenderle davvero perché mi viene voglia di spaccare tutto e di sbattere la testa contro il muro. Così sono uscito di nuovo e quasi quasi ricominciavo con le macchine, ma siccome avevo promesso alla signora Dora che non lo facevo più, anche se non gliel'ho mai detto, allora non l'ho fatto e sono andato a casa della profia che però non c'era.

28

«Non devi preoccuparti, vedrai che in un paio di giorni si chiarisce tutto e ne veniamo fuori. Da' retta a me, smettila di preoccuparti» diceva Renzo a cui la preoccupazione stava scavando una ruga verticale in mezzo alla fronte.

«Credono che l'hanno ammazzata?» chiedeva Livietta.

«Penso proprio di sì.»

«E credono che sei stata tu?»

«Lo sospettano.»

«A me mi dispiace che sia morta. Mi faceva dei bei regali.»

«Non si dice... Vabbè, lasciamo perdere. Ti dispiace solo per i regali?»

«Nooo! Però le cose che mi comprava lei tu non me le hai mai comprate.»

«Sarebbe a dire che era meglio se morivo io?»

«Ma no! Sei diventata cattiva, mi dici delle cose brutte. Sei diventata diversa.»

«La mamma è stanca e preoccupata, lasciala stare.»

«Ma se hai appena detto che non deve preoccuparsi!»

«L'ho detto, ma lei non mi dà retta.»

«Non dà mai retta a nessuno.»

«Questo è abbastanza vero.»

«Per favore, smettetela. E magari rispondete al telefono. Io non ci sono, non esisto.»

«Pronto, ciao Gaetano. Io bene. No, lei non sta bene per niente, è stanca e preoccupata. Papà dice che non deve, ma lei non lo ascolta. Non so, ha appena detto che non c'è, che non esiste.»

«Da' qua.»»

«Ma se hai detto...»

«Dammi qua sto telefono! Lo so cosa ho detto, ma ho cambiato idea.»

«Papà, io vado dalla nonna. Posso?»

«Ciao Gaetano. Malissimo. Lo sai già? E come fai a saperlo? Talpe da tutte le parti, a quanto pare. E questo significa che domani sui giornali ci sarà la bella notizia che con la faccenda del testamento io avrei un movente. Di male in peggio, a quanto pare.»

Non aveva avuto torto. La morte di Dora, sulla base delle testimonianze e dei rilievi effettuati, era stata catalogata come omicidio, il sostituto procuratore aveva aperto un procedimento penale a carico di ignoti, i giornali ci stavano dando dentro con articoli su articoli e lei temeva l'arrivo di un avviso di garanzia da un momento all'altro. La ruga di preoccupazione di Renzo si era trasformata prima in tosse secca poi in brividi e infine in influenza, con febbre a trentanove, resistente agli antipiretici. Influenza da stress, aveva decretato lei, anche se lui sosteneva che era colpa del freddo patito nella trasferta a Zurigo. Livietta intristita e come spersa aveva abbandonato ogni spunto polemico, il cane tra un'uscita e l'altra vegetava sotto la credenza e lasciava nella ciotola gran parte del cibo. Lei passava di mal di testa in mal di testa che Novalgina Optalidon o Aulin riuscivano soltanto ad attutire.

Può capitare a chiunque di essere coinvolto in un omicidio, ma nella rosa gli dèi hanno voluto scegliere proprio me. La precarietà della condizione umana: la malattia la morte la disgrazia che colpiscono a caso, che stravolgono il relativo ordine in cui abbiamo sistemato le nostre vite. Le trincee di difesa crollate, i binari divelti, il caos che irrompe in una infinitesima porzione di cosmo. E che desolazione questo funerale. Apparato mortuario di lusso – furgone Mercedes, bara di mogano con maniglie e orpelli in bronzo dorato, una corona di orchidee dello "Studio Bonadé-Bottino" – ma soltanto sei persone a seguire il feretro: due uomini sconosciuti oltre la sessantina, il dottor Bonadé-Bottino, ovvero l'amministratore dei beni di Dora, secondo quanto mi ha detto presentando se stesso e la moglie compito e compunto, la suddetta moglie, io e l'Indistruttibile. Che regge in mano un mazzetto di mimosa, così commovente nel suo splendore di luce e di profumo da oscurare le pretenziose orchidee della corona e anche il copricassa di viole del pensiero ordinato da me. L'Indistruttibile che non ha il solito impermeabile troppo lungo e inzaccherato, ma un cappotto blu con la martingala che deve risalire almeno agli anni Sessanta del secolo scorso, un cappotto di buon taglio e buona stoffa di cui qualcuno ha deciso finalmente di liberarsi, forse una vedova a lungo fedele alle vestigia del marito, oppure un figlio che ha sbaraccato la casa dei suoi vecchi e ha avuto la pazienza di separare l'inservibile dal riusabile. Un cappotto che non figurava inventariato tra l'elenco dei beni dell'Indistruttibile, un cappotto che teneva nascosto chissà dove nella sua tana, o che invece si è procurato per questa circostanza. Per non sfigurare. E si è pure sbarbato e pettinato con cura. Cammina in silenzio accanto a me, e a me prende un groppo aggiuntivo di pena, e gli stringo la mano e gli dico:

«Ti voglio bene Indistruttibile.»

Lui si volta a guardarmi e sembra che voglia rispondermi, invece riabbassa gli occhi e continuiamo a camminare e una volta arrivati aspettiamo il termine di tutte le faticose e noiose e ordinarie operazioni legate alla sepoltura. Inabissata la cassa nel sotterraneo della tomba di famiglia, chiusa la porta della cappella da parte dei necrofori, mentre tutti se ne stanno andando, lui depone a terra il suo mazzo di mimosa e finalmente parla:

«Anch'io.»

«Lo so. E volevamo tutti e due bene a Dora.»

«Sì, e se continuavo ad andarle dietro forse non la spingevano e lei era ancora viva.»

138

«Cosa vuol dire che le andavi dietro?»

«Vuol dire che la seguivo. Quando usciva di casa al mattino, quando si incontrava con te. Non sempre però.»

«Perché?»

«Perché cosa?»

«Perché le andavi dietro.»

«Non è mica vietato. C'era anche un altro.»

«Un altro?»

«Sì. Uno giovane, cioè più giovane di me. Uno con le scarpe rosse.»

«Lo conosci?»

«No. Però so dove abita.»

«Come fai a saperlo?»

«Che domanda stupida. Sono andato anche dietro a lui.»

«Sei sicuro che seguisse Dora?»

«Sono mica scemo, certo che sono sicuro. Forse era la sua guardia del corpo.»

«Le guardie del corpo stanno di fianco, non dietro.»

«Stanno anche dietro.»

«Sì, ma allora ce ne sono altre di fianco e davanti.»

«Già. Non ci avevo pensato.»

«E cosa faceva Scarpette rosse?»

«Quello che la seguiva, dici? Faceva niente, le andava dietro. Perché ti interessa tanto?»

«Camilla!»

Si volta e lo vede. Gaetano. Che compare all'improvviso da dietro una tomba, come nei film di paura. Lei non sa se ridere per la sorpresa o abbracciarlo per la gioia di rivederlo. Lo abbraccia e sente un'ondata di calore scenderle dalla nuca alla schiena. Gli presenta l'Indistruttibile. Gli chiede come mai è tornato a Torino. Perché non l'ha avvertita del suo arrivo. Che cosa ci fa al cimitero. Lui risponde:

«Calma, calma, una cosa per volta.»

Poi le mette un braccio attorno alle spalle e si avviano per il ritorno. L'Indistruttibile li osserva perplesso.

29

Sono seduti tutti e tre in un bar di corso Regio Parco, più tetro del cimitero da cui sono appena usciti. È per delicatezza verso i dolenti – pensa lei, che la comparsa di Gaetano ha rinfrancato –, per non traumatizzarli ulteriormente con un troppo brusco cambiamento di scenario. Se, dopo le esequie, i parenti e gli amici dei defunti vengono qui, in questa saletta d'interregno tra i due mondi, a bere un caffè o un grog, possono respirare ancora un po', ma da distanza di sicurezza, l'atmosfera degli avelli, delle buie rive di Acheronte, dei pallidi asfodeli e poi, ristorati, sono pronti a rituffarsi nella bolgia della vita. Vaschette di polverosi fiori di plastica appese alle pareti. Un quadraccio finto-antico di rovine e colonne spezzate. Dietro al bancone, a vegliare dall'alto le bottiglie di amarilucani e di sambuche, la terracotta di una Madonna trafitta da sette dolori. Il barista è una fotocopia di Igor-Aigor di Frankenstein junior. Chi ha ideato il tutto meriterebbe una nomination all'Oscar per la scenografia.

«Ho chiesto un permesso per motivi personali» ha detto prima Gaetano, «ma soltanto ieri sera tardi ho saputo che potevo partire. Stamattina ho preso il primo volo che c'era ed eccomi qua. Perché? Non lo indovini da sola? In ogni caso, ti serve una mano per venirne fuori al più presto.»

Lei ha afferrato al volo il bello e il brutto della dichiarazione, si è assaporata per un po' il bello, un cioccolatino un candito da far durare in bocca, e adesso deve affrontare il brutto.

«Dimmi quanto sono messa male.»

«Abbastanza.»

«Ma non hanno nessuna prova. Nessuno, che io sappia, ha detto di avermi visto dare la spinta.»

«Certo. Ma nessuno ha visto qualcun altro darla.»

«E allora? C'era ressa, l'ho già ripetuto un centinaio di volte, si stava appiccicati l'uno all'altro e io ero di fianco, di fianco – di fianco, capisci? –, non dietro a lei.»

«Lo so, ma il punto non è questo.»

«Quale allora?»

«Il sostituto procuratore.»

«Il dottor Ciccarelli?»

«Proprio lui. L'hai visto?»

«Una volta, in corridoio. Cos'ha che non va, oltre al fatto che guarda di sbieco e si chiama come un callifugo?»

«È uno che va giù per le trippe. Che per dare un'accelerata ti manda un avviso di garanzia così devi subito sceglierti un avvocato.»

«O madonnasanta!»

«Che mette fretta per chiudere in fretta.»

«E chi coglie, coglie.»

«Appunto.»

«Ma mi avevi detto che il tenente Craighero è uno in gamba, uno che sa fare il suo mestiere...»

«Sì, lui e i suoi marescialli. Se glielo lasciano fare, se non lo costringono a bruciare le tappe.»

«Come dire che per la fretta incastrano una che non ne può niente.»

«Non sarebbe la prima volta.»

«Che consolazione! Ma dalle telecamere cosa hanno visto?»

«Erano spente.»

«Di bene in meglio. Questo non me lo hanno detto. Spente di sabato mattina, quando a Porta Palazzo succede di tutto... Non si inventeranno mica che le avevo spente io!»

«Questo no. Però sembra che...»

«Che? Perché non vai avanti?»

«È una faccenda delicata.»

«Parla pure. L'Indistruttibile, cioè lui, Secondo, è un amico.»

«Sembra che il dottor Ciccarelli ipotizzi la presenza di un complice, uno che vi seguiva e che...»

«Scarpette rosse!»

«Cosa dici?»

«Lui, Secondo, mi ha appena detto che c'era uno con le scarpe rosse che seguiva sempre Dora.»

«Sempre no, da un po' di tempo non lo vedevo più.»

«Scusi, come fa a sapere che c'era uno che seguiva la signora Vernetti?»

«La seguivo anch'io, ma dietro a lui.»

«Posso sapere perché?»

«No.»

«Indistruttibile, per favore! Digli tutto quello che sai, fallo per me.»

«Gli dico che c'era uno con le scarpe rosse da ginnastica che le andava dietro. Gli dico che ho visto dove abita. E poi basta.»

«Allora ci dica la via, il numero...»

«La via non la so, neanche il numero, però non è lontano.»

«Lontano da dove?»

«Da dove ero quando gli sono andato dietro.»

«Ma cosa...?»

«Aspetta Gaetano. Non avere fretta anche tu.»

30

«Adesso cosa facciamo, come mi muovo?» aveva chiesto lei dopo.

«Tu stai ferma e mi muovo io. Con discrezione e senza intralciare nessuno. Prima però devo fare delle telefonate e verificare dei fatti» aveva risposto Gaetano.

«Ma lo scenario è tutto cambiato!»

«Sta' quieta, non precipitare le cose. L'Indistruttibile, lo sai da sola, non è il teste più attendibile del mondo.»

«Ma se ci ha portati...»

«Lo so dove ci ha portati, lo so cosa ci ha fatto scoprire. Ma quello che ha detto può essere smontato parola per parola e quello che abbiamo scoperto per il momento non è granché. Inoltre la prima cosa che Craighero e i suoi si chiederebbero è perché seguiva la tua amica. E lui non lo vuol dire.»

«Ma se è chiaro come il sole! Si era innamorato!»

«Lui? Della signora Vernetti?»

«Gaetano, ma come ragioni? Ti stupisci perché uno un po' matto si è innamorato di una donna che non è alla sua portata ma che per qualche motivo l'ha colpito?»

«Un po' matto quanto? È meglio che io lo sappia.»

«È in cura dal servizio psichiatrico e seguito da un'assistente sociale.»

«Sai chi è? Magari sarebbe utile parlarle.»

«Non credo. Lui la detesta e penso che le faccia dei dispetti. Si chiama Iris Pecorara, comunque, e ha un culo grosso come due, me l'ha detto lui una volta.»

«Altro, su di lui?»

«Si butta, cioè si buttava, in mezzo alle macchine gridando che è indistruttibile. Ha causato un sacco di tamponamenti in via della Consolata. Una mattina sono anche venuti i vigili per beccarlo ma lui se n'era accorto e aveva evitato di fare il suo numero.»

«Andiamo bene. Ti immagini cosa penserebbe Craighero?»

«No.»

«Che Dora l'ha spinta lui su istigazione tua.»

«No! Lui non farebbe male a una mosca, cioè no, le mosche le ammazza, è bravissimo a prenderle al volo, ma è uno buono d'animo, è un mite.»

«Che provoca tamponamenti.»

«Provocava. Adesso non più, ha smesso.»

«Come mai?»

«Non lo so. Non è che mi dica tutto. Magari perché si era innamorato.»

«E l'aveva promesso alla sua bella.»

«Perché no?»

«Ma se non le aveva mai parlato, secondo quanto mi hai detto!»

«Che c'entra? Non le aveva mai parlato direttamente. Chi fa i fioretti alla Madonna a santa Rita o a san Gennaro non gli parla mica di persona, gli si rivolge solo con la mente.»

«Può darsi. Io non ho mai fatto fioretti. E tu?»

«Da bambina.»

«Adesso no?»

«No, ma quasi quasi mi viene voglia di farne uno.»

«Spero che non mi riguardi.»

«Gaetano, io...»

«D'accordo, non è il momento per parlare di noi. Vado a frugare in quello che abbiamo appena scoperto.»

Per scoprirlo ci avevano messo un po', ma alla fine l'Indistruttibile li aveva guidati davanti a un portone di ferro arrugginito e chiuso e aveva detto che l'uomo dalle scarpe rosse abitava lì, a pianterreno, a sinistra dei garage che c'erano nel cortile, l'aveva visto entrare una volta che il portone era aperto perché ci stava uscendo un camioncino. Sicuro che non fosse semplicemente andato a trovare qualcuno? Sicuro, l'aveva seguito anche un'altra volta e l'aveva visto aprire il portone con la chiave.

«Come entriamo che non ci sono i campanelli» aveva chiesto Camilla.

«Aspettiamo che arrivi qualcuno» aveva risposto Gaetano.

«Ma che poliziotto sei se non sai aprire un portone?» aveva provocato l'Indistruttibile.

Sospirando Gaetano aveva tirato fuori un mazzo di chiavi e forzato la serratura.

La porta a sinistra dei garage era chiusa e sopra c'era un cartello: "Locale sottoposto a sequestro". Tra porta e stipite c'erano anche i sigilli, cioè delle strisce di scotch da imballo, che un bambino dai sei anni in su avrebbe potuto facilmente violare, ma nessuno, né adulto né bambino, si era preso la briga di farlo. Camilla aveva guardato interrogativamente Gaetano, l'Indistruttibile invece stava guardando in alto, verso i balconi che si erano improvvisamente popolati.

«Cosa vuol dire "sottoposto a sequestro"?»

«Vuol dire che non ci può entrare nessuno.»

«Questo l'avevo capito da sola.»

«Vuol dire che il locale è oggetto di indagine.»

«Questo è già più interessante, indagine su che?»

«E come faccio a saperlo? Dovrò vedere, intanto cerchiamo di sapere come si chiama l'uomo dalle scarpe rosse.»

Sulla porta non c'era nessuna targa. Sui lunghi balconi della casa di ringhiera una ventina di persone almeno stava guardando giù: donne coi grembiuli che avevano interrotto le faccende domestiche, pensionati che osservavano la scena per congetturarci poi su con calma, bambinetti che si frugavano il naso e chiedevano ragguagli alle madri.

«Posso scoprire in questura come si chiama» stava dicendo Gaetano, «è meglio che ce ne andiamo.»

Ma l'Indistruttibile, che si era già avviato sotto il portone, stava abbordando un uomo di mezz'età che ansimava come una locomotiva a vapore, probabilmente per via dell'asma. Tra uno sfiato e l'altro, vennero a sapere che nel locale era stato trovato un morto, uno che si era fatto una pera di troppo e ci aveva lasciato le penne. Come si chiamava? Nicola Sorrentino si chiamava la buonanima, parlandone da vivo.

31

Renzo stava un po' meglio: con la febbre finalmente scesa aveva riacquistato una certa lucidità e intraprendenza. Che, durante l'assenza di Camilla, aveva messo a frutto preparando un sugo all'amatriciana, degli involtini con capperi e olive e un contorno di broccoletti.

«Manca il dolce, che in un pranzo funebre è di prammatica, ma ti devi accontentare. Com'è andata?»

«È andata squallida. Ma ci sono novità.»

«Cattive, tanto per cambiare?»

«Forse no. Una no di sicuro.»

«Sarebbe?»

«Sarebbe che Gaetano è tornato.»

«E Gaetano ti dà una mano.»

«Spero di sì. Ti dispiace, forse?»

«Ma ti pare! Dimmi le altre.»

Lei lo aveva messo al corrente delle altre.

«E tu pensi che questo Scarpette rosse potrebbe essere lo spintonatore ignoto?»

«Potrebbe.»

«Mi sa di no. Sarebbe troppo semplice: accoppa una donna, poi si contorce per il rimorso e lo placa con una dose-urto di ero. Che accoppa lui. Roba da feuilleton ottocentesco, solo che nell'Ottocento l'ero non andava di moda. E non funziona neppure come feuilleton aggiornato.»

«In che senso non funziona?»

«Nel senso, tanto per cominciare, che un pedinatore non si mette delle scarpe rosse.»

«Ma era un tossico!»

«E allora? Tossico non vuol dire necessariamente scemo.»

«Scemo no, ma poco lucido sì.»

«Poco lucido quando è in crisi di astinenza, non sempre. E non mi pare verosimile che la pedinasse durante le crisi. Sempre che tutta là storia del pedinamento e delle scarpe rosse sia vera.»

«Perché non dovrebbe esserlo?»

«Perché il tuo Indistruttibile non è il teste più attendibile del mondo. Cosa ti ha detto in proposito Gaetano?»

«Quello che hai appena detto tu.»

«Lo vedi?»

«Vedo cosa? Vedo che ragionate uguale, da uomini.»

«Ci trovi qualcosa di male?»

«Ci trovo qualcosa di mancante. Anche di supponente, se vuoi.»

«Come a dire che quello che manca a noi uomini ce l'avete voi donne.»

«Ma ti pare il momento di una diatriba sul femminismo? Su chi ce l'ha più grosso – il cervello voglio dire – e meglio funzionante?»

«Guarda che hai cominciato tu.»

«Davvero? Beh, non volevo. Il fatto è che né tu né Gaetano conoscete bene l'Indistruttibile. È ombroso, pieno di manie, strambo e quant'altro vuoi, ma non conta balle. Io ci credo, alla storia del pedinatore.»

«Ma sarà comunque difficile dimostrare che è vera.»

«Forse no. Metti che gli trovino in casa delle scarpe da ginnastica rosse o che ce le avesse ai piedi quando è morto...»

«Non proverebbe niente. Mettiti nei panni di un investigatore: un testimone un po' matto o abbastanza matto racconta che la vittima di un omicidio era pedinata da un individuo con le scarpe rosse. Prima domanda: come fa a saperlo il mezzo matto? Seconda domanda...»

«Risparmiamela. Anche le successive. Mi stai facendo passare l'appetito. Anche se sarebbe l'unica cosa positiva di tutta la faccenda.»

«Vuoi di nuovo dimagrire?»

«Mi piacerebbe.»

«Guarda che a me vai bene così.»

«Anche se non ho la voce flautata?»

«Voce flautata? Cosa vuoi dire?»

«Niente. Voglio dire che mi è tornato il mal di testa.»

«Non ho capito il nesso, ma pazienza. Ragiono da uomo.»

«Adesso sei tu che ricominci.»

«Scusa, non volevo. È che questa faccenda ci sta logorando. Non sarebbe il caso che ti prendessi un paio di settimane di congedo?»

«Ho già preso un giorno di permesso per andare al funerale e madama Buonpeso me l'ha fatto cadere dall'alto.»

«Mandala a farsi fottere. Non voglio vederti passare da un mal di testa all'altro.»

«Non è la scuola che mi fa venire il mal di testa.»

«Lo so, ma se ti alleggerisci di un carico è meglio.»

«Quando sono a scuola non penso ai miei guai.»

«Ai nostri guai.»

«È un rimprovero?»

«No, è una condivisione. Adesso va' a farti un pisolino e non pensare a niente.»

Non pensare a niente esige un grande impegno. A meno di essere una yogin, ma allora l'impegno ce l'avrei messo prima. Corpo snodato e mente sgombra. Battito del cuore e respirazione sotto controllo. Imperturbabilità. Serenità di fronte agli eventi. Niente che turba, niente che emoziona e sconvolge. Non so se mi piacerebbe. Siccome non riesco a non pensare, tanto vale che pensi. All'Indistruttibile, per esempio. Io ci credo, alla storia del pedinatore. Che se non moriva era meglio, non solo per lui ma anche per me. Avrebbe potuto dare qualche spiegazione, dire perché seguiva Dora, cosa voleva da lei. O cosa voleva chi l'aveva mandato a pedinare. Nicola Sorrentino. Nicola Sorrentino che probabilmente è N.S., il morto di overdose da dieci righe, quello confinato in un trafiletto per lasciare spazio a Kha, morto da tremila anni e più. Il cadavere scoperto grazie a una telefonata anonima. Di un altro drogato forse, che non voleva andarci di mezzo. Telefonata anonima sicuramente da una cabina. Con una scheda? Allora è possibile risalire a chi l'ha fatta. Da un phone center invece sarebbe impossibile. Ma di sicuro non si saranno presi la briga di indagare, non ce n'era motivo. Che stupida. Non c'è bisogno di scheda per telefonare al 112 113 118. Chiamata gratuita, chiamante irrintracciabile. Adesso però... Adesso cosa? Se non si riesce a dimostrare con una prova certa che Nicola Sorrentino pedinava Dora Vernetti, non c'è motivo di perdere tempo su di lui. E le parole dell'Indistruttibile senza prove non servono a niente. Com'è che hanno detto Gaetano e Renzo? Che non è il teste più attendibile del mondo. Mi sa che nelle indagini funziona meglio la mente maschile.

32

La telefonata anonima che comunicava la morte di Nicola Sorrentino era stata fatta al 113. I poliziotti della volante accorsi quasi subito avevano trovato il corpo non proprio caldo ma quasi, e accanto la solita attrezzatura da morte in acquisto: siringa cucchiaio eccetera. Il morto, prima di bucarsi, ci aveva dato dentro coi superalcolici e forse per questo, o per inesperienza, aveva avuto la mano troppo pesante con l'eroina.

«In che senso per inesperienza?» aveva chiesto per telefono Gaetano ai colleghi del commissariato Dora-Vanchiglia che si erano occupati del caso.

«Nel senso, commissario, che a una prima occhiata e poi anche secondo il parere del medico legale, il morto non era un drogato abituale, anzi poteva essere alle sue prime prove se non addirittura alla prima. Comunque un balordo, uno senza un vero lavoro, frequentatore di bar e compagnie dalla dubbia reputazione, incensurato ma probabilmente addentro a piccoli traffici malavitosi. No, spacciatore no, non risultava da nessuna parte, però i soldi per vivere doveva pur tirarli su in qualche modo, anche se a quanto pareva non è che se la passasse tanto bene. Ma, ci scusi commissario Berardi, com'è che le interessa questo caso? Non era stato comandato a Roma con un incarico al Ministero? Già tornato? Ah, qualche giorno di ferie, e così, per non perdere l'abitudine, invece di riposarsi si occupa di un coglione qualunque, tanto coglione che non impara neanche come si fa a farsi. Se non abbiamo notato qualcosa di strano? No, tutto regolare: la porta era chiusa a chiave, sul tavolo c'era un bicchiere con accanto una bottiglia di whisky mezza vuota e quello che mancava se l'era scolato lui prima di darsi da fare con la siringa... Beh, se proprio vogliamo spaccare il capello in quattro, di strano c'è che dopo una sbronza così non ci sarebbe stato più bisogno di droga, ma coi tossici non si sa mai quello che gli passa per la testa, anche se questo qui tossico abituale non era, secondo la sorella, il medico legale e pure secondo noi. Come dice? Scarpe da ginnastica rosse? Aspetti, controlliamo il verbale. No, non risulta: quando l'abbiamo trovato ai piedi aveva un paio di scarponcini con la para sotto, sa, quella sera veniva giù una pioggia della madonna e aveva piovuto tutto il giorno... In casa forse, sempre che vogliamo chiamare casa quella specie di magazzino in cui stava... Commissario, ma cos'è che vuole? Ah, capito, non è un'indagine ufficiale e ci sono di mezzo i caramba... ma come fanno a esserci di mezzo se il cadavere l'abbiamo scoperto noi e il caso è nostro? Un altro caso, un caso loro, chiaro, e facciamo meglio a non pestargli i piedi, però se vuole e quando vuole, un'occhiata in casa del Sorrentino possiamo tornare a dargliela e se le scarpe rosse c'erano, ci saranno ancora.»

Le scarpe rosse c'erano. Scarpe da ginnastica Nike di pelle rossa, che il proprietario doveva aver calzato il giorno della sua morte, giorno di pioggia, prima degli scarponcini con la para. Scarpe a cui doveva tenere parecchio visto che le aveva riempite con carta appallottolata che assorbisse l'umidità e le tenesse in forma.

«Allora, commissario» aveva chiesto a Gaetano uno dei due agenti che lo avevano accompagnato, «ste scarpe cambiano qualcosa?» «Non lo so ancora» aveva risposto lui, «ho bisogno di fare altri controlli prima di capire se sì o no. Però, per il momento, stiamo tutti calmi, zitti e coperti.»

Dopo, ed era pomeriggio sul tardi, quasi sera, Gaetano le aveva telefonato.

«L'Indistruttibile aveva ragione, per quanto riguarda le scarpe rosse. Però non significa ancora niente.»

«Perché niente?»

«Fai finta di non capire? Lui, dato che non è del tutto sul suo, o se preferisci è mentalmente instabile o mezzo matto, potrebbe benissimo essersi fissato su una persona, cioè il Sorrentino, per chissà quale motivo, averlo seguito eccetera e poi essersi inventato che quello a sua volta seguiva la Vernetti.»

«Non credo.»

«Che tu non ci creda non basta. Comunque adesso telefono alla sorella del morto che sta a Ciriè e poi vado a parlarle.»

«Voglio venirci anch'io.»

«Lascia perdere, è meglio di no.»

«Non capisco perché sia meglio. Non capisco neppure cosa c'entri la sorella. Dimmi cos'è che non mi hai detto.»

«Te lo dico dopo. Passa a prendermi, sono al bar di fianco al commissariato Dora-Vanchiglia.»

«Sì, ma poi guidi tu. Questa settimana ho già strisciato la fiancata due volte.»

Andando verso Ciriè, lei aveva domande e scuse da fargli. Cominciò con le scuse:

«Non ti ho neppure detto grazie.»

«Per essere volato in tuo soccorso? Ti aspettavi che non lo facessi?»

«Non so cosa mi aspettavo, sono in confusione totale. Mi sento spiazzata disorientata smarrita...»

«Lo smarrimento ti dona abbastanza.»

«Nel senso che risulto più femminile?»

«Mmm... sì.»

«Quando questa storia sarà finita – se mai finirà – dovrò fare qualche riflessione sui giochi di ruolo tra i sessi. Adesso non ne ho voglia. Comunque grazie di tutto. Sei davvero un amico.»

«Già. Un amico. Soltanto un amico?»

«No, e lo sai benissimo. Ma eravamo d'accordo...»

«Che non è il momento. Vediamo cosa ci dice sta sorella.»

«Cosa vuoi sapere da lei?»

«Se è vero che suo fratello non si drogava.»

«Ah! Non si drogava ma è morto di overdose.»

«Sembra non quadrare, ma può essere solo un tentativo di difesa. I parenti dicono sempre o quasi che non ne sapevano niente. Vedono un figlio o fratello con le braccia piene di buchi e pensano che giochi al puntaspilli o che si sia scontrato con un riccio. Sono, siamo tutti per la verità, capaci dei più assurdi autoinganni...»

«Dimmi ancora una cosa. Perché sei venuto al funerale? Cosa speravi di scoprire nascondendoti dietro alle tombe come nei film dei mafiosi o degli zombie?»

«Non mi stavo nascondendo, sono solo arrivato in ritardo perché il volo era partito in ritardo. E speravo di vedere qualche faccia interessante.»

«Non ce n'erano, mi sembra.»

«Ti sbagli. Ce n'era una. Che mi sembra di aver già visto ma non riesco a ricordare dove.»

Alessia Sorrentino in Gobbi era una bella donna. Un po' sotto i quaranta, un po' in sovrappeso e con un'espressione amara che le piegava all'ingiù gli angoli della bocca. Stava abbassando la serranda della macelleria e non aveva nessuna voglia di perdere tempo a parlare. Aveva già detto quanto aveva da dire, per quel che era servito. Facessero il favore di lasciarla in pace, ché aveva sgobbato tutto il giorno, alla cassa e dietro il banco insieme a suo marito, che era più sfinito di lei, per il lavoro e per tutto il resto. Ma Gaetano aveva aperto una crepa nella sua ostilità: anche lui non credeva che suo fratello si drogasse e quell'overdose gli sembrava sospetta. Alessia si decise a guardarlo in faccia con attenzione, cambiò atteggiamento e la crepa divenne un varco. Mai sottovalutare il magnetismo sessuale – pensò Camilla –, magnetismo che agisce anche nelle circostanze più inaspettate, che difficilmente si avverte come tale, che fa cambiare opinione e atteggiamento dopo uno sguardo. Se con questa signora avessi parlato io, le mie parole sarebbero rimaste inascoltate. Se Gaetano avesse una faccia da boxeur, lei avrebbe chiuso il discorso. E magari dalle sue risposte dipende il mio futuro.

«Andiamo in casa» aveva detto Alessia, «qui sopra la macelleria; mio marito sta prendendo un po' di respiro al bar con gli amici, mio figlio e mia figlia sono in palestra, così potremo parlare con calma. Loro di questa storia non ne possono più e Nicola non gli è mai piaciuto.»

33

«Guardi commissario» aveva continuato Alessia dopo che erano entrati in casa, rivolgendosi sempre solo a lui, «guardi che mio fratello non piaceva neanche a me, però resta sempre mio fratello. Di vizi ne aveva tanti, ma drogarsi no, non si è mai drogato. E se lei mi chiede come faccio a essere così sicura, le rispondo che proprio perché non mi piaceva ci stavo attenta. Sa, la droga, e di tutti i tipi, arriva anche qui e ce ne accorgiamo di più che in una città grande, perché l'ambiente è più ristretto e non dico che ci si conosca tutti ma quasi. Io di ragazzi drogati ne vedo in giro tutti i giorni, e li osservo e sto a sentire quello che si dice, perché ho due figli che sono nell'età delle tentazioni e tocca a me, a me e a mio marito, tenergli gli occhi addosso senza che se ne accorgano e fare in modo che non si rovinino la vita con degli incontri o delle scelte sbagliate. Gli occhi aperti li tenevo anche su mio fratello, non perché con lui potessi fare qualcosa, ma così, per abitudine. No, non lo vedevo spesso, perché qui Nicola non veniva mai e a Torino, quando ci andavo io, il più delle volte non si faceva trovare. Ma sono sicura lo stesso che non si drogava, non era da lui, che i drogati non li poteva soffrire. L'ho detto ai suoi colleghi, ma mi hanno liquidata in due minuti, praticamente non sono stati a sentirmi e avevano l'aria di pensare che tanto i parenti dicono tutti così. E c'è un'altra cosa, che quando mi hanno interrogata non sapevo ancora: c'è che si era scolato mezza bottiglia di whisky prima di bucarsi, ma mio fratello non può averlo fatto, perché l'alcol non lo reggeva, gli bastava un bicchiere e mezzo di vino per non stare più in piedi e straparlare. Era un povero stupido, Nicola, uno stupido che si credeva furbo, che pensava che tutto gli era dovuto, che si dava delle arie da duro e guardi com'è finito. Ma non è tutta colpa sua, è che mia mamma l'aveva tirato su così.

Gradisce... gradite un aperitivo o non potete perché siete in servizio? Un vermut, un bicchiere di prosecco? Lo prendo anch'io, che ne ho bisogno, perché con mio marito non posso sfogarmi, dato che so già cosa direbbe, direbbe che non vale la pena di prendersela per uno che se l'è cercata e che era un poco di buono. Invece non se l'è cercata, anche se non era uno stinco di santo. Come proprio è andata io non lo so, ma nella sua morte ci sono troppe cose che non tornano.

Mia mamma? Cosa dicevo di mia mamma? Ah, commissario, è una storia lunga, una storia che è meglio se me la tengo per me, per rispetto ai morti e ai vivi. No, non è che mi vergogni a parlarne, è che... che non fa piacere parlare delle proprie miserie e non credo che possa servire. Se lo dice lei... Ancora un bicchiere di vermut? Va bene, due dita anche per me, stasera me la prendo comoda e quando tornano i miei gli dico che andiamo tutti in pizzeria.

Vede, io mi sono sposata che non avevo ancora vent'anni, solo per venir via di casa. Mi è andata bene, perché mio marito è una brava persona, e mi ci sono affezionata, ma allora io sognavo altro, sognavo di fare la maestra e non la macellaia, sognavo tante cose come tutte le ragazze a quell'età. Sognavo il grande amore e non una sistemazione. In casa però non resistevo più. Perché? Perché ci stavo a disagio, con mio fratello che faceva il prepotente con me, e con mia mamma che gli dava sempre ragione. Mio fratello non studiava e andava bene così, mi pigliava a schiaffi o a calci e andava bene lo stesso. Mio padre? Praticamente non l'ho conosciuto e non so neppure se sia vivo o morto. Forse anche lui aveva le sue ragioni per andarsene, forse non ce la faceva più a resistere, proprio come me.

Perché? Va bene, ho cominciato e vado fino in fondo. Mia mamma era bella, anzi bellissima e le piacevano gli uomini. Era così dopo e penso fosse così anche prima, quando c'era mio padre. Lui faceva il camionista, stava via parecchi giorni e lei si consolava con chi capitava. Mi ricordo qualcosa di quand'ero piccola. Litigi, porte sbattute, urla. E mi ricordo anche che una volta ho visto mio padre piangere. Stava seduto al tavolo di cucina, si teneva la testa fra le mani e piangeva. Rivedo la scena ancora adesso e so di non averla sognata.

Poi, quando lui se ne è andato, lei ha dovuto arrangiarsi e – come dire? – mettere la testa a posto, nel senso che... che ha dovuto cercare di mantenerci. No, non ha fatto la... la vita nel senso classico, ha fatto la... la mantenuta, come capitava una volta e adesso non più, perché di belle donne che si vendono ce ne sono tantissime in giro e gli uomini preferiscono cambiare ogni volta o quasi. Non so se di amanti ne avesse uno o più di uno per volta, e a mia mamma un merito glielo devo riconoscere, che non ce li ha mai fatti incontrare. Però quando usciva di sera e stava via tutta la notte toccava a me mettere a letto mio fratello e dormirgli vicino perché non avesse paura. Di paura ne avevo tanta, io, ma siccome ero la più grande dovevo far finta di niente e dire che lei era soltanto scesa dalla vicina a fare quattro chiacchiere o a bere un caffè. Gliene dovrei riconoscere anche un altro di merito, cioè di non averci mai fatto mancare niente, ma io avrei preferito vivere a pane e cipolle e che lei i soldi li guadagnasse in un altro modo. Ogni tanto faceva anche qualche lavoretto, credo quando era in... in pausa, e bella com'era il lavoro lo trovava subito: cassiera in un cinema, commessa in un negozio, ma durava poco, durava solo finché non subentrava un nuovo ufficiale pagatore, magari il gestore del cinema o il padrone del negozio. Mio fratello non si è mai chiesto da dove arrivassero i soldi, gliel'ho già detto che era stupido, ma proprio stupido, e la volta che mi è scappato un accenno mi ha fatta finire in ospedale dai calci. Poi gli anni sono passati anche per mia mamma e di soldi hanno cominciato a entrarne meno, lei e mio fratello hanno cambiato casa, ma non è che a lui sia venuto in mente di darsi da fare per trovare un lavoro serio, e comunque lei sempre a proteggerlo, a dargli ragione fino a quando è morta.

Dopo, ed è stata l'ultima volta, ho cercato di dargli io una mano, ho detto "Senti Nicola, vieni a vivere a Ciriè, ti affittiamo un monolocale e Giuliano – che sarebbe mio marito – ti trova un lavoro, a Ciriè è più facile dato che abbiamo conoscenze, mentre a Torino no". Ma lui ha risposto che non aveva bisogno di elemosine e io mi sono offesa, perché c'è un limite a tutto, anche alla pazienza. Ha preferito andare a vivere in quel buco da topi dove l'hanno trovato morto, e per campare credo che facesse dei lavoretti saltuari, piccoli traslochi con un amico mi pare, galoppino in nero per qualche ditta, ma sempre roba da poco, roba senza speranza di durata. Spaccio no, sono sicura di no. Però chissà che compagnie frequentava, con che gente si andava a mettere.

Commissario, in questi giorni mi sono chiesta mille volte se non avrei dovuto fare di più, ma non credo che sarebbe servito, perché lui da me non accettava niente, non un aiuto, non l'affetto, come se non fossimo neanche fratelli.»

34

«Storia triste» commentò lei al ritorno.

«Storia ordinaria, come tante. Ne avrai conosciute anche tu. Famiglie disastrate in cui è sempre il più fragile a rimetterci. Alessia se la cava e Nicola no, non riesce a crescere. Succede anche in famiglie normali, dove tutto funziona e nessuno urla, nessuno sbatte le porte, nessuno fa le corna all'altro o altra. Succede, purtroppo.»

È della sua famiglia che parla, pensò lei, una normale famiglia borghese in cui l'elemento fragile, la sorellina piccola, la più coccolata e amata da tutti perché nata tardi, sta sprecando la sua vita e conficcando paletti nel cuore di genitori e fratelli. Una che ha mollato gli studi a metà, che si è innamorata di un delinquente e continua a seguirlo nei suoi traffici loschi in giro per l'Europa. Una che si fa picchiare a sangue ma non resiste più di due giorni lontano dal suo compagno. Una per cui Gaetano non è ancora riuscito a fare niente. Camilla cercò di pilotare altrove la conversazione:

«Tu pensi che la morte di Nicola sia in qualche modo connessa con quella di Dora?»

«Probabile, ma resta difficile da dimostrare. Bisogna lavorarci molto.»

«In che modo?»

«Beh, prima di tutto bisogna convincere i colleghi a riaprire il caso. Ricontrollare i risultati dell'autopsia, far fare altri esami se necessario. E intanto studiare i tabulati del cellulare di Nicola. In casa non aveva il telefono fisso ed è un vantaggio, perché coi cellulari si raccolgono più dati. Cercare le impronte digitali credo che non serva a niente a questo punto, e comunque se Nicola è stato ammazzato l'assassino sarà stato ben attento a non lasciarne.»

«La bottiglia di whisky.»

«Impronte sulla bottiglia, vuoi dire?»

«No, il contrario. Cerco di immaginare la scena, sempre che non si tratti di morte accidentale. L'assassino lo invita a bere e deve per forza bere anche lui, per non destare sospetti. Per lo stesso motivo non può indossare i guanti, perché metterebbero in allarme anche uno tutto scemo come Nicola, sempre che fosse scemo davvero e la sorella non abbia calcato un po' la mano. Bevono tutti e due, poi, quando Nicola è sbronzo perso e incosciente, l'altro i guanti se li mette, fa il suo sporco lavoro, lava per bene il bicchiere in cui ha bevuto e ripulisce dalle impronte la bottiglia. Ma per togliere le sue cancella anche quelle di Nicola. Può essere, no?»

«Può essere se anche l'assassino era tutto scemo.»

«Come dire che la mia ipotesi è scema e sono scema anch'io.»

«Come dire che non hai la mentalità criminale. Che non hai studiato abbastanza da assassina. Riprovaci.»

«Pulisco bene bene la bottiglia e poi la faccio pasticciare dalle mani di Nicola, morto o morente.»

«Brava, andiamo meglio. Con un po' di applicazione potresti avere un futuro nel campo omicidi.»

«Non credo. Al momento buono mi farebbe pietà anche il mostro di Milwaukee. Però quando crepa un mafioso o un camorrista, uno che ha ammazzato o fatto ammazzare all'ingrosso, oppure un bastardo di serial killer che ha torturato e ucciso delle disgraziate, prostitute o no, non piango certo di dolore. Anzi. Ringrazio il fato per l'opera di pulizia. Se poi c'è un Dio, tocca a lui usare pietà o clemenza o quel che vuole.»

«Insomma non faresti mai un lavoro sporco, ma ti compiaci se lo fa qualcun altro.»

«Non metterla così. Non mi dispiaccio se capita, se è destino. E non dirmi che non dovrei. Prima che per Caino, io ho pietà per Abele. Anche se non va tanto di moda. Ai morti ammazzati fanno un bel funerale, i preti in chiesa dicono le solite banalità sul perdono, mai sulla giustizia, poi la bara esce, la tivù riprende la folla che applaude come a teatro, e a nessuno viene in mente che sarebbe meglio il silenzio. Nel silenzio si potrebbe pensare e quindi è meglio evitarlo. Dopo, se beccate il colpevole, ci sarà un processo ma intanto sarà passato un tempo geologico e riuscirà facile appioppare al morto qualche torto in più di quelli eventualmente avuti. Del resto, i vivi sono i vincitori e i vincitori hanno sempre ragione.»

«Visione piuttosto amara della vita.»

«La tua è più rosea?»

«Per niente. Ma la mia è una deformazione professionale. Avanti, mettiti ancora un po' nei panni dell'assassino, c'è un dettaglio importante che non hai rilevato.»

«Fammi pensare. Ah, sì: l'assassino deve avere una buona conoscenza della droga. Conoscenza teorica e pratica.»

«Brava, va' avanti.»

«L'assassino ha fatto pedinare Dora, non si sa il perché. L'ha fatto fare da uno stupido che si mette delle scarpe rosse, tanto per essere più visibile.»

«Perché si è servito di uno stupido, o meglio di uno sprovveduto che non era del mestiere?»

«Perché ce l'aveva sottomano.»

«Mmm, ipotesi fragile.»

«Perché non voleva rivolgersi a un'agenzia investigativa.»

«Ipotesi più probabile.»

«Con un'agenzia di mezzo sarebbe stato poco prudente ammazzare poi Dora o farla ammazzare. Significava, quanto meno, esporsi al rischio di un ricatto.»

«Stai facendo progressi.»

«Incarica Nicola del pedinamento e dell'omicidio e poi lo ammazza a sua volta.»

«Passo del gambero. Non si incarica di un omicidio un balordo come Nicola.»

«Allora l'assassino di Dora è un altro.»

«Probabile. E per trovare l'assassino bisogna trovare chi aveva un buon movente.»

«Quella col movente sono io. Te ne sei dimenticato?»

«No. Mi stavo però dimenticando di chiederti un'altra cosa: cos'hai fatto, dov'eri e con chi martedì sera, diciamo tra le undici e mezzanotte?»

«O mioddio. A casa, penso. Con Renzo e Livietta. No, la bimba era dalla nonna e Renzo... Renzo non aveva ancora l'influenza, dov'era Renzo? Oh no, era fuori per una riunione di lavoro straordinaria. Per la mostra combinata a Zurigo. È rientrato un po' dopo le undici. Ma porcamiseria, tutte a me devono capitare! Se lo sanno il tenente Craighero i suoi marescialli e il magistrato del callifugo mi fanno subito la festa!»

«Ma noi per il momento non glielo facciamo sapere. Anche se sarà difficile e ci farà perdere un sacco di tempo. Adesso andiamo in questura: io ho da fare un paio di cose, ma tu torni a casa. Ce la fai senza strisciare di nuovo?»

35

In casa dormono tutti. Vorrei dormire anch'io, invece di
starmene qui in cucina ad aspettare che faccia giorno. Ma
stanotte il sonno non viene, neanche col Tavor. E se Giuliano si sveglia e si accorge che non sono a letto accanto a
lui, ho già la scusa pronta che la pizza mi ha messo sete e
mi sono alzata per bere un bicchiere di minerale fresca. Le
bugie che si dicono! Per difendere gli altri, per difendersi.
Come faccio a spiegargli che ho un groppo in gola ma non
riesco a piangere e che non è soltanto per la morte di Nicola? È anche per me, per cosa è la mia vita. Come faccio a
dirgli che gli voglio bene ma che non sono felice? Starebbe
male anche lui, starebbe male per niente e non capirebbe.
L'infelicità degli altri è difficile da capire, io non ho mai
pensato che anche Nicola potesse essere infelice e mi è venuto in mente soltanto adesso, dopo aver parlato con il
commissario e la poliziotta. Se ci avessi pensato prima,
forse avrei potuto fare qualcosa, superare la rabbia che mi
prendeva quando ce l'avevo davanti e mi guardava dal-
l'alto in basso, come se lui fosse un dio e io una merda
secca di cane. La verità è che non lo potevo soffrire anche
se gli volevo bene, e riuscivo a volergli bene solo da lontano. Al commissario ho detto troppo e troppo poco, mi sono lasciata scappare cose che facevo meglio a tenere per
me e ne ho taciute altre che avrei dovuto confessare. Che
Nicola non campava soltanto con lavoretti saltuari, ma

anche con lavori sporchi, droga e spaccio no, ma furti e ricettazione sì, l'ho sempre saputo e me lo sono tenuta per me, in tutti questi anni. Non aveva senso raccontarlo a Giuliano, e neppure ai miei figli. Non risulta da nessuna parte, perché Nicola non è mai stato beccato, gli è sempre andata bene, se così si può dire, fino a quando ha pagato una volta per tutte. Povero stupido fratello che non ha mai voluto guardare in faccia la realtà e accettarla per quello che è. E io? Io ho fatto il contrario, ma mi sono arresa troppo presto. Bandiera bianca senza più voglia di combattere. Non avevo ancora vent'anni e non ce l'ho fatta a tener duro, sono scappata appena ho visto una via di fuga. Che era Giuliano. Paziente, gentile, onesto e non posso non volergli bene, ma amarlo no, non l'ho mai amato e le prime volte a letto sono state una tortura. Poi... poi ci si abitua a tutto, si impara a fingere meglio e non è neppure tanto difficile, basta pensare ad altro e fare qualche gemito al momento giusto. Però mi è rimasto un vuoto, un magone dentro per le emozioni che non ho mai avuto, per quel piacere che non ho mai provato, che ho solo letto nei libri e visto nei film. Mia mamma quelle emozioni e quel piacere non se li è mai negati, e se non glieli davano i suoi ufficiali pagatori, i suoi amanti in carica, se li prendeva con altri, il marito della vicina di casa, il padre di Gilda, la mia compagna di classe... "Quella puttana della Sorrentino" dicevano in giro, non tanto sottovoce che io non sentissi; "Di' a quella puttana di tua madre di piantarla" dicevano a me senza farsi scrupoli la vicina di casa e la mamma di Gilda; "Ma è vero che tua mamma fa la puttana?" mi chiedeva Gilda di fronte a tutta la classe. Io avevo dodici, tredici anni e avrei voluto morire. A Nicola nessuno diceva niente perché era più piccolo ed era un maschio; con me, invece, la femmina, non era necessario avere troppi riguardi. Tanto, avrei fatto la stessa fine, puttana la madre e puttana la figlia. Quando ho finito le medie, ho sperato che nell'istituto magistrale, che era lontano da casa, andasse meglio, dato che non mi conosceva nessuno. Mi sbagliavo. Sulla scheda che accompagnava il diploma delle medie c'era scritto che ero studiosa, diligente, che rispondevo favorevolmente al processo educativo "nonostante la difficile situazione familiare". "Difficile come, perché?" si sono subito chieste le professoresse, e siccome erano animate da buone intenzioni, si sono messe in contatto con le colleghe delle medie e hanno saputo. Cos'è più offensivo a quattordici, quindici anni e anche dopo, sentirsi sbattere in faccia che la madre è una puttana o sentirsi dire sospirando "Coraggio, Alessia"? La comprensione non richiesta ed esibita può essere più feroce dell'indifferenza. Avrei dovuto non prendermela, ma non ci sono mai riuscita. Sono arrivata al diploma e non ho potuto insegnare. Nelle scuole statali non c'erano posti, non potevo permettermi la trafila di supplenze mal pagate e aspettare, in quelle private pigliavano qualche informazione e poi preferivano assumere un'altra. Puttana la madre e puttana la figlia: non è sicuro, ma è meglio non correre rischi. Cassiera part-time in un supermercato: non era il lavoro che speravo, ma sarebbe andato bene lo stesso, se non fosse che Nicola se la prendeva ogni momento con me, mi mollava schiaffi e calci forse perché era geloso, chissà; e lei, mia mamma, a dargli ragione, sempre sempre sempre. Ho sposato Giuliano, ho fatto due figli. Non mi manca niente, eppure mi mancano tante cose. In diciotto anni non l'ho mai lasciato capire a nessuno, ma non so se riesco ancora a farcela.

36

Lo so che faccio male e che magari il Signore mi castiga, ma qualche volta penso che a non avere figli si sta meglio. Però il Signore un castigo grosso me l'ha già dato quando avevo quarant'anni ancora da compiere e Guglielmo è morto senza dire né ah né bah, così sul colpo. Il solito autista di TIR che invece di fermarsi continua a guidare anche se ha sonno, poi chiude gli occhi senza accorgersene, sfonda il guardrail, piomba nella corsia opposta e sbatte fuori strada tre macchine. Due morti, e uno era mio marito. Io vedova a quarant'anni con una figlia di quindici da crescere. Non è stata per niente facile la mia vita, anche se Camilla a scuola andava bene, non frequentava cattive compagnie, si è presa una laurea e poi si è sposata. Però, quanti bocconi amari... Il primo, il più grosso, quando a vent'anni se n'è andata via di casa. Si era trovata un lavoro e studiava di sera, tutti mi dicevano: "Ma che brava sua figlia, signora Baudino!", e invece lei dopo quattro mesi mi annuncia che va a vivere in una soffitta con un'amica. Quinto piano senza ascensore, venticinque metri quadrati in due, per scaldarsi una stufa a cherosene, che è pericolosa da morire. "Ma perché, cosa ti manca qui?" le ho chiesto cento volte prima che se ne andasse, e lei alla fine mi ha risposto che le mancava l'aria. Una figlia che dice che accanto a sua madre le manca l'aria! Invece faceva tutto quello che voleva, cine teatro concerti, poi si rovinava gli occhi a studiare di notte e si capisce che io glielo dicevo, anche se si è giovani non si può stare svegli fino alle due o alle tre e poi alzarsi alle sette e mezzo, perché ne va della salute. Se adesso lei ha sempre mal di testa è per via di quegli strapazzi lì, di quando aveva vent'anni e non mi dava retta. I pianti che ho fatto quando è andata via! Non che fosse lontano, cinque fermate di tram, ma era quasi come non fosse più mia figlia, perché della sua vita, di cosa faceva, di chi vedeva, non ne sapevo più niente. Fortuna che non ha fatto delle stupidaggini grosse, studiare ha continuato a studiare, si è laureata con la lode, si è messa a insegnare, si è sposata. Ma di bocconi amari ho continuato a ingoiarne. Per il matrimonio, tanto per dirne una. Non ha voluto l'abito da sposa, non pretendevo bianco perché con lui, Renzo, ci viveva già insieme da un paio d'anni, ma insomma per il matrimonio un vestito adatto ci va, e invece no, lei si è sposata in jeans. "Ma cosa vuoi dimostrare?" le ho chiesto io, e lei ha risposto che non voleva dimostrare niente, ma che coi jeans era più comoda. Non era vero, era solo per darmi contro, perché non si è mai visto nessuno, neanche i morti di fame, che non si faccia il vestito da sposa. E poi una soddisfazione, dopo tutto, poteva anche darmela, ma basta che io le dica una cosa, e lei fa il contrario. Apposta. Dovrei averlo imparato, dovrei mordermi le labbra e cucirmi la bocca, ma come si fa a stare zitti coi figli, a non dargli i consigli giusti dettati dall'esperienza? Si è madri per sempre, mica solo fino a quando hanno bisogno che gli soffi il naso e gli tiri giù le mutande per fare la pipì... Poi c'è stata la storia dell'alloggio. Loro ne cercavano uno più grande e quando hanno messo in vendita quello al piano di sopra si capisce che gliel'ho detto, anche perché così sarebbe stato più comodo per tenergli la bambina. Beh, roba da non crederci: lui, Renzo, era entusiasta dell'idea, lei invece no e ha trovato mille scuse, finché poi si è convinta ma solo perché era davvero un affare dato che i padroni avevano bisogno di realizzare subito. Quasi quasi era meglio se non lo compravano, perché così non vedevo chi lei si tira in casa, barboni allievi amiche che vanno e vengono, guai a dirle qualcosa, e la casa sempre in disordine. Potrebbe cambiare la colf, che è più il tempo che fa niente che quello che lavora, oppure lasciare che la controlli io quando viene, ma neanche a parlarne, Luana le va bene così. E con quell'ultima amica che si era trovata, guarda poi cosa è successo. Non che sia colpa sua, per carità, e la signora Dora era una persona tanto distinta, però adesso siamo finiti sui giornali e io quando esco mi sento addosso gli occhi di tutti. E sta povera bambina, che scappa qui da me appena può perché a casa non hanno tempo di starle dietro, e lei, sua madre, che non vede nemmeno che ha il magone e ha voglia di piangere anche se poi non lo fa. Dovevo risposarmi, ecco cosa dovevo fare, invece di lasciar perdere tutte le occasioni che ho avuto, solo che avrei perso la pensione di reversibilità e lasciato i soldi allo Stato, che non è il caso perché li spreca da tutte le parti. Stare con uno senza essere sposati no, non l'avrei mai fatto, ma mia figlia sì, lei l'ha fatto, anche se poi si è sposata. È vero che i figli non si scelgono, però, visto che ero già stata tanto disgraziata con la morte di Guglielmo, poteva ben capitarmi una figlia più affettuosa, da uscirci insieme al pomeriggio, da andare insieme a spasso a vedere le vetrine, e invece no, lei a spasso ci va col cane e quasi quasi gli vuole più bene che a me...

37

«Prof, le va se l'accompagno per un pezzo?»

«Certo che mi va, Gianni. Tu come stai?»

«Così così.»

«Stenta a passare?»

«Già. E lei come sta?»

«Come posso. Ma passerà. Continui con la bici?»

«Sì, ma ci penso anche andando in bici.»

«Come prima o un po' meno?»

«Non lo so. Però la sera mi addormento subito.»

«Dovrei andare in bici anch'io.»

Un taxi si ferma qualche metro avanti e scarica il passeggero. A lei sembra di averlo già visto da qualche parte.

«Scusi, signora Baudino, dovrei parlarle.»

Lei lo guarda con più attenzione e d'improvviso ricorda: è uno dei due sconosciuti presenti al funerale di Dora.

«Qui, adesso?»

«Adesso, se crede, ma non qui per strada.»

Chi è, cosa vuole, perché non si presenta? Lui sa chi sono io e io non so chi è lui. So solo che ha un leggero accento straniero. Mi sembra di essere dentro a un film di spionaggio, uno di quelli vecchi che mi piacciono tanto, con Michael Caine che fa l'agente Palmer. Però questo qui è meno bello. Molto meno bello.

«Le dispiace dirmi il suo nome?»

«Le chiedo scusa, dovevo farlo prima. Alec McDonald.»

Come gli hamburger. È un nome falso. Sono dentro a un film di spionaggio. Ci sarebbe quasi da ridere se non fossi in una situazione merdosa.

«Possiamo andare da qualche parte?» continua lui. «Scelga lei dove.»

«Al bar d'angolo. Le va bene?»

«Certo. Però, signora, si tratta di una faccenda delicata...»

Una faccenda delicata. Ci mancava. Con la spada di Damocle di una incriminazione per complicità in omicidio. Voglio un testimone, qualunque sia la cosa delicata che deve comunicarmi.

«Questo ragazzo, Gianni Marchese, è in grado di reggere qualunque delicatezza.»

«Come ha detto scusi?»

«Ho detto che se vuole dirmi qualcosa, me la dice in sua presenza. Prendere o lasciare.»

Che bello sfoggiare i muscoli da dura. Sono riuscita a spiazzare Alec Hamburger. Ma cosa si credono ste spie, di incontrare solo verginelle tremebonde o pantere alla Grace Jones? Ci sono pure le vie di mezzo. E Gianni si sta divertendo, il pensiero di Eleonora momentaneamente accantonato.

«Il ragazzo saprà tenere per sé il contenuto della conversazione?»

«Il ragazzo farà quello che gli dirò io.»

Delirio di onnipotenza. Gianni, per favore, non ridere.

Vanno al bar, si siedono nella saletta interna dove non c'è nessuno. Appena seduti, Gianni le rifila un calcetto sotto il tavolo. Bravo ragazzo – pensa lei –, che sa stare al gioco. Se facevo un figlio maschio, lo volevo così.

Mister Alec, dopo che il barista è venuto a prendere le comande, comincia a parlare. Andrea Cantino, il marito di Dora, era stato un suo vecchio e caro amico, nonché collega di lavoro per tanti anni. (Due spioni, pensa lei.) E proprio in nome della vecchia amicizia, continua Mister McDonald, era venuto ai funerali della moglie. (Solo per amicizia poco probabile.) Ma siccome la morte di Dora

171

presentava dei lati oscuri, aveva deciso di riferire a lei, signora Baudino, alcuni elementi di cui quasi sicuramente non era a conoscenza e che potevano esserle utili. (Riferire perché, e in cambio di cosa?) Dora gli aveva telefonato a Washington per chiedergli il nome di un bravo investigatore privato da incaricare di una ricerca.

«La ricerca del figlio di Andrea» lo interrompe lei.

«Esatto. Conosce anche l'esito della ricerca?»

«No.»

«Il dottor Amoruso, il detective, non è riuscito a rintracciare nessun figlio.»

Il barista porta quanto hanno ordinato e cala il silenzio. Pausa.

«E mi creda signora, questo figlio segreto non esiste, perché in tanti anni di contatto continuo e di confidenza, Andrea qualcosa mi avrebbe detto.»

«Perché mi racconta queste cose, signor McDonald?»

«Perché mi ha pregato di farlo il dottor Amoruso, che è convinto, come lo sono io, che lei non c'entri niente con la morte di Dora.»

«Grazie della fiducia, ma scusi la domanda: come mai il dottor Amoruso non mi ha contattata direttamente?»

«Per prudenza, signora, dato che è già stato interrogato dai carabinieri.»

«E gli ha raccontato dell'incarico e del suo esito?»

«Sì, ha preferito farlo per tanti motivi.»

Cala di nuovo il silenzio. Lei pensa che quanto ha saputo non le servirà a niente. O forse invece sì, dato che sa una cosa che i carabinieri non sanno che sa. Mister McDonald non è uno spione antipatico.

«Signora, posso farle io una domanda?»

Lei se l'aspettava e ha un'espressione di rassegnato fastidio.

«Se crede, può anche non rispondere.»

«Mi dica.»

«Negli ultimi tempi c'era qualcosa di diverso nel comportamento di Dora?»

«Non saprei, non la conoscevo da molto. Per un po' di tempo non si era più fatta sentire. Mi ha taciuto l'esito della ricerca del figlio del marito, non mi ha parlato della sua malattia. E neppure del testamento.»

«Non è una cosa strana, da parte sua. Era un misto di franchezza, a volte inaspettata, e di riserbo assoluto. Di strano c'è solo la sua morte.»

«E anche...»

Mi è scappato. Ci sono cascata come una pera, pensa. Invece del Martini dovevo bere un caffè. La caffeina rende lucidi, l'alcol no, soprattutto a digiuno. E adesso?

«Anche cosa? Me lo può dire?»

«Di strano c'è che qualcuno seguiva Dora.»

38

Gianni l'accompagna quasi sino a casa. Ha mangiato al bar due panini giganti con la distratta voracità della giovinezza e lei si è rallegrata che la delusione d'amore non gli abbia fatto perdere l'appetito. Non l'ho perso neppure io, pensa, nonostante tutti i guai e i colpi di scena di questa storia. I carabinieri non mi hanno più convocata e questo è un fatto positivo, vuol dire che non concentrano tutte le loro fatiche su di me e si muovono anche su altri obiettivi. Gentile, l'Amoruso, a farmi sapere dell'irreperibilità ovvero inesistenza del figlio adulterino, ma il modo e le notazioni collaterali mi lasciano perplessa. Come il tenente Craighero o i suoi marescialli siano giunti a lui è facile da intuire: attraverso una o più telefonate di Dora; ma non capisco quali siano i "tanti motivi" che l'hanno indotto a spifferare subito tutto: desiderio di non avere grane, smania di collaborazionismo in cambio di qualcos'altro, assenza dello scudo del segreto professionale? E capisco ancora di meno la necessità di mettere di mezzo l'amico americano per contattarmi, a meno che la bonaccia in cui credo di tirare avanti sia soltanto apparente e i caramba mi stiano invece apprestando una tempesta caraibica. Come dire che, legalmente o no, mi hanno messo telefono e cellulare sotto controllo e magari mi pedinano pure, nella speranza che io mi tradisca. Ma allora mi fanno proprio scema! Sta' a vedere che, secondo loro, io prima faccio spintonare Dora da un complice poi lo chiamo al telefono o gli do appuntamento per sganciargli l'importo della prestazione! Oppure mi metto a cinguettare, sempre al telefono, con amici e parenti sulla felice conclusione della mia impresa! Che Dora non l'abbia ammazzata io, credo sia ormai assodato: se i famosi testimoni che subito hanno parlato di spinta mi avessero tirata in ballo, a quest'ora le cose sarebbero messe peggio. Hanno avuto la mia stessa impressione, ma non hanno individuato lo spintonatore (o spintonatrice, dal momento che anche le donne possono accoppare qualcuno) perché protetto dalla ressa. E favorito in modo sfacciato, vergognoso, dal fatto che le telecamere fossero spente. Ma lui come faceva a saperlo? O addirittura non sapeva che lì ci sono le telecamere? Ipotesi possibili: numero uno, lo spintonatore viene da lontano e non conosce la città e i suoi punti nevralgici; numero due, è un imbecille o un temerario o tutte e due le cose; numero tre – la peggiore –, è uno talmente abile mimetico e professionale che se ne infischia delle telecamere ed è sicuro dell'impunità. Ce ne sarebbe anche una quarta: che abbia agito d'impulso, senza aver preordinato nulla e che gli sia andata bene. Anche questa non è una buona ipotesi ma è già un po' meglio della precedente.

Ora che ci penso non capisco come non mi sia venuto in mente prima: Dora non è stata spinta sotto il tram, la spinta fatale non le è stata assestata prima che il tram arrivasse davanti a lei, ma quando la parte anteriore l'aveva già superata, come se l'assassino si fosse deciso tardi. In ogni caso doveva avere un movente forte e sarebbe bene che Craighero e i suoi lasciassero perdere il mio, di movente, e ne cercassero un altro. Certo che i sospetti su di me glieli ho forniti io sul classico piatto d'argento, rivelando che non ero a conoscenza della malattia di Dora e che in compenso sapevo della sua ricerca del figlio misterioso. Aggiungici il testamento e bell'e che trovata la colpevole. Che io non ne fossi al corrente, non ci hanno creduto neppure un secondo. Insomma, io sfigata fino in fondo e l'assassino baciato in fronte dalla sorte.

Come sempre, per ritrovare un po' di equilibrio, non appena arrivata a casa ricorse alla terapia canina. Si preparò due toast e li mangiò tenendo il bassotto in braccio e dividendoli con lui. Potevo anche approfittare della generosità di mister Alec, come ha fatto Gianni, ma mi sembrava poco signorile, pensò. Per la verità, poco signorile e pure zozzetta sono adesso, che mangio senza aver apparecchiato la tavola, come una barbona o una vedova inconsolabile, e intanto Potti ne approfitta per slinguarmi il collo e rifarsi un po' di questi giorni di abbandono. E subito fu trafitta da una scheggia di rimorso nei confronti di Livietta che aveva trascurato come o forse più del cane. Mi riscatterò stasera, si promise, stasera sarò tutta per lei.

E invece no, perché all'ora di cena arrivò Gaetano per mettere lei e Renzo al corrente degli sviluppi della situazione.

«Ho convinto i colleghi a fare altre indagini sulla morte di Nicola Sorrentino» annunciò subito.

«Finalmente una buona notizia» commentò lei.

«Ma ce n'è anche una cattiva.»

«E ti pareva!»

«Quella cattiva è che non aveva il telefono, né fisso né cellulare.»

«Ma ti pare possibile che uno non abbia il telefono? Oggi, che tutti ci passano mezza vita attaccati...»

«Non aveva un cellulare intestato a suo nome, voglio dire. Che ne avesse uno, o più di uno, è probabile per non dire certo, ma non risulta da nessuna parte. In casa non c'era.»

«La sorella?»

«L'ho chiamata. Lui non le aveva mai lasciato un numero, per non essere controllato, dice, e lei, quando veniva a Torino, lo andava a cercare a casa. Faceva in modo di arrivare prima delle nove del mattino, ma certe volte non lo trovava lo stesso, perché lui era già uscito o aveva dormito fuori.»

«E allora?»

«Allora la faccenda si fa più difficile, perché bisogna individuare i suoi giri, i suoi amici eccetera. E vedere se salta fuori un collegamento con Dora.»

«A proposito di Dora, pare che il figlio misterioso del marito non esista proprio.»

«Chi te l'ha detto?»

«Un certo Alec McDonald, che me l'ha riferito da parte di un certo dottor Amoruso che sarebbe l'investigatore privato cui si era rivolto Dora.»

«Ricomincia da capo e dimmi dove, quando e perché te l'ha detto.»

«Il perché non lo so, ti dico il resto.»

La ascoltarono in silenzio. Livietta seduta sulle ginocchia di Gaetano, Gaetano perplesso e Renzo preoccupato e di pessimo umore.

«Dici che era uno dei due che seguivano il funerale. Quale?»

«Quello bassetto e stempiato.»

«Mai visto prima. L'altro sì, ma non riesco a venirne a capo.»

«Che sia l'Amoruso?»

«Non direi proprio. E tu a questo Alec McDonald cosa hai detto?»

«Che c'era uno che seguiva Dora.»

«O diosanto, no! Gli hai anche detto chi era?»

«No. Mi sono fermata in tempo.»

«Meno male. Però adesso ci sarà qualcun altro a ficcare il naso nelle indagini e sarà ancora più difficile tenere tutto coperto fino al momento buono.»

39

«Mamma, ma tu mi vuoi bene?»

È andata a controllare se Livietta si è addormentata, ha aperto piano piano la porta per lasciar filtrare soltanto una lama di luce. La domanda la coglie impreparata come uno schiaffo dato all'improvviso. E all'improvviso scoppia in lacrime.

«Certo che te ne voglio. Tanto tantissimo.»

«Accendi la luce, vieni qui.»

Lei entra nella stanza, si siede sul letto.

«Ma stai piangendo! Io ti ho solo chiesto...»

«Non è colpa tua. È che... che sto passando un momento difficile e tu devi scusarmi se sono nervosa, se sono distratta, se mi comporto male...»

«Però mi vuoi bene lo stesso.»

«Sicuro.»

«Quanto?»

«Un mondo di bene e anche di più.»

«Di più? Come fa a starci?»

«Sta un po' fuori. È una codina di bene che non è riuscita a pigiarsi dentro.»

«Dimmi com'è fatta la codina.»

«È arricciolata e rosa.»

«Con le frange?»

«No. È morbida calda e lunga ma senza le frange.»

«Però arricciolata. Posso tirarla?»

«Se la tiri le fai male, meglio di no.»

«E a papà vuoi bene?»

«Certo che gliene voglio. Un mondo anche a lui.»

«Con la codina fuori?»

«Sì, ma è una codina diversa.»

«E anche lui te ne vuole.»

«Certo che me ne vuole. Vuole tanto bene a te e a me.»

«Allora se siete nervosi non fa niente.»

«Cercheremo di non esserlo più. Vuoi che dorma qui con te?»

«No, voglio dormire nel lettone in mezzo a voi.»

Il giorno dopo lei sentiva di essere fragile come dopo un intervento chirurgico. Pronta a grondare nuove lacrime, a ripiegarsi su se stessa come un rampicante senza sostegno. No, disse, basta così. Stava tornando a casa da scuola, ma cambiò idea e direzione, sperando in una piccola piccolissima botta di fortuna. Aveva già premuto più volte inutilmente il campanello del citofono, quando la fortuna si materializzò in un ragazzetto nero pece con una dentatura smagliante e un mazzo di chiavi in mano.

«Campanelli kappaò» disse, «capito?»

«Certo che ho capito, grazie» rispose lei e lo seguì nell'androne e proseguì verso il cortile.

«Indistruttibile, ci sei?»

Questa volta lui aprì subito e la fece entrare.

«Ho comprato dei panini al bar, ti va di mangiare con me?»

«Sì. Che panini hai preso?»

«Prosciutto mozzarella e pomodoro, tonno e carciofini, frittata verde e insalata. Vanno bene?»

«Sì, brava.»

«Però non ho comprato da bere. Non ero sicura di trovarti.»

«Chi ti ha aperto il portone?»

«Un ragazzino nero, sui dieci-undici anni.»

«Yussuf. È bravo. Ogni tanto lo porto a vedere Torino. Cosa vuoi bere?»

«Va benissimo anche l'acqua.»

«Coi panini no, restano sullo stomaco. Ci va un bicchiere di vino.»

«Vado a comprarne una bottiglia al Dì per Dì?»

«No, il vino lo metto io.»

«Ce l'hai?»

«No. Tu aspetta qui, me lo faccio dare dal falegname.»

«Come vuoi. È buono?»

«Si capisce che è buono, lo fa lui.»

«Nel laboratorio?»

«Ma cosa dici! Ha una vigna vicino ad Asti. Una vigna di Barbera. Torno subito.»

Tornò con un bottiglione di vino nero e spesso, posò sul tavolo due piatti sbreccati, due bicchieri e due pezzi di Scottex; lei frattanto aprì il pacchetto dei panini.

«Uno per tipo?»

«Sì, così poi so quale mi piace di più per un'altra volta.»

Mangiarono in silenzio. Lei scoprì senza stupirsene che la compagnia dell'Indistruttibile aveva il potere di rasserenarla.

«Stai meglio, adesso?» le chiese lui dopo un po'.

«Sì, grazie. Grazie a te.»

«A volte si passano dei momenti brutti.»

«Vero. Penso che ne abbia passati anche tu.»

«Sì, per via di mio papà e anche dopo.»

«Ti picchiava?»

«Ma no, cos'hai capito! È passato davanti al trattore che l'ha preso sotto.»

«Quando tu eri piccolo?»

«Avevo dieci anni e il trattore si è mosso da solo dopo che ci ero saltato sopra. Lui mi diceva sempre di non farlo, però io qualche volta non gli davo retta. L'hanno portato all'ospedale ma è morto lo stesso. Poi io sono stato male.»

«E tua mamma?»

«Era già malata. Quando è morta mi hanno preso gli zii,

ma non ne avevano tanta voglia. Poi, dato che non stavo bene, mi hanno messo in un istituto. Lì stavo meglio, e c'era anche la Mariuccia che però è uscita prima. Lei era bionda come la signora Dora.»

«E dopo?»

«Dopo te lo racconto un'altra volta. Cos'ha scoperto il tuo amico poliziotto sul ragazzo con le scarpe rosse?»

«Che forse non si drogava.»

«Solo quello?»

«Per adesso sì. Non aveva il telefono, non aveva il cellulare...»

«Però aveva un motorino e anche una macchina.»

«Motorino e macchina? Ma perché non me l'hai detto?»

«Perché non me l'hai chiesto. Se vuoi sapere le cose, devi chiedere.»

«Hai ragione. Che tipo di motorino, che tipo di macchina?»

«Non so, non me ne intendo. Il motorino era blu, la macchina verde scuro. Però ho preso i numeri.»

«I numeri delle targhe?»

«Sì. Avevo paura di non ricordarli, come quello del telefono che mi avevi chiesto una volta e io non ero sicuro, così li ho scritti.»

«Me li dai?»

«Adesso te li prendo.»

40

Il cellulare di Gaetano suonava a vuoto, al telefono di casa non rispondeva nessuno. Ma dove sei, Gaetano, proprio adesso che ti devo comunicare una cosa importante... Ma sarà davvero importante? A cosa ci serve conoscere i numeri di targa del motorino e della macchina del defunto Nicola? Potrebbero esserci utili, forse ma solo forse, se li avesse comprati di seconda mano da un amico e se questo amico fosse disposto a darci informazioni su di lui e sulle sue attività. Disposto o no non ha importanza: si tratta di una morte sospetta e la polizia insisterà quanto basta, senza lasciarsi smontare dai non so e non ricordo. Ma Nicola potrebbe averli comprati nuovi e in questo caso saremmo al punto di partenza cioè a zero. No, non può essere. Se quanto ci ha riferito la sorella corrisponde al vero, Nicola non navigava nell'oro e del resto per convincersene basta pensare in che casa abitava. Dentro io non l'ho vista, ma Gaetano ha detto che è poco più di un buco, una sistemazione da extracomunitari appena arrivati qui, solo un gradino più in su dei ripari di fortuna nelle vecchie fabbriche abbandonate. E uno che abita in un posto così non compra motorino e macchina di prima mano, si accontenta di scassoni che hanno già avuto vita lunga. A meno che Nicola, anziché essere il povero sbandato che ci ha descritto la sorella, fosse invece un piccolo o medio boss di traffici sporchi con la necessità di mimetizzare al ribasso le proprie occupazioni e perciò l'alloggio da miserabile costituisse una specie di copertura contro eventuali curiosità indesiderate. No, non quadra: un piccolo boss non fa il pedinatore con le scarpe rosse, un pedinatore tanto malaccorto da farsi scoprire dall'Indistruttibile.

Gaetano, perlamiseria, rispondi a sto cellulare, chiama o lasciati chiamare. Cosa diavolo stai facendo?

Cosa stesse facendo lo seppe soltanto verso le dieci di sera, quando lui finalmente telefonò. Prima lei Renzo e Livietta avevano interpretato il copione della famigliola serena che si intrattiene nelle occupazioni abituali, mangia, chiacchiera del più e del meno, scambia battute e si passa il sale, mentre il cane, non avendo il dono della parola, partecipava alla conversazione con sventolii di coda musate e mugolii. Stiamo recitando tutti o lo faccio solo io?, si chiedeva intanto lei sbirciando di nascosto l'orologio o lanciando occhiate al telefono per farlo squillare con la forza della volontà. Questa apparenza di normalità che cos'è, la quiete prima della tempesta, la tregua tra un uragano e l'altro, il respiro che gli dèi concedono prima della scoppola finale? Al suono del telefono si precipitò e quasi travolse Renzo che andando avanti e indietro per casa riempiva una valigia per una trasferta di tre giorni.

«È tutto il pomeriggio che ti cerco» disse. «Com'è che non rispondi al cellulare?»

«L'ho dimenticato a casa.»

«Ma dove sei?»

«A Marsiglia.»

«A far che?»

E lui spiegò che si era precipitato là nella notte, dalla sorella ricoverata in ospedale dopo un tentativo di suicidio.

«Cosa... come ha fatto? Pastiglie, polsi tagliati o...?»

«Pastiglie, tante. È andata bene solo per un caso.»

«Un caso casuale o preordinato?»

«Casuale. Non era una scena.»

«O mioddio... E adesso come sta?»

«Fuori pericolo. È uno straccio, ma la dimettono domani.»

«Cosa pensi di fare?»

«Non lo so ancora.»

«Portala via con te.»

«Non credo che lei voglia.»

«E che importa? Se non vuole, legala incatenala sequestrala pigliala a schiaffi ma portala con te.»

«Tu non la conosci.»

«No. Ma tu falle sentire che le vuoi bene.»

«Pigliandola a schiaffi?»

«Sì. Obbligala a fare quello che vuoi tu.»

«Sei sicura che sia un buon consiglio?»

«No, ma non mi viene in mente altro.»

«E una volta lì, cosa ne faccio?»

«Non lo so, si vedrà al momento, ti darò una mano.»

«Perché mi cercavi?»

«Ne parliamo quando torni. Adesso bada a lei.»

Ci mancava, il suicidio della sorella dissennata. Ne sentivamo tutti il bisogno. Quale sarà la sorpresa nell'uovo di Pasqua di domani? Una telefonata del tenente Craighero, magari.

Invece non fu il tenente a convocarla in caserma, ma il maresciallo Abatangelo, quello interessato alla spesa e ai soprannomi dei commercianti.

«Può venire dopo la scuola» aveva concesso magnanimo, «le va bene verso l'una e mezzo?»

«Facciamo alle due e un quarto, per favore, così riesco a mangiare un panino.»

«Come preferisce, ma non dovrebbe essere una cosa lunga.»

«Speriamo» aveva concluso lei.

Un ufficio diverso. Il maresciallo Abatangelo e l'altro – di cui non ricordo mai il nome – ad aspettarmi. Craighero assente: è buon segno o no? Comunque qui non ci sono specchi, la porta è una vera porta – ci sono passata io –, la finestra dà su un cortile e si vedono i rami di un albero, probabilmente un platano a giudicare dal colore della corteccia. O dispongono di un fior di scenografo oppure questo è un vero ufficio senza trucchi e senza inganni. Sentiamo cosa accidente vogliono stavolta.

«La signora Vernetti le aveva confidato di essere spesso seguita da uno sconosciuto?»

Hai sbagliato la domanda, maresciallo, e io non ho neppure bisogno di contare balle.

«Seguita in che senso?»

«Nel senso di pedinata.»

«No, non me ne ha mai parlato.»

«Strano.»

«Strano perché? A quanto pare, sono parecchie le cose che si è tenuta per sé.»

«Strano perché eravate amiche. Invece l'ha confidato a un'estranea.»

«Un'estranea chi? Ah già, le domande le fate voi. Come non detto.»

«Posso anche riferirglielo. Alla sua parrucchiera.»

«Beh, è normale.»

«Normale in che senso, scusi?»

«Nel senso che al parrucchiere o alla pettinatrice le donne raccontano le cose più intime. Non so cosa capiti dai barbieri perché non ci sono mai andata.»

«Vedo che ha voglia di scherzare, signora.»

«Per niente, maresciallo. Avrei voglia che questa storia finisse al più presto con l'arresto del colpevole.»

«È quello che stiamo cercando di fare.»

«Ne sono convinta.»

«Vorrei tornare su un altro punto. La signora Vernetti non le ha mai confidato di aver ricevuto minacce o di temere qualcosa o qualcuno?»

«No, mai.»

«Eppure c'era un uomo che seguiva spesso i suoi movimenti, un uomo con un impermeabile grigio molto lungo. Lei, quando uscivate insieme, non lo ha mai notato?»

185

L'Indistruttibile. O mioddio, va sempre peggio.

«No.»

Mezza bugia. Le mezze bugie sono ammesse, rientrano in un'area incerta, nella terra di nessuno tra due stati confinanti.

«Degli anni vissuti in America la signora parlava spesso?»

«Me ne ha parlato una volta o due.»

«Ricorda per caso qualche particolare che non ci ha riferito? Qualche particolare strano?»

«Mi lasci pensare. L'unica cosa forse strana riguarda un accenno alla morte del marito.»

«Che accenno?»

«Non ricordo esattamente la conversazione, ma mi sembra che sul momento non avesse creduto all'infarto improvviso. Però, maresciallo, forse voleva soltanto dire che non accettava l'idea della morte.»

«Come quando si dice: "Non posso crederci"?»

«Sì.»

«Non ricorda altro?»

«No.»

«In questo caso può andare, signora.»

E adesso? Adesso via di corsa dall'Indistruttibile, sperando che sia a casa. Non di corsa, a passo tranquillo. Non va bene neppure così. Metti che ci sia qualcuno che pedina me, per vedere cosa faccio e dove vado. Mioddio che casino! Se i carabinieri arrivano all'Indistruttibile, è preso in mezzo di brutto lui e pure io. Lui è amico mio, lui seguiva Dora, lui le ha dato la spinta fatale su mia istigazione: è così che la vedrebbero i marescialli e il tenente. Bisogna far sparire l'impermeabile grigio, ma come? No, farlo sparire è una mossa troppo rischiosa, se venisse scoperta costituirebbe un pesante indizio a mio, a nostro carico. Bisogna che lui non lo indossi più, sempre sperando che i carabinieri non arrivino a individuarlo. Cosa avrà detto di preciso Dora alla parrucchiera, cosa avrà riferito lei esattamente al maresciallo? Di sicuro non ha riferito a me tutto quello che sa. Metti che l'Indistruttibile abbia seguito Do-

186

ra mentre stava andando a farsi la messinpiega, metti che lei l'abbia indicato alla parrucchiera vedendolo appostato nei pressi del negozio... Va sempre peggio. Cosa faccio, aspetto che torni Gaetano e lascio che sia lui a fare ciò che va fatto? Ma chissà quando torna, anche se ha detto che la sorella sarà dimessa oggi dall'ospedale. Dimessa non si sa a che ora, e magari è troppo uno straccio per affrontare il viaggio. Telefono a Gianni, gli chiedo di andare dall'Indistruttibile a dirgli di non mettere più l'impermeabile grigio. Brava, così infogno nel casino anche un mio allievo. Però per Gianni sarebbe un bel diversivo, lo allontanerebbe dal pensiero di Eleonora. Ottima scusa per un'azione disdicevole, complimenti! Da dove gli telefono? Non dal cellulare e non da casa. Da un bar. Entro, ordino un caffè – decaffeinato se no il cuore mi va a mille – e telefono. È una cosa normale perché potrei avere il cellulare scarico. Però l'Indistruttibile cosa si metterà per andare in giro, il cappottino con la martingala?

«Cosa prende, signora?»

«Un caffè decaffeinato. No: meglio una camomilla, me la faccia bella carica.»

«Nervosa?»

«Come no. Siamo tutti nervosi, oggigiorno. Dov'è il telefono, per cortesia?»

«Nell'altra sala, ma non credo funzioni.»

«E ti pareva!»

«Ha urgenza di chiamare?»

«Sì, e ho il cellulare scarico.»

«Chiama in città o dove?»

«Qui in città.»

«Allora si accomodi alla cassa e telefoni di lì, intanto che la camomilla diventa bella scura.»

«Grazie, le persone come lei andrebbero protette più dei panda.»

Si accomodò alla cassa ma Gianni non era in casa.

41

Le tre e mezzo. Forse mia mamma è in casa. Delegare a lei ancora una volta la cura del cane? Sì, perché io questi ritmi, queste ansie continue non riesco a reggerle. In compenso reggo i sensi di colpa, ma a quelli ho fatto il callo sin dal momento del peccato originale. Ma stavolta penso che sfoltirsi la vita sia diventato indispensabile. Cominciamo con la scuola.

Allo studio medico arrivò verso le quattro e un quarto, dopo tre cambi di tram. La "famosa rete a griglia" dei trasporti torinesi: chi l'ha inventata, pensò, dovrebbe come minimo essere mandato in esilio. In Siberia però, non ai Caraibi. La segretaria-receptionist-tuttofare Marcella, che era stata una sua allieva e che aveva trovato lavoro grazie a lei, l'accolse con la solita cordialità deferente:
«Prof, che piacere vederla! Tutto bene?»
«Mica tanto.»
«Ha fretta?»
«Più del solito.»
«Allora la faccio passare subito, di straforo» bisbigliò.
Piccolo privilegio antidemocratico. Scorrettezza nei confronti degli altri infermi o pseudotali in attesa. Non sono una santa, ma pago tutte le tasse e non ho mai detto lei non sa chi sono io. Chi è amico di un portantino ha immediatamente il letto in ospedale e lo opera il primario. A me

e a tutti i prof hanno anche tolto la riduzione sui biglietti ferroviari. Quindi adesso frego la coda e poi con Alberto la metto giù pesante. Senza sensi di colpa.

«Cosa ti senti?»

«Sono stanca, depressa, dormo male o non dormo, ho sempre mal di stomaco o mal di testa o tutti e due insieme.»

«La pressione come va?»

«Non lo so.»

«Perché non la controlli, ogni tanto?»

«Perché mi dimentico. Ho grane più pressanti.»

«Non hanno ancora trovato l'assassino?»

«No, e continuano a convocarmi in caserma. Non ne posso più.»

«Tira su la manica che vediamo la pressione. Fumi sempre?»

«Sì, ma poco, pochissimo.»

«Quantifica.»

«Cinque sei massimo sette sigarette al giorno.»

«Troppe. Guarda qua: centocinquanta su novanta. Smetti di fumare, fa' un po' di dieta e rilassati.»

«Tutta qui la tua scienza? Potevo fare a meno di venire.»

«Si può sapere cosa vuoi da me?»

«Un certificato medico. Vorrei starmene a casa da scuola per un po'.»

«Potevi dirlo subito.»

«Beh, volevo darti qualche gratificazione professionale. Comunque il mal di testa di stomaco l'ansia eccetera li ho davvero.»

«Quanti giorni vuoi?»

«Una settimana.»

«D'accordo, ma cerca di rilassarti davvero. Non hai un bell'aspetto.»

«Diagnosi consolante. Dici che può venire il cancro per le preoccupazioni?»

«Non esagerare. Magari un po' di gastrite. Renzo come sta?»

«Come me, credo. Ma fa il signore e non dice niente.»

189

«Salutamelo.»

Potevo chiedere un congedo non retribuito per motivi personali, ma madama Buonpeso non me l'avrebbe concesso. Così invece non perdo lo stipendio e lei deve pure abbozzare. Cercherà di fregarmi chiedendo una visita di controllo del medico fiscale, ma la burocrazia si muove sul ritmo delle ere geologiche e la richiesta sarà esaminata troppo tardi. Bene, torno finalmente in pari con il rimborso della multa sbagliata che non mi hanno mai versato.

Gaetano chiamò verso le sette. Era sulla tangenziale, stava facendo rifornimento di benzina. Sì, sua sorella era con lui, l'aveva convinta a seguirlo.

«Con le buone o con le cattive?»

«Una via di mezzo, quasi di mezzo.»

«Sbilanciata verso dove?»

«Verso le cattive.»

«E adesso cosa fai?»

«Non lo so, ho paura di lasciarla da sola anche cinque minuti.»

«Portala da me, te la bado io.»

«Ma al mattino vai a scuola.»

«Per una settimana no, mi sono data malata.»

«Sei davvero malata?»

«No, ma di solito sto meglio.»

«E se Francesca non ne vuole sapere di stare da te?»

«Ti sbilanci di nuovo verso le cattive.»

Era il minimo che potessi fare. Lui si è precipitato qui da Roma in mio soccorso, sta – stava, prima che sua sorella facesse l'ennesima follia – dandosi da fare per togliermi dalle grane. Altro che sfoltirsi la vita, però, altro che diserbare e disboscare: mi sono appena cacciata nella foresta amazzonica, in mezzo a serpenti velenosi e a stormi di zanzare micidiali. Adesso spiego la situazione a Livietta perché non se ne esca con domande inopportune. E poi la spiego a mia mamma... O mioddio, mi sfinirà di recriminazioni e rimproveri e rimostranze e raccomandazioni e rinfacci e diosacosa.

Arrivano dopo tre quarti d'ora. Camilla si è pettinata e guardandosi allo specchio ha avuto una smorfia tra il disappunto e lo sconforto. Dire che non ho un bell'aspetto – come ha affermato Alberto – è un eufemismo, pensa, ho un aspetto da dieci anni di più e pure malportati. Proviamo con fondotinta e fard, magari ne scompaiono quattro o cinque.

Francesca ha un viso bellissimo e tragico. Ha l'aria distrutta (le avranno fatto vomitare fin le budella, ha le occhiaie oltre gli zigomi), però è bella lo stesso. Di quella bellezza che deriva dall'intensità del sentire. Di quella che adesso in giro ne vedi poca. E lui... lui ho voglia che mi abbracci stretta, ho voglia di andarci a letto qui adesso subito, un rimescolamento imprevisto del sangue, una perdita di lucidità, uno sbalzo di pressione, la bocca secca, una botta improvvisa di desiderio violento che non conosco più da anni. Lui mi abbraccia e la sua mano preme troppo forte vicino al seno e restiamo un paio di secondi di troppo a respirarci l'un l'altra.

«Venite, sediamoci» dico, con una voce che non è la mia.

Livietta mi guarda strana. Li piloto senza accorgermene in cucina, chiedo se vogliono bere o mangiare qualcosa. Gaetano dice no grazie, poi dice sì un bicchiere di vino, Francesca non dice niente. Apro il frigo e prendo una bottiglia di Arneis, lo richiudo, poi ci ripenso e tiro fuori anche parmigiano olive e salame crudo, roba tossica – penso – per Francesca, ma non ho idea di cosa possa mangiare una che si è appena avvelenata. Prendo anche il pane e sistemo tutto sulla tavola. Sono imbarazzata, ho le mani che mi tremano un po'. Mi chiedo cosa sarebbe successo se questo schiaffo improvviso di desiderio mi avesse colta in un altro momento e in un altro luogo.

«Mangiamo alla bastarda, mamma?» chiede Livietta.

«Come vuoi. Francesca, vuoi mangiare, c'è qualcosa che ti fa piacere?»

Non risponde. Mi guarda fisso. Stappo la bottiglia e verso due bicchieri di vino. Gaetano e io beviamo, senza brindare perché non è il caso.

«Dimmi le novità» dice lui.

Gliele dico e gli passo il foglio su cui sono annotati i numeri delle targhe.

«Hai preso iniziative?» chiede.

«No.»

«Brava. Vado a darmi da fare io.»

«Mangia qualcosa, prima. Se vuoi faccio una pasta, delle bistecche...»

«Lascia perdere, non ho fame. Francesca, tu resti qui.»

Francesca si decide a parlare:

«Fino a quando?»

«Fino a domani» risponde Gaetano.

«Guardata a vista, come in cella?»

Lui ha l'aria esausta, Camilla non sa cosa dire.

«Francesca, per favore. Ne abbiamo già parlato: è meglio che tu non resti sola. Hai bisogno di riposare, di riprenderti.»

«Allora dimmi dove c'è un letto.»

Camilla l'accompagna nella stanza di Livietta, Francesca scalcia via le scarpe e si butta giù così com'è, senza togliersi neppure il giubbotto che indossa.

«Ti lascio la luce accesa o vuoi che spenga?»

«Spegni.»

Camilla esegue e se ne va lasciando la porta socchiusa. Nella stanza non c'è nulla che possa costituire un pericolo, dai bagni ha già portato via forbici e medicinali. Ritorna in cucina, accompagna Gaetano sul pianerottolo evitando di parlare e di guardarlo. Mentre chiama l'ascensore, lui le mette le mani sulle spalle e la costringe a voltarsi.

Quando rientra in casa, si mette a far ordine in soggiorno, a spostare libri giornali e cuscini, a raccattare peluche, a sistemare il mazzo di fiori nel vaso. Dopo qualche minuto Livietta la chiama e lei è in grado di rispondere.

«Dove dormo io stanotte?»

«Dormi con me, ti dispiace?»

«No. Ma Francesca ce li ha il pigiama e lo spazzolino da denti?»

Non ci ha pensato. Non ci hanno pensato neppure loro, li avranno dimenticati in macchina, frastornati dalla stanchezza e dalle troppe emozioni.

42

Non è riuscita a prendere sonno. Alle due di notte si alza dal letto, nella semioscurità infila ciabatte e vestaglia, passa in corridoio orientandosi a tentoni, si ferma davanti alla porta aperta della stanza dove dorme Francesca, ne ascolta il respiro un po' ansimante. Si dirige in cucina, sicura com'è che non riuscirà a leggere, né a correggere compiti, né a preparare le lezioni per quando rientrerà a scuola. Siccome ha già fatto un po' d'ordine dopo cena – una cena da sciamannate che ha fatto felice Livietta – e siccome non vuole continuare a pensare, tira fuori gli ingredienti per preparare la torta langarola con nocciole e miele, l'unico dolce di confezione casalinga che la figlia non disdegni a favore delle merendine industriali. A muoverla però non è l'amor materno, ma il bisogno di tenersi occupata, di far passare il viluppo di emozioni insieme con le ore. Sta impastando uova burro e farina – a mano, per non fare rumore – quando improvvisamente, alzando la testa, vede Francesca sulla soglia della cucina. Si fissano per qualche secondo, in silenzio. Poi la ragazza entra e si siede.

«Vuoi qualcosa da mangiare?» le chiede lei.

«Un paio di biscotti.»

«Con un bicchiere di latte, con un tè?»

«Un tè leggero col latte.»

C'è una lunga pausa di silenzio mentre l'acqua per il tè

si scalda. Camilla cerca i biscotti, cerca una tortiera, cerca il miele, cerca la tazza da tè perché non regge l'inattività sotto lo sguardo fisso di Francesca. Che d'improvviso la blocca con una domanda:

«Ci vai a letto, con mio fratello?»

«No.»

«Ma hai voglia di andarci. E anche lui.»

Che cosa rispondo? Che non sono affari suoi?

«Sì.»

«E allora?»

«Allora niente.»

«La torta sostituisce la scopata?»

«Forse. Mi arrangio come posso.»

«Com'è che non mi dici di farmi i cazzi miei?»

«Se vuoi te lo dico... Solo che, in misura minima ma proprio minimissima, sono anche cazzi tuoi.»

«Perché lui è mio fratello?»

«Già.»

«Gli affari di mio fratello non mi riguardano. È adulto e vaccinato.»

«Anche tu.»

«Appunto. Però lui negli affari miei ha voluto entrarci.»

«Non per entrarci anch'io, ma mi pare che tra un'eventuale scopata e un suicidio ci sia una certa differenza.»

«Ma cosa ne sai...»

«Quasi niente. Non ho mai cercato di ammazzarmi.»

«Si vede che hai avuto vita facile.»

«Come tanti. Qui c'è il tè. Di biscotti ho solo questi. Vedi se ti vanno.»

«Com'è che Gaetano è tornato a Torino?»

«Per tirarmi fuori da un guaio.»

«E perché si è preso una sbandata per te.»

«Probabile. Ci vedi qualcosa di male?»

«Figurati. In che guaio ti sei messa?»

«Non mi ci sono messa. È capitato. Una mia amica è morta ammazzata e i carabinieri sospettano che io sia coinvolta in qualche modo.»

«Così Gaetano si è fiondato in tuo soccorso. Cavaliere senza macchia e senza paura.»

«Si è fiondato anche da te.»

«Poteva farne a meno.»

«Non credo. Ti vuole bene.»

«Vuole solo che io lasci Laurent.»

«Se non sbaglio, volevi lasciarlo anche tu. Nel modo più definitivo possibile.»

«Che stronza che sei.»

«Se non volevi morire, era un ricatto sentimentale. Ma in questo caso bisogna imparare a contare le pastiglie. Ti è andata bene solo per un pelo.»

«Volevo morire, volevo farla finita per sempre. Ci arrivi a capirlo, sì o no?»

«Certo che ci arrivo, sono stronza ma non stupida. Però mi sembra uno spreco. I suicidi per amore sono sempre uno spreco. Fortuna che dopo ci scrivono sopra tragedie immortali...»

«Mi stai pigliando per il culo?»

«Un po'. Tu mi hai dato della stronza. Chi ha cominciato, tu o io?»

C'è una pausa nel dialogo. Camilla si accende una sigaretta senza offrirne. Francesca beve il tè.

«Com'è che c'entri in un omicidio?»

«Non c'entro per niente.»

«È quello che dicono tutti gli assassini.»

«Vero.»

«Allora perché ti sospettano?»

«Perché il destino gioca dei brutti tiri.»

«Racconta.»

«Dopo, prima finisco la torta se no mi si secca l'impasto.»

196

43

Sono quasi le nove e mezzo e dorme ancora. Si vede che non ha messo la sveglia. Di sicuro Potti ha fatto la pipì in cucina e quando mamma poi si alza lo sgrida. Lo sgrida solo per quello, me invece mi sgrida di più, soprattutto se sbaglio a parlare. Io lo faccio quasi sempre apposta, perché lo so benissimo che non si dice a me mi, ma lei non l'ha ancora capito. O forse l'ha capito ma le piace sgridarmi, oppure è come un gioco che facciamo finta tutte e due, come quando io e Alice giochiamo alle signore. Quasi quasi la sveglio. A scuola non mi può più portare perché è troppo tardi, così perdo la lezione di computer che tanto non serve perché la maestra che ci hanno mandato non ne sa niente e tutte le volte che cerca di spiegarci qualcosa combina dei pasticci e poi dice che non è colpa sua se l'applicazione non risponde. Però ci fa un po' pena perché non è tanto giovane e dice sempre che l'hanno riciclata, cioè che lei insegnava ai bambini sordomuti in una scuola speciale che adesso hanno chiuso e i bambini li hanno messi insieme con gli altri. Noi le chiediamo di insegnarci l'alfabeto dei gesti e lei dice che non può perché deve segnare giusto sul registro quello che spiega se no le fanno un richiamo a lei. Se no le fanno un richiamo, senza a lei. Però alla fine i gesti ce li insegna, io ne ho imparati un mucchio e così se incontro un bambino sordomuto riesco a parlarci insieme, solo che fino adesso non mi è mai capitato. Quasi quasi la sveglio, così lei sveglia Francesca e io posso andare in camera mia a giocare. Ma forse è meglio di no, è meglio che continuino a dormire così poi non sono nervose o arrabbiate. Francesca ha tentato di ammazzarsi con le pastiglie perché ha litigato col suo fidanzato, poi in ospedale l'hanno fatta vomitare e non è morta. I grandi litigano sempre per qualcosa e tengono il muso per un sacco di tempo, invece noi diciamo non ti faccio più amico ma poi ci passa quasi subito. Papà e mamma prima litigavano poco, anzi non era proprio litigare, era una cosa diversa come farsi dei dispetti ma per finta e poi finiva che ridevano tutti e due. Adesso dicono che sono nervosi per via della faccenda di Dora e perché la mamma deve andare dai carabinieri che la interrogano, ma secondo me non è solo per quello. Se si separano mi lasciano con la mamma, come tutte le mie compagne e compagni che hanno i genitori separati, e ai weekend vado con papà, ma non so se mi piace. Però quando gliel'ho chiesto, no non è che gliel'abbia proprio chiesto, insomma una volta che stavano quasi litigando e io ho detto... non ricordo più cosa ho detto e poi sono andata dalla nonna, insomma quella volta lì lei mi ha chiesto se voglio che si separino e io ho detto di no.

44

Puggella Oreste, di anni ottantasette, è il proprietario dell'auto e del motorino. Gaetano ha un gesto di rabbia e batte un pugno sul tavolo del computer. Un paio di colleghi lo guardano stupiti. Complicazioni su complicazioni, pensa lui, oppure un'indicazione balorda dell'Indistruttibile. Ha già dovuto giustificare in qualche modo la sua presenza in questura e adesso che sono le nove e mezzo di sera non può andare a rompere le scatole a un vecchio ottantasettenne per sapere a chi ha prestato macchina e motorino. Già che c'è, fa un'altra ricerca e scopre che il Puggella è anche il proprietario di un furgone Ford e di una jeep Cherokee immatricolata quattro mesi prima. Allora non sono solo complicazioni ma c'è anche puzza di bruciato, cioè un appiglio promettente. La soddisfazione e l'eccitazione si stemperano però nella stanchezza provocata da due notti senza sonno, nell'angoscia mista a rabbia nei confronti della sorella, nel turbato disordine dei suoi desideri, nel disagio profondo e molesto dell'incertezza. Domani, pensa, rinviare tutto a domani.

Dei poliziotti che si erano occupati del caso Sorrentino era in servizio solo l'ispettore De Beni, che si stava dannando su un'arma che aveva sparato in un regolamento di conti e che qualcuno si era premurato di far ritrovare. Quella storia gli stava rompendo i coglioni – parole sue – e Gaetano riuscì facilmente a smuoverlo con la promessa di lasciargli tutto il merito nel caso che l'indagine sulla morte di Nicola fosse approdata a qualcosa.

«E allora, commissario, andiamo a trovare sto Puggella e sentiamo che balle ci racconta.»

«E se ci dessimo del tu, visto che lavoriamo insieme?» propose Gaetano.

«Per me va bene, di nome faccio Bernardo ma mi chiamano tutti Dino. Yuri, ce l'abbiamo una macchina o sono tutte fuori?»

La macchina c'era, ma in via Sesia 49 nessuna traccia di un certo Puggella.

«Cominciamo bene!» commentò l'ispettore.

«Secondo me, sì» ribatté Gaetano.

Era una vecchia casa operaia di ringhiera, che nel passare dei decenni aveva cambiato pelle e faccia con una serie di superfetazioni, da quelle più ovvie come verande o padelle satellitari, a quelle più ingegnose come cessi esterni trasformati in cucinini e balconi allargati in terrazze precarie. Bussarono a un certo numero di porte ottenendo solo degli scuotimenti di testa, dei non so e dei mai visto, finché una vecchia che doveva essere più o meno coetanea del Puggella li fece non solo entrare in casa ma anche accomodare in cucina e in cambio di venti minuti di compagnia spiegò che ultimamente gli inquilini lì duravano poco, che nel giro di pochi anni erano cambiati tutti e che sì, il signor Oreste aveva abitato lì con la moglie e poi da solo quando era rimasto vedovo, lì al terzo piano, sino a quando ce l'aveva fatta a salire le scale, anche se col bastone. Poi l'assistente sociale gli aveva trovato un posto in una casa di riposo ed era stata una bella fortuna per lui, perché non aveva più nessuno e, a parte il fatto delle gambe, si era proprio lasciato andare, come capita a tanti uomini quando restano soli, e non si lavava più e anche il suo alloggio era diventato, parlando con rispetto, peggio di un porcile. Il nome della casa di riposo? Se avevano pazienza, poteva cercare la cartolina con gli auguri di Natale che lui le aveva mandato l'anno che se n'era andato e se non ricordava male sulla cartolina c'era come un timbro con il nome della casa. La vecchia tirò fuori da un cassetto una scatola da scarpe, inforcò un paio di occhiali con le stanghette tenute insieme dai cerotti e sciorinò sul tavolo un mucchio di cartoline, alcune delle quali risalivano almeno a cinquant'anni prima. L'ispettore si alzò dalla sedia per aiutarla, ma Gaetano lo bloccò con un cenno della testa. Questa no, questa neanche, questa è di Ferroni Leandro che lavorava di fianco a mio marito buonanima alla catena di montaggio al Lingotto, questa è l'ultima che mi ha mandato mia cugina Celestina prima di tornare a Dronero dove poi è morta, queste me le ha spedite la signora Toninelli che tutte le estati andava a Rimini a fare la cuoca in una pensione, questa no, non so più chi era, la memoria a una certa età fa dei brutti scherzi e poi finalmente saltò fuori quella di Oreste Puggella e la vecchia ricordava giusto, c'era proprio un timbro della casa di riposo "Nostra Signora della Salute", via Cavour 33, Pianezza, provincia di Torino.

«Capace che il Puggella è morto, la cartolina è di sei anni fa» commentò l'ispettore scendendo le scale.

«Fino a quattro mesi fa era vivo, ha comprato una jeep Cherokee. Telefoniamo per sentire se sta sempre lì o l'hanno trasferito da un'altra parte» rispose Gaetano.

La casa di riposo "Nostra Signora della Salute" non era peggio di tante altre, ma come in tutte si respirava l'odore della morte imminente, un odore di urina, di fiato guasto, di sudore incarnato, di piaghe da decubito.

«Finiamo anche noi così?» chiese De Beni oltrepassando un vecchio in carrozzella che si toglieva e rimetteva in continuazione la dentiera bavosa.

«Magari anche peggio. Speriamo di morire prima.»

Un'inserviente extracomunitaria spiegò in un italiano abbastanza scorrevole che il Puggella non era sempre lucido, qualche giorno sì e qualche altro no, ma nell'insieme stava abbastanza bene, anche se riusciva a fare solo pochi passi senza il girello. Perché volevano vederlo?

«Per informazioni» tagliò corto l'ispettore.

«Siete parenti?»

«Siamo della polizia.»

La donna aprì la bocca e la richiuse, in un trasalimento di stupore misto a paura.

«Informazioni su una macchina e un motorino, niente altro» la tranquillizzò Gaetano.

«Chiamo subito la responsabile della direzione» disse lei allontanandosi in fretta.

«Clandestina e in nero» commentò De Beni.

«Più che probabile» chiosò Gaetano.

La responsabile aveva l'aria di una aguzzina glaciale ed efficiente. Fece subito osservare che non era orario di visita e che a quell'ora gli ospiti non potevano essere disturbati. Gaetano tirò fuori il tesserino di riconoscimento e propose, nell'attesa dell'orario di ricevimento, di fare due passi in giro nell'edificio, così, tanto per passare il tempo, dare un'occhiata e rendersi conto di come funzionano le case di riposo. La signora aveva forse qualcosa in contrario? La signora aguzzina disse che mandava a prendere subito il signor Puggella.

Oreste Puggella, che un'altra inserviente aveva spinto sulla carrozzella in una saletta, era in una giornata né sì né no, con la mente che andava e veniva. Ci volle più di un'ora per cavargli fuori che di parenti non aveva più nessuno, tranne un pronipote, Riccardo, figlio della figlia di sua sorella Beniamina, che poveretta era morta di parto quasi sessant'anni prima. Riccardo era venuto qualche volta a trovarlo e l'aveva portato fuori a mangiare i funghi, un fritto di porcini e anche la pastasciutta era ai funghi, delle tagliatelle all'uovo che lui, Oreste non riusciva a mangiare perché non ce la faceva ad arrotolarle sulla forchetta. Poi Riccardo gliele aveva tagliate col coltello, ma erano diventate fredde e la pastasciutta fredda è come quella dell'ospizio. E poi? Poi erano andati in un posto dove vendono le macchine e lui aveva firmato delle carte e dopo ancora Riccardo gli aveva comprato due bottiglie di Fernet che quella bagascia della direttrice gliele aveva prese perché diceva che il Fernet fa male. Fa male le balle, lui ne aveva sempre bevuto un cicchetto dopo cena e a ottantasette anni c'era arrivato, la bagascia non era detto.

«Come si chiama di cognome Riccardo?»

«Non lo so» aveva risposto il vecchio, «mia sorella Beniamina si chiamava Puggella come me, Puggella in Aghemo, e ha avuto due figlie, Rosanna e poi Ines, che è quella che la levatrice l'ha tirata fuori male e lei ha perso troppo sangue e dopo è morta.»

«Riccardo è figlio di Rosanna o di Ines?»

«Non me lo ricordo, non è che ci vedevamo tanto perché loro abitavano dall'altra parte di Torino, verso Santa Rita.»

«E quando è venuto l'ultima volta Riccardo?»

«L'ultima volta che è venuto c'era la nebbia ed è quando abbiamo mangiato i funghi; adesso mi dite cos'è che ho vinto?»

«Vinto?» chiese l'ispettore.

«Ha vinto una bottiglia di Fernet» rispose Gaetano, «adesso andiamo a prenderla e gliela portiamo.»

«Ma non fategliela vedere alla bagascia, mi raccomando, datela a Ziki-paki* che è brava.»

«E chi è?» chiese De Beni.

«Lo so io chi è» intervenne Gaetano, «tu va' a comprare sto Fernet, che io passo dalla bagascia.»

«Ti va di salutarla?»

«Mi va di dirle che non abbiamo visto le cucine e che magari mandiamo qualcuno a dargli un'occhiata.»

Da Beniamina Puggella in Aghemo, attraverso Rosanna Aghemo in Colato, arrivarono piuttosto facilmente a Riccardo Colato, di anni trentaquattro, residente a Torino in via Antonio Cecchi, con qualche precedente per furto e ricettazione.

«Con questo non è il caso di usare i guanti di velluto»

---

* Il riferimento è a una canzonetta in voga durante il fascismo, di cui era protagonista la "negretta" Ziki-paki.

commentò l'ispettore, «furto più ricettazione più un furgone per trasportare la merce e un fuoristrada per fare il figo con le ragazze e rimorchiarle facile.»

«Magari gli piacciono le gite in montagna» sghignazzò Gaetano.

«Chi gli piace la montagna, ci va a piedi, questo qui è soltanto un cazzone di ladro, senza lavoro ma con un fuoristrada da trentamila euro.»

«Stai indietro con i prezzi, Dino, una Cherokee con trentamila non lo compri, ce ne vogliono almeno diecimila di più.»

«E allora gli facciamo il terzo grado, al cazzone, e ci spiega da dove tira fuori i soldi.»

A Riccardo Colato arrivarono solo verso l'una di quello stesso giorno. Prima Gaetano aveva fatto due telefonate, una alla sorella di Nicola Sorrentino e l'altra a Camilla per avere notizie di Francesca.

«Sta bene, abbiamo dormito fino a tardi, vuoi che te la passi?»

«Sì grazie.»

«Dice che verso sera fa un salto qui» riferì dopo Francesca. «E io che faccio, sono sempre agli arresti domiciliari?» aggiunse.

«Potresti fare una passeggiata con mia figlia e il cane» suggerì Camilla.

«Sai che divertimento!»

«E intanto farmi anche un piacere, che non guasterebbe.»

«Cioè?»

«Portare un giaccone imbottito a un amico – l'Indistruttibile, te ne ho parlato stanotte – e dirgli che non metta più per un po' il suo impermeabile grigio.»

«Mi vuoi tirare dentro ai tuoi casini?»

«No, voglio farti fare qualcosa, e già che sei per strada al bar Mogador compri tre croissant con la Nutella e glieli porti.»

«Non so dove sia il bar Mogador.»

«Te lo faccio vedere sulla piantina, e ti mostro anche la strada che devi fare per arrivare dall'Indistruttibile.»

«E se non apre il portone?»

«Se se se... Sei mica nata ieri, ti inventi qualcosa e quando arrivi davanti alla sua porta dici che ti manda la profia.»

«E se lui non ci crede?»

«Un altro se? Ci crede di sicuro quando vede il cane.»

«L'Indistruttibile è quello che mi ha regalato la targa dei gelati?» s'inserì Livietta.

«Proprio lui, ringrazialo e digli che ti piace tanto così lo fai contento.»

«Mamma, ma perché non vieni anche tu?»

«Perché non voglio che mi colleghino con l'Indistrutti-bile.»

«Cosa vuol dire che ti colleghino?»

«Livietta, te lo spiego quando tornate, adesso è l'ora in cui è più facile trovarlo a casa.»

«Però un croissant con la Nutella lo voglio anch'io, posso?»

«Certo che puoi. Qui ci sono i soldi, comprate dei crois-sant per tutti e li mangiate insieme, ma mi raccomando al bar Mogador, che se no a lui non piacciono.»

«A Potti però non gliene diamo, perché a lui i dolci fan-no male.»

«Dagliene solo un pezzettino, Livietta, non è mica un cane.»

«Come non è un cane?»

«È un personetto con la tuta da cane che vorrebbe esse-re te che sei la mia bambina bellissima e invece non può.»

«Vorrebbe essere me?»

«Certo, così dormirebbe qualche volta nel lettone, man-gerebbe a tavola, andrebbe a ginnastica ritmica.»

«Come deve essere grosso il pezzettino che gli do?»

«Come vuoi tu.»

45

A Dino De Beni, che aveva soltanto una Bravo vecchia di quattro anni, i cazzoni con jeep Cherokee da quarantamila euro e passa stavano altamente sulle balle, così, d'accordo con Gaetano, aveva deciso che la parte del poliziotto cattivo la faceva lui. Qualche soddisfazione sul lavoro doveva pur prendersela ogni tanto, perlamiseria, sti ladri e ricettatori e spacciatori e papponi e picchiatori loro li arrestavano ma due giorni dopo se li ritrovavano ai soliti posti, carichi di catene d'oro come la Madonna d'Oropa, a sputare per terra quando vedevano passare uno sbirro, poliziotto carabiniere o guardia di finanza che fosse.

Riccardo Colato detto Richi apparteneva, come previsto, a una delle categorie di cui sopra, e l'arrivo di due poliziotti non lo lasciò stranito. Di imprevisto c'era invece il suo aspetto: meno brutto del mostro di Nôtre Dame, ma non tanto.

«Cosa vuole?» chiese a muso duro all'ispettore che gli mostrava il tesserino attraverso lo spiraglio della porta.

«Parlarti, a proposito di macchine e motorini.»

«Io non ho né macchine né motorini.»

«Ma usi quelli che hai intestato a Oreste Puggella.»

«Mai sentito.»

«Ci pigli per il culo? Arriviamo adesso da Pianezza. Apri sta cazzo di porta che ci facciamo due chiacchiere.»

«Io non apro un cazzo di niente se non avete un mandato.»

«Davvero? E noi entriamo lo stesso perché ci è venuto il sospetto che nel cesso tieni qualche dose di ero, così non abbiamo bisogno di mandato.»

«E io dopo vi denuncio.»

«Coi tuoi precedenti? Guarda che, volendo, qualche dose la si può trovare ovunque, persino nei conventi.»

«Dino, lascia perdere. Facciamo prima a chiedere al piemme un avviso di garanzia.»

«Avviso di garanzia per cosa?»

«Per aver fatto fuori il tuo amico Nicola Sorrentino. Con una dose sballata di ero. Dai Dino, andiamo.»

Anche se era un osso duro, Richi accusò il colpo.

«Siete sciroccati, sciroccati tutti e due.»

«Può darsi» acconsentì l'ispettore, «però è meglio che tu ti cerchi subito un avvocato. Più in gamba del Cammarota, anche se per un paio di volte ti ha tirato fuori.»

Fecero finta di andarsene e subito Richi aprì la porta e gli disse di entrare. Come nei mercati, come nei bazar, pensò Gaetano: contrattazioni diverse che seguono lo stesso schema. Si vede che tutti quanti, compratori di tappeti e sbirri, abbiamo poca fantasia. Come pure i venditori e i delinquenti.

L'appartamento di Richi stava in una brutta zona e in una brutta casa ma trasudava soldi. Home video, divani di pelle, quadri che forse erano croste e forse no.

«Ci mettiamo comodi, Colato, perché mi sa che andiamo per le lunghe» chiarì De Beni. «E cominciamo con la Renault e col motorino che prestavi a Nicola. A cosa gli servivano?»

«Non lo so.»

«Allora cominciamo male e partiamo invece dal fondo. Da quando hai telefonato al 113, cioè a noi.»

Bella mossa, pensò Gaetano, bell'azzardo. Ma se non è stato lui a telefonare, De Beni si è fregato con le sue stesse mani.

«Io non ho telefonato a nessuno.»

«Allora siamo daccapo e facciamo come suggeriva il

mio collega. Sai una cosa? Ad andare in galera per la morte di Nicola ci farebbe piacere che fossi tu, che tu l'abbia ammazzato o no. E siccome ci farebbe piacere, non ci daremo troppo da fare a cercare qualcun altro.»

«Io non ho ammazzato nessuno.»

«Non hai ammazzato, non hai telefonato, tra un po' ci dici che Nicola non lo conoscevi neppure.»

«Non ho mai detto che non lo conoscevo.»

«Bravo, che ti ricordi del compagno delle medie» s'inserì Gaetano. «Il compagno con cui fregavi già allora tutto quello che vi capitava a tiro. Il compagno che non hai mai smesso di vedere, che ti tornava utile negli affari piccoli. In quelli grossi no, perché era troppo stupido. Cos'è che ha fatto alla fine, ti ha ricattato?»

«Nicola e io eravamo amici. Gli amici non si ricattano. Gli amici non si ammazzano.»

«Qualche volta sì, quando smettono di esserlo, quando si rivoltano.»

«Ma che cazzo volete? Nicola non aveva più nessuno, solo quella stronza di sua sorella che lui non poteva soffrire, gli ero rimasto solo io e mi voleva bene, altro che ricatti e rivoltarsi contro.»

«Parliamo di droga.»

«Io non mi drogo e Nicola neppure.»

«Però è morto di overdose, come te lo spieghi?»

«Non me lo spiego, non lo so, non l'ho capito.»

«Noi invece abbiamo un'ipotesi. Che l'iniezione gliel'abbia fatta qualcuno, dopo averlo fatto sbronzare. Che ne dici?»

«Non dico niente perché non ne so niente.»

«Invece sarebbe meglio che dicessi qualcosa. Qualcosa che ci spieghi perché in casa di Nicola abbiamo trovato due tue impronte belle fresche.»

Madonna se ci va giù pesante, pensò Gaetano. Madonna quanto gli piace il poker al buio. Ma è anche vero che se Nicola e Richi erano tanto amici come ha detto Alessia, qualche impronta dell'uno in casa dell'altro ci può essere. E come si sta divertendo Dino a torchiare sto stronzo...

«Impronte? Ma che cazzo ne so. Qualche volta a casa di Nicola ci sono andato e lui è venuto da me.»

«Guarda che ho detto impronte fresche. Fresche fresche.»

Richi ebbe una piccola contrazione alle narici. Ci siamo, pensarono contemporaneamente Dino e Gaetano, comincia a cedere.

«Ricominciamo con macchina e motorino e poi torniamo alle impronte. Allora, a cosa gli servivano?»

«Mi ha detto che doveva seguire una persona.»

«Chi?»

«Non lo so. Ha solo detto che era una donna.»

«Per conto di chi?»

«Questo non lo so.»

«E noi non ti crediamo.»

«Invece è la verità. Nicola ogni tanto faceva qualche lavoretto per uno che chiamava il capo, o il boss, ma non mi ha mai detto chi fosse.»

«E tu non gliel'hai mai chiesto.»

«Invece sì, un sacco di volte. Poi ho smesso. Sentite, l'avete detto voi che Nicola era stupido, e un po' lo era davvero, nel senso che si dava delle arie di piccolo ras, e invece era un povero sfigato che tante volte non aveva nemmeno i soldi per pagare l'affitto o per comprarsi un paio di scarpe. Ma anche con me ci teneva ad avere i suoi segreti, a far vedere che se la cavava. E prima che me lo chiediate vi dico anche che non mi ha mai dato il numero del suo cellulare, e non mi ha mai chiamato con un cellulare, perché diceva che doveva stare in campana, in campana poverocristo, chissà dove l'aveva sentito dire.»

«In un film, *I soliti ignoti*» chiarì Gaetano.

«Mai visto. Comunque io gli volevo bene e se c'era uno che non volevo veder morto era proprio lui.»

«E quando l'hai visto morto hai chiamato il 113» disse Gaetano. Gli arrivò un'occhiata un po' impermalita di Dino, ma lui stava pensando che anche tra delinquenti e balordi può nascere l'amicizia e che Richi probabilmente affidava a Nicola qualche lavoretto per fargli avere dei soldi senza umiliarlo, mentre Nicola magari si tirava dietro Richi per dargli una mano a rimorchiare, dato che senza aiuto poteva riuscirci solo con le cieche.

«Come hai fatto a entrare in casa di Nicola?» insisté Gaetano. «C'era la porta aperta, avevi le chiavi?»

«Non mi ha mai dato il numero di cellulare, figurarsi le chiavi. No, la porta era chiusa.»

«Come l'hai aperta?»

«Che cazzo di domanda. Le porte si aprono, non era mica Fort Knox.»

«Che ora era?»

«Mezzanotte e mezzo, più o meno.»

«E che ci facevi lì a quell'ora?»

«Ero passato a prenderlo con il furgone. Avevamo un appuntamento.»

«Per far che?»

«Un lavoro.»

«A mezzanotte e mezzo.»

«Ma non rompete le balle. Stiamo parlando della morte di Nicola o di uno che voleva fare un trasloco senza farlo sapere?»

«Un trasloco di roba sua?»

«Sì, e posso anche farvi il nome, basta che non lo sappia la moglie.»

«Dopo, adesso dicci di Nicola.»

«Arrivo davanti a casa sua, aspetto un cinque minuti o giù di lì e poi scendo e vado a cercarlo.»

«E trovi la porta chiusa.»

«Sì, e dentro la luce era spenta. Allora penso che è in ritardo, torno accanto al furgone e aspetto. Però mi fa strano, perché lui di solito era puntuale e se per caso gli capitava un inghippo telefonava subito per avvertire, ma da una cabina, mentre io non lo potevo chiamare, ve l'ho già detto. Aspetto ancora un quarto d'ora o venti minuti poi mi preoccupo, anche perché mi stava andando a monte il trasloco, allora penso che magari si è addormentato ma non mi va di fare chiasso a svegliarlo, non voglio che esca qualcuno sui balconi a vedere, così apro la porta, entro e accendo la luce. Nicola era morto, non ci volevo credere e gli ho sentito il respiro che non c'era e il cuore che non batteva, proprio morto ma non da tanto, era ancora bello caldo e se io arrivavo prima magari potevano salvarlo. Ci sono rimasto di merda perché lui non si era mai drogato e non frequentava i tossici, poi mi faceva strano anche la bottiglia di whisky mezza vuota, insomma c'era qualcosa che non quadrava e allora ho ripulito col fazzoletto tutto dove avevo toccato e sono venuto via.»

«E dopo hai chiamato il 113.»

«Sì.»

«Perché?»

«Perché? Perché era un mio amico, cristodidio, perché non volevo che lo mangiassero i topi, non volevo che restasse lì come un cane a riempirsi di vermi prima di essere scoperto.»

«Prima, mentre aspettavi fuori, hai visto qualcuno uscire dal portone?»

«Non mi pare. Però non è che ci stessi attento.»

«Strano: aspettavi Nicola che doveva per forza uscire dal portone.»

«Ma mi state a sentire? Ho già detto che ero entrato nel cortile una prima volta e lui non era in casa, così guardavo la strada, non il portone.»

«Il portone come l'avevi aperto?»

«Si apre con qualunque chiave corta, ha una serratura del cazzo.»

«Torniamo indietro a quando apri la porta della casa di Nicola.»

«Era chiusa con quattro giri, cioè con tutti.»

«Voi come l'avete trovata? Chiusa a chiave, se non ricordo male» disse Gaetano.

«Sì, a chiave» rispose Dino.

«Ma io me la sono soltanto tirata dietro! Vi pare che stavo lì a trafficare col rischio di...»

«Allora l'assassino si era preso le chiavi e poi è tornato indietro» rifletté ad alta voce Dino. «Un assassino sbadato due volte, che prima dimentica qualcosa o di fare qualcosa e poi chiude di nuovo a chiave la porta che aveva trovato col mezzo giro. Ma anche fortunato, perché riesce a fare tutto prima del nostro arrivo. Dopo quanto tempo ci hai telefonato?»

«Una ventina di minuti, forse meno.»

«Noi siamo arrivati lì dopo un quarto d'ora dalla chiamata. L'assassino ha avuto mezz'ora di tempo circa per mettere a posto quello che doveva.»

«Però non è detto che ci sia riuscito. Anche la fortuna ha dei limiti» fece presente Gaetano mentre se ne andavano.

46

«Non è in casa» dice Francesca.

«Oppure non risponde» ribatte Livietta. «Mamma ha detto che qualche volta lo fa. Suona a un altro nome.»

Francesca suona, una voce di donna chiede chi è, lei prega di aprire il portone perché deve entrare in cortile. Il portone non si apre.

«Provo io» dice Livietta.

«Chi è?» stavolta è la voce tremolante di un vecchio.

«Testimoni di Genova.»

Il portone si apre.

«Visto come si fa?» si pavoneggia Livietta.

«Testimoni di Geova, non di Genova.»

«No, di Genova. È una città e io ci sono stata.»

«Geova vuol dire Dio, testimoni di Dio.»

«Sarà...» ribatte Livietta poco convinta.

Sono arrivate davanti alla porta dell'Indistruttibile. Bussano e non risponde nessuno.

«Visto che non è in casa?» dice Francesca.

Livietta si sdraia a terra davanti alla porta e spinge la gattaiola.

«Indistruttibile, apri. Ti vedo i piedi. Sono Livietta, la figlia della profia.»

«Chi c'è con te?»

«Francesca, che è... è un'amica di mamma. E c'è anche il cane.»

«Com'è il cane coi gatti, buono o cattivo?»

«Cattivissimo.»

«Allora tienilo al guinzaglio che io porto fuori Maometto.»

«Chi è Maometto?»

«Il mio gatto.»

L'Indistruttibile apre, porta fuori il gatto, le fa entrare e blocca la gattaiola.

«Uau» esclama Livietta, «che bello qui!» Poi, indicando le targhe dei gelati: «Dove le hai prese?».

«Ho i miei fornitori.»

«Quella che mi hai regalato è la più bella di tutte. Tieni, qui ci sono i croissant con la Nutella.»

«Del bar Mogador?»

«Sì.»

«Quanti?»

«Dodici, ma ne mangiamo anche noi. Ci fai i cappuccini per pucciarli?»

«Non ho il latte. Ma posso andare a comprarlo qui vicino.»

«Ci vado io» dice Francesca.

«Però torni, vero?» chiede Livietta.

«Certo che torno.

«Fa' giurin-giuretta.»

Francesca per la prima volta sorride, fa giurin-giuretta ed esce.

«Perché hai paura che non torni?» chiede l'Indistruttibile.

«Perché... io non dovrei dirtelo ma te lo dico lo stesso però tu non devi dire che te l'ho detto, okay?»

«Okay.»

«Perché ha litigato col fidanzato e poi ha tentato di uccidersi con le pastiglie. Adesso sta da noi e dorme in camera mia, io invece nel lettone perché papà è via. Poi quando papà torna non so.»

Intanto torna Francesca con due bottiglie.

«Una di latte intero e una di parzialmente scremato, non so quale preferisci» dice porgendole all'Indistruttibile.

«Quello intero. Brava che hai preso quello fresco, l'altro fa venire le malattie.»

«Non credo» dice Francesca.

«Comunque è meglio essere prudenti.»

«Prudenti? Scusa, ma tu non sei quello che si butta in mezzo alle macchine?»

«Che c'entra? Quello era per divertimento. Però adesso non mi butto più.»

«Come mai?»

«Ci ho ripensato. E poi ho anche fatto una promessa.»

«A mia mamma?» interloquisce Livietta.

«No. Però è come se gliel'avessi fatta, perché lei mi diceva sempre di smettere. Ne volete tanto o poco di cappuccino?»

«Tanto. Ma ce l'hai il caffè?» dice Livietta.

«Ho l'orzo, quello solubile, vi piace lo stesso?»

Livietta dice di sì, Francesca non sa perché non l'ha mai assaggiato.

Più tardi sono seduti attorno al tavolo. Fanno una specie di brunch. Potti uggiola di desiderio. Livietta gli concede tre generosi bocconcini.

«Non sei una collega della profia» dice l'Indistruttibile rivolto a Francesca. «Non ti ho mai vista entrare a scuola.»

«No, io sono...»

Francesca non sa come definirsi e interviene Livietta:

«Lei è la sorella di Gaetano. Lo conosci?»

«Il poliziotto?»

«Sì.»

«Dove abiti?»

«In Francia. Prima a Strasburgo, adesso a Marsiglia.»

«Ci torni?»

«Sì. No. Non lo so.»

«Allora pensaci bene. Cos'è che avete in quella borsa?»

«Ah» risponde Livietta, «la mamma ti manda un giaccone imbottito che è di papà ma dice che lo devi mettere tu al posto dell'impermeabile grigio.»

«E perché?»

«Perché non ti colleghino con lei.»

«Cosa vuol dire?»

«Non lo so, ha detto che me lo spiega dopo e che tu non devi mettere l'impermeabile per un po'.»

A spiegare ci prova Francesca ma senza troppo successo, anche perché la catena degli avvenimenti che Camilla le ha raccontato la notte prima adesso le risulta un po' confusa.

«Lascia perdere» dice lui, «me lo spiega poi la profia che spiegare è il suo mestiere. Tu che mestiere fai?»

«Aiuto il mio fidanzato.»

«E lui cosa fa?»

«Lavora per le discoteche.»

«Che mestiere è?»

«Un mestiere di merda. Sai che sono proprio buoni questi croissant?»

«Si capisce che lo so. Li ho scoperti io. Ti piace Torino?»

«Non lo so, non l'ho ancora vista.»

«Se vuoi ti porto a fare un giro.»

«Dove?»

«È una sorpresa.»

«Però vengo anch'io. E anche Potti» dice Livietta.

«Mi fai la guardia, eh?» dice Francesca.

«No, è che mamma ha detto...»

«Di non mollarmi. Va bene, andiamo.»

47

L'arrivo della primavera non mi è mai piaciuto. Agli altri
mette addosso allegria, a me irrequietezza. Quest'anno è
anche un momento di passaggio incerto e di attesa sner-
vante. Di fantasie sul possibile e di decisioni da prendere.
Lei ha detto "dopo". La decisione importante sarà lei a
prenderla, non io, e in questo caso è giusto così. Del resto
noi uomini abbiamo smesso da un pezzo la veste di domi-
natori. Parità di diritti e di doveri. Il ruolo di cacciatori e
predatori non è più una nostra esclusiva. Il ratto delle Sa-
bine, il mito fondante della civiltà latina, con le donne ra-
pite che si oppongono alla vendetta di padri e fratelli e di-
fendono i loro rapitori, è roba passata e sepolta. Però...
però anche adesso la violenza ha potere di fascinazione e
la sudditanza genera piaceri inconfessabili. Nei rapporti
amorosi, poi, i confini tra gli opposti sono labili, le defini-
zioni nette perdono significato. Questa voglia che mi ha
preso di farle violenza, di costringerla... e lei ieri sera non
si sarebbe opposta. Come siamo imprevedibili quando entrano in gioco le emozioni e i sentimenti forti. Il nostro
risicato equilibrio, i cassetti in cui abbiamo riposto con-
vinzioni, scelte e priorità, l'appartamento mentale dove
riescono a convivere le nostre contraddizioni: tutto scon-
volto, tutto in disordine come dopo il passaggio di una
banda di vandali. Gli strumenti necessari per affrontare le
mille evenienze quotidiane non si trovano più, ci sentia-

mo dispersi in una terra sconosciuta. Disperso a Torino, a trentasei anni, quasi trentasette. Ho già provato una volta ad andarmene, e ora eccomi di nuovo qui... La ragione dice di troncare, di accettare il nuovo incarico a Roma e di ricominciare daccapo. Ma insieme c'è la tentazione prepotente di forzarle la mano, di obbligarla alla scelta che voglio io. E dopo? Cosa prevarrebbe in lei, il risentimento per una scelta quasi imposta, oppure la gratitudine per un'imposizione desiderata?

E poi Francesca. Questa sorella che di sbagli ne ha già fatti tanti. Cosa posso fare per lei, ammesso che mi lasci fare qualcosa? Però sono riuscito a portarla qui, ad allontanarla da Laurent, a costringerla a seguirmi, facendole violenza. Ed è stata Camilla a suggerirmelo.

48

All'una e mezzo suonano al citofono. Saranno Livietta e Francesca, pensa lei, e senza chiedere chi è apre il portone e la porta di casa. Dopo qualche minuto una voce maschile chiede permesso e sulla soglia compare mister McDonald.

«Entri» dice lei stupita ma non troppo, e lo fa passare. Da qualche tempo le sue reazioni di stupore di fronte agli imprevisti si sono affievolite, anzi non si tratta più di stupore ma di una sensazione diversa, quasi il semplice prendere atto di qualche cosa che, anziché restare nella sfera del possibile, è entrata in quella del reale. E sempre da qualche tempo la sua stanza preferita è diventata la cucina, una specie di grembo o tana difensiva, dentro cui si sente più protetta che altrove. Così fa accomodare direttamente in cucina mister McDonald, verso cui non ha alcuna consuetudine di rapporti né tantomeno confidenza.

«Un caffè?» gli propone. Lui risponde: «Sì grazie, lungo per cortesia» e lei ha una piccola occulta reazione di stizza, perché – sempre per cortesia – deve farglielo con la caffettiera americana e poi farne un altro con la macchina espresso per sé, dato che la brodaglia acquosa non le è mai piaciuta. Lui ha ancora addosso il cappotto e dice «Posso?» accennando a sfilarselo mentre lei armeggia coi caffè. «Certo» risponde e si rende conto di quanto sia diventata approssimativa la sua ospitalità. Ma non me ne importa niente, pensa, in mezzo a tutti sti guai l'ultima delle mie preoccupazioni è quella di fare la signora. E infatti, dopo aver posato davanti all'ospite un bicchierone di caffè color marroncino pallido, entra in argomento con una certa brutalità:

«Allora, mister McDonald, a cosa devo questa sua visita?»

Lui è un po' imbarazzato da questo approccio diretto e infatti tenta un diversivo:

«È molto gradevole la sua cucina, signora Baudino. Si sta bene, in questa stanza.»

«Grazie, ma temo che lo scopo della sua venuta non sia valutare la gradevolezza della mia casa, vero?»

«No, infatti. Desidero scambiare con lei alcune informazioni, se possibile.»

«Va bene. Però, prima di cominciare, vorrei avere una spiegazione. Non le chiedo come abbia saputo dove insegno e il mio indirizzo perché arrivo a capirlo da sola, le chiedo invece il perché di questo suo interesse per la morte della signora Vernetti e anche, in via subordinata, per la mia persona.»

Stavolta non ci sono testimoni, pensa intanto, gioco a carte scoperte e vada come deve andare. Lui annuisce, segno che dava per scontata la richiesta.

«D'accordo. Dora era la moglie del mio migliore amico ed era anche amica mia, sia pure in modo, diciamo così, meno diretto, meno intimo. Che io voglia sapere perché è stata uccisa e da chi mi sembra più che comprensibile. Ma c'è dell'altro, come lei ha ben capito. E se sono qui è perché sono sicuro che con quella morte lei non c'entra niente.»

«Come fa a esserne sicuro?»

«Dora mi aveva parlato di lei. Non si sbagliava nei giudizi sulle persone e io concordo col suo giudizio.»

«La ringrazio per la presunzione di innocenza che mi concede, e sono anche disposta a crederle, dato che nella mia situazione ogni attestato di fiducia è un'iniezione di ricostituente. Adesso mi parli di quell'"altro" cui ha accennato.»

«Andrea, il marito di Dora, nei giorni precedenti la sua morte, era visibilmente preoccupato. Aveva avuto dei gravi contrasti con un funzionario dell'ente per cui lavorava, grane sul lavoro, per così dire, ed era molto teso. Il giorno in cui è morto aveva un'agenda fitta di appuntamenti e alla riunione ad alto livello in cui si dovevano chiarire quei contrasti è arrivato stravolto, per la stanchezza probabilmente. Dopo pochi minuti è stato colto da un infarto fulminante. Dora, in un primo momento, ha avuto dei sospetti sulla morte di Andrea, sospetti infondati le assicuro, perché io ero presente a quella riunione e i soccorsi sono stati tempestivi, anche se inutili.»

«Sospettava che la morte non fosse naturale?»

«Sì, ma l'autopsia ha stabilito il contrario.»

«Perché mi racconta queste cose, signor McDonald?»

«Perché desidero sapere se Dora ne aveva parlato con lei.»

«Non capisco.»

«Se Dora ne aveva parlato con lei, forse l'aveva fatto anche con altri e in questo caso molte cose si complicherebbero.»

«Nel senso che anche la morte di Andrea Cantino potrebbe non essere stata naturale?»

«No. Nel senso che forse Dora ha rimesso in moto delle faccende ormai chiuse.»

«Signor McDonald, vediamo se ho capito bene: il marito di Dora faceva un lavoro di intelligence o di spionaggio chedirsivoglia, ha avuto dei contrasti con un collega o superiore e Dora ha pensato che l'avessero ammazzato per questo. Lei è convinto di no, ma teme che riparlando di quella faccenda Dora abbia messo in pericolo la propria vita e riaperto una questione ormai sepolta. È così?»

«Sì, all'incirca così.»

«Dora a me ha soltanto detto che all'inizio non riusciva a credere alla morte di suo marito, niente di più. E per quel che può valere la mia opinione, non penso che abbia parlato con altri di questo. Anche con me, come lei sa, ha taciuto molte cose.»

«Però le ha detto che qualcuno la seguiva.»

«No, quello l'ha detto alla sua parrucchiera e a me l'hanno detto i carabinieri.»

Quando McDonald se ne va sono le due. Meno male che ero sola, pensa lei, se fossero arrivate nel frattempo Livietta e Francesca sarebbe stato un bel casino, avrebbero subito accennato all'Indistruttibile e alla missione di cui le avevo incaricate. A quest'ora dovrebbero essere già qui, ma si vede che se la sono presa comoda. In un bel casino mi trovo comunque, perché adesso ci sono di mezzo pure i servizi segreti. Una volta, una sola volta in quarant'anni ho pensato che volevo una vita spericolata e guarda cosa mi è capitato. Presente all'incidente occorso a un'amica. Incidente mortale. Incidente non casuale ma provocato ad arte. Omicidio volontario. Interrogata dai carabinieri. Sospettata di complicità nell'omicidio. Spione poliglotta che si precipita qui dall'America. Probabile morte innaturale del marito dell'amica, spione pure lui. Intrigo internazionale. Lo spione però non è Cary Grant. Io soffro di vertigini. Se mi appendo nel vuoto a un dirupo del Monviso prima vomito e poi mi sfracello. Mi rimangio tutto: voglio una vita da mediano, voglio un tinello con le bomboniere esposte nella vetrina del buffet, voglio i centrini di pizzo all'uncinetto sotto il vaso di fiori, voglio le pattine di feltro per non rigare la cera sui pavimenti, voglio vedere la tele tutte le sere meno qualche sabato quando si va in pizzeria. Voglio non aver conosciuto Gaetano, voglio smaniare per un divo dello schermo che non incontrerò mai, voglio annoiarmi e passare due pomeriggi alla settimana al supermercato. Voglio tenere in ordine perfetto la casa, senza polvere, senza niente fuori posto, senza roba in arretrato da stirare. Voglio dar retta a tutti i consigli di mia mamma e diventare come mi vuole lei.

Forse così sarei al sicuro.

Ma non è così sicuro che sarei al sicuro: può sempre capitare che il negoziante sotto casa volendo fregare l'assicurazione sbagli con l'esplosivo e faccia saltare lo stabile. Nove morti: io marito figlia madre più altri cinque sfigati per non parlar del cane.

Ma perché quelle due con Potti al seguito non sono ancora qui, come mai la tirano così per le lunghe?

Oppure il TIR che si rovescia in galleria, prende fuoco e a chi tocca tocca, anche se è la prima volta che passa sotto il traforo del Bianco. Però con mister spione sono stata abbottonata, stavolta. Astuzia volpina: non ho accennato all'Indistruttibile e neppure a Nicola Sorrentino, ho addirittura detto la verità riguardo alla parrucchiera e ai carabinieri così se lui mette in moto le sue talpe non può che averne conferma. Ma mi sa che le cose per me vanno sempre peggio. Coi servizi segreti coinvolti, la verità va a farsi fottere, sono capaci di affermare che Pasqua l'anno scorso è caduta di giovedì e sbattergli in faccia i calendari non serve a niente. Se gli va, rimontano all'indietro il film e Dora risulta caduta in avanti perché aveva fatto indigestione di sonniferi. Nuova perizia sulle conclusioni dell'autopsia: le prime risultanze sono smentite dalle seconde. Ma se non gli va e per insabbiare il tutto preferiscono la presenza di un colpevole, c'è un'altra verità già pronta da servire: la finta amica, l'amica malefica che volendo ereditare una casa miliardaria circuisce un povero mentecatto e lo convince a spintonare Dora. Una mezza calzetta di profia che non ha santi in paradiso e un avanzo di manicomio: nessun avvocato con la faccia da rettile si farà avanti per prenderne le difese e partecipare ai talk-show. Quanti anni mi daranno? Potrei fabbricare un paio di figli come puerpera attempata per allontanare nel tempo i rigori della legge, ma prima o poi in galera mi ci sbattono. Non ho neppure l'arma del pentimento, che è appannaggio dei mafiosi e dei terroristi, al massimo potrò contare sulla buona condotta. Insegnerò storia della letteratura alle carcerate nostrane che ambiscono a un diploma, oppure italiano alle extracomunitarie che mirano a restare qui. Avrò tempo per leggere, per scrivere un romanzo noir che troverà un editore grazie alla mia condizione di detenuta e ogni tanto mi verrà a trovare qualche politico in cerca di visibilità televisiva.

Porcamiseria se tardano, quelle due!

Certo che sul vitto non dovrò fare la schizzinosa, in galera non servono menù da ristoranti a tre stelle Michelin, solo pasta scotta, carne di vacche morte di vecchiaia o di fatica, frutta da discarica. Avanzerò la sbobba più disgustosa o la cederò alle compagne più fameliche. Dimagrire non mi costerà fatica, rientrerò nella taglia quarantadue, a pena scontata mi infilerò di nuovo nei vestiti che adesso mi stanno stretti ma che non butto via e che per allora saranno diventati vintage e quindi scicchissimi. Non so come si metterà con le sigarette. Di sicuro lo Stato vorrà redimermi anche in questo campo, da bravo Stato etico. Del resto lo scopo principale della pena è rieducare, dicono. Col passare del tempo accetterò con rassegnazione l'ingiustizia subita. Rifletterò sul fatto che la verità è quella che sta scritta sui libri e sui giornali, quella che è mostrata dalla tele, quella che è proclamata da chi conta. Di diverso rispetto a mille duemila tremila anni fa c'è solo, tecnologia a parte, che adesso lo sanno quasi tutti.

Potevo dargli il telefonino, a quelle due, così adesso sarei in grado di rintracciarle. Va bene fare un brunch con l'Indistruttibile, ma non è che debbano svernare lì. Forse sono stata imprudente, ma mi sembrava opportuno concedere fiducia a Francesca, farle sentire che non la tengo sotto chiave...

Però di cose che non quadrano ce ne sono un sacco: se davvero è un intrigo internazionale, com'è che a pedinare Dora mettono uno sprovveduto come Nicola Sorrentino? A meno che oltre a Nicola ci fosse pure qualcun altro, uno o più di uno, dei professionisti veri che l'Indistruttibile non ha notato. Sarebbe come dire che quando Dora usciva in strada, da sola o con me, aveva al seguito un'intera processione, Nicola con le scarpe rosse, l'Indistruttibile con l'impermeabile grigio e altri dal vestiario sconosciuto. Il marito di Dora, secondo Alec McDonald, aveva avuto "dei contrasti" con un collega, ma cosa significa "contrasti" nel mondo delle spie? La scoperta che l'altro faceva il doppio gioco, che manipolava documenti, che era implicato in affari più sporchi e loschi di quelli soliti? Alla "riunione ad alto livello" mister Cantino arriva "stravolto", tanto stravolto che subito dopo gli viene uno *s-ciopón*, sempre che l'infarto fulminante sia stato davvero tale e non la versione plausibile di un omicidio. Per mezzo dell'aconitina, per esempio, nel caso che gli spioni abbiano frequentato un po' i classici. E se li hanno frequentati, hanno opportunamente modificato la ricetta d'intervento: niente succo delle amare radici di aconito, con cui i Romani strofinavano le lame delle spade per renderle più letali (una morte per trafittura di spada risulterebbe comunque sospetta) ma qualche semino finemente triturato immesso nella miscela del caffè o del tè: nessun odore, nessun sapore, mister Cantino tracanna il beverone e – oplà! – defunge con tutti i crismi dell'infarto senza che l'evento risulti innaturale. I servizi segreti di modi pseudopuliti per far fuori la gente ne devono conoscere uno più di mille, e magari i "soccorsi tempestivi" sono una versione eufemistica del colpo di grazia.

Adesso il ritardo comincia a preoccuparmi davvero: una bambina di otto anni, sveglia sì ma sempre di otto anni, una ventitreenne come minimo nevrotica, un cagnetto ringhioso ma tutto sommato inoffensivo che sono finiti chissà dove. Magari in compagnia dell'Indistruttibile, che conosce bene la città ma che nessun tour operator assumerebbe come guida. Calma, resta calma. Non contargli mentalmente i minuti e i passi, tra poco arriveranno. Però una telefonata dalla cabina costa poco, Francesca avrebbe potuto farla!

Il giorno in cui è morto, Andrea Cantino aveva un'agenda fitta di appuntamenti. Avranno controllato con chi, si saranno chiesti su quali argomenti. Se non è stata la stanchezza oppure la tensione per il "contrasto" col collega a stravolgerlo, può essere stato uno di quegli appuntamenti. Ma in ogni caso, se di vero infarto si è trattato, non c'è un colpevole, escluse le coronarie e la pressione alta. Strano però che, con la mania salutista che imperversa in America, Andrea Cantino fosse così trascurato, e strano pure che Dora, da brava moglie, non gli imponesse dei regolari check-up. Ma è anche vero che, salutismo a parte, pure in America si muore.

Alle cinque del pomeriggio lei era in preda all'angoscia. Francesca Livietta e Potti sempre assenti, senza aver dato alcuna notizia. Che cosa faccio?, si chiedeva in continuazione ma non riusciva a darsi una risposta sensata. Non aveva telefonato a Renzo, sempre a Zurigo per lavoro, perché lo avrebbe trascinato con sé nel panico, non era scesa a confidarsi con la madre perché ne temeva i rimproveri una volta tanto sacrosanti, non aveva chiamato Gaetano perché si sentiva in colpa. Gli aveva suggerito di portare con sé la sorella, si era offerta di ospitarla e poi aveva commesso un'azione stupidamente incauta. Ma la preoccupazione era soprattutto per la sorte di Livietta. In giro per la città insieme a una squilibrata. Una che aveva così poco da perdere che non più di quattro giorni prima aveva cercato di farla finita. Una in preda a una sindrome autodistruttiva, che in un altro raptus di follia o di disperazione poteva decidere di trascinare con sé nella morte chi le era occasionalmente accanto. Giù dal cavalcavia di corso Sommeiller, per esempio. No, troppo lontano, non ci arrivano a piedi e Francesca non conosce la città, non sa che quello è un posto che invita. Altri cavalcavia? Ancora più periferici, da escludere. Allora dove, come? Quali sono le fantasie mortuarie che possono abitare in una mente ottenebrata dal disgusto della vita? E se l'Indistruttibile l'avesse contagiata con la sua mania? Eppure se ne è liberato, almeno così ha detto. Se fossero state coinvolte in un incidente, qualcuno avrebbe già telefonato. No, impossibile: la bambina non aveva con sé nessun documento e Francesca nemmeno, sono uscite così, solo con il portafoglio in cui avevo messo i soldi per i croissant. Mioddio, magari sono in un ospedale e nessuno sa chi siano! Oppure si sono imbattute in qualche balordo, un drogato uno psicopatico un killer, che con le buone o con le cattive le ha fatte salire in macchina e le ha portate chissà dove. Stupro, sevizie. Coltelli, lacci, spranghe. Corpi martoriati nascosti da una siepe, in mezzo al fango. Potti impiccato al ramo di un albero. La città è violenta, il pericolo si acquatta ovunque. È solo colpa mia e non potrò mai perdonarmi! Mai mai mai.

«Siamo andate a vedere le ghiacciaie. Mamma, cos'hai?» dice Livietta quando finalmente rientrano.

Lei più che pallida è verde, ha le mani che le tremano, il respiro affannato. Non risponde. All'ansia e al panico si è sostituita un'ira furibonda contro Francesca. Si siede per non prenderla a schiaffi. Guarda distrattamente Potti che si è allungato a terra, sfinito dalla camminata troppo lunga per i suoi piottini corti. Non alza lo sguardo verso Francesca perché in questo momento la odia con un'intensità sconosciuta. Dovevi prenderne di più, di pastiglie, pensa. La ragazza si libera del giubbotto, si siede a sua volta, la fissa per qualche secondo.

«Scusami» dice. «Scusami tanto.» Poi mette una mano sopra la sua.

49

«Posso farti una domanda?» chiede Dino.

«E tu falla» risponde Gaetano.

«Com'è che sto caso ti interessa tanto? Lo so che non sono affari miei, ma visto che lavoriamo insieme mi piacerebbe capire.»

«È una storia lunga.»

«Capito. Non ti va di parlarne.»

«Ma no, tanto vale che tu sappia tutto. Questo caso è collegato a un altro, quello della donna spinta sotto al tram su cui indagano i carabinieri. Una mia amica ci è stata tirata dentro, ma non ne può niente.»

«E tu vuoi tirarla fuori. È una tua amica o la tua donna?»

«Veramente...»

«D'accordo, come non detto.»

«Non è la mia donna. È sposata e con una figlia.»

«Ma è qualcosa di più di un'amica.»

«Dino, che vuoi, una confessione?»

«Per carità. Mi bastano quelle dei delinquenti. Lasciamo perdere.»

«È qualcosa di più di un'amica, ma non quello che pensi tu.»

«Madonnamia, ti sei innamorato. E lei?»

«Anche lei, credo.»

«Lo credi o lo sai?»

«Lo so.»

«E allora?»

«Allora è lei che deve decidere.»

«E intanto è sospettata di omicidio. Un bel casino.»

«Già.»

«Beh, una cosa per volta. Prima la tiriamo fuori dai guai e poi lei decide. Oppure decidi tu. Intanto spiegami com'è che i due casi sono collegati.»

Gaetano spiega. Le rivelazioni dell'Indistruttibile, lo sfogo della sorella di Nicola, la casa lasciata in eredità da Dora... Dino segue con attenzione: in lui, oltre all'interesse professionale, è scattato il piacere dell'intrigo e della complicità.

«Il problema è scoprire per conto di chi il Sorrentino pedinava la Vernetti. Sto povero imbecille con la sua mania della segretezza combina casini anche da morto. Un cellulare ce l'aveva di sicuro, con la scheda intestata a chissà chi, ma l'assassino l'ha fatto sparire. Di impronte digitali neanche a parlarne, primo perché avrà preso le sue precauzioni, poi perché quando abbiamo trovato il morto noi abbiamo pasticciato un po'. Sai com'è, coi tossici schiattati di overdose non si va tanto per il sottile... Secondo te il Colato ci ha detto tutto quello che sa?»

«Riguardo a Nicola probabilmente sì. Sui traffici suoi no.»

«Però abbiamo un bel verbale firmato da lui. Che ci serve per andare avanti e anche per incastrarlo un po'. Traffico di auto rubate con i paesi dell'Est e con il Nordafrica, che ne dici, può essere?»

«Può essere, più altri truschini minori, come i traslochi dei separati che vogliono fregare la controparte.»

«Per il momento vedrò di fregare lui e la sua Cherokee. Brutto bastardo.»

«Bastardo non so, brutto di sicuro. C'è una cosa che continuo a chiedermi...»

«Anch'io. Che cosa ha dimenticato l'assassino di così importante da dover tornare indietro.»

«Esatto. E se non l'avesse trovata, se fosse rimasta lì?»

«Torniamo a vedere. Un colpo di culo ogni tanto non guasterebbe.»

50

Il lutto mette a nudo fragilità insospettate, allarga le crepe delle corazze, fa tornare in mente ricordi che si speravano sepolti per sempre. Alessia è seduta in cucina, il pretesto di un raffreddore di primavera le ha concesso di evitare la cassa della macelleria e le chiacchiere con le clienti. Fuori c'è un sole tiepido, ci sono colori da cartolina pasquale, ma lei non ha voglia di guardare. Credevo di aver superato lo smarrimento e l'angoscia per la morte di Nicola, pensa, e invece la visita del commissario Berardi ha rimesso tutto in discussione. Omicidio, ha detto, e il suo collega ha confermato. Non una bravata finita male insieme con uno sbandato come lui, non un incidente, un errore, una stupidaggine pagata troppo cara. No, qualcuno ha voluto ucciderlo e ha montato una messinscena accurata per confondere le tracce. Chi, perché? Povero stupido fratello mio che non hai saputo difenderti, che non ti sei inventato una vita diversa. La colpa non è tutta tua, di colpe ne ho anch'io, non solo perché non ho insistito abbastanza per aiutarti, ma soprattutto perché ogni volta ho sperato che il mio aiuto tu lo respingessi. Soltanto adesso mi viene in mente che forse te n'eri accorto, che sotto le mie buone intenzioni avevi fiutato la puzza dell'ipocrisia. Perdonami, Nicola. Poter tornare indietro, poterci capire un po' meglio... E fare altre scelte, tu e io. Tu ci hai rimesso la vita, io sono intrappolata in una vita che mi pesa sempre di più.

Credevo, fino a pochi giorni fa, che i tempi più duri fossero passati, quelli subito dopo il matrimonio, quando ho dovuto rinunciare a tante speranze. Poi sono venuti i figli e star dietro a loro, alle pappe, alle cacche, alle croste, ai mal di pancia, mi ha tolto il tempo per i rimpianti, mi ha anestetizzata dall'insoddisfazione. E dopo ancora mi sono abituata a non chiedere altro, ad accontentarmi. Adesso invece c'è questa insofferenza, questa ribellione, questa tentazione di dare un calcio a tutto e ricominciare. I figli sono abbastanza grandi da poter fare a meno di me, hanno la scuola, la palestra, gli amici e i primi amori. La casa gli sta stretta, i loro interessi sono fuori. Giuliano potrebbe trovarsi un'altra donna, una di quelle clienti che hanno tempo da perdere e che gli fanno gli occhi dolci non soltanto per farsi tenere il filetto o le scaloppe più tenere. Lo so, lo so che non mi ha mai fatto dei torti, che è un brav'uomo eccetera, ma l'idea di passare il resto della mia vita accanto a lui mi fa quasi invidiare Nicola. La mia è una morte a piccole dosi, un granello omeopatico ogni giorno, nessun sollievo sino alla fine. Andarmene, avere a quasi quarant'anni il coraggio che non ho avuto a venti, quando ho voluto garantirmi una sistemazione prima di chiudermi alle spalle la porta di casa. Trovare finalmente un uomo che mi faccia venire voglia di andare a letto con lui. Ecco, sono finalmente riuscita a dirmelo. Uno come il commissario Berardi, che oggi, mentre mi parlava, mi ha fatto venire un rimescolamento del sangue, una sensazione di dolcezza e mollezza giù all'inguine che ho provato soltanto a sedici anni con Michele, quando mi frugava con le mani, quando mi baciava, prima di piantarmi per dare retta ai suoi, che non volevano che si mettesse con la figlia di una puttana. Dopo, ho girato alla larga dai maschi, perché ero stata troppo male per quell'abbandono e in più mi vergognavo e non volevo ricascarci. Con Giuliano è stato diverso: non lo amavo e quindi non poteva ferirmi. Come sono stata brava a rovinarmi la vita, brava quasi quanto mio fratello! No, non sono riuscita a essere d'aiuto al commissario, non so chi sia il "capo" che ogni tanto faceva fare dei lavori a Nicola. Però ho come la sensazione di un ricordo che non riesco a far riaffiorare, qualcosa di lontano che mi sfugge mentre cerco di metterlo a fuoco. Se le torna in mente mi chiami in qualunque momento, ha detto. E io vorrei tanto ricordare, per farla pagare all'assassino di Nicola. E anche per rivedere lui, il commissario.

51

Il tenente non è ancora arrivato. I due marescialli stazionano davanti al distributore di caffè.

«Novità?» chiede Saracco che torna da due giorni di riposo.

«Poca roba. Sabato ho staccato mezza giornata anch'io e sono andato a Porta Palazzo a cercare la Marghera» dice Abatangelo.

«Per controllarle la misura delle tette?» lo sfotte il collega.

«Per comprare il gorgonzola. La Baudino aveva ragione.»

«Sono grosse come ha detto?»

«Ma piantala. Aveva ragione sul gorgonzola.»

«E sulle tette?»

«Anche su quelle, se proprio vuoi saperlo. Un davanzale che ci puoi appoggiare i vasi di geranio.»

«A me le tette grosse non sono mai piaciute.»

«Si vede che ti hanno tirato su col latte artificiale.»

«Dici che è per quello?»

«Che ne so. A me piacciono, ma non esagerate. E senza silicone.»

«Quelle grosse non stanno su bene.»

«Ma quelle piccole non ti riempiono la mano. Sono come le mele del melaro.»

«Hai comprato anche quelle?»

«Sì, ma solo un chilo.»

«Come sono?»

«Come le altre, mi sembra. Però non è che me ne intenda troppo, di frutta ne mangio poca.»

«Allora perché le hai comprate?»

«Per curiosità. Davanti al banco c'erano almeno venti persone, ho pensato che ci doveva essere una ragione per la coda.»

«Cosa facciamo con la Baudino?»

«Aspettiamo. Non c'è niente di nuovo.»

«Ma Ciccarelli continua a rompere le palle.»

«A lui ci pensa il tenente. È bravo a fargli abbassare le ali. E poi cos'è tutta sta fretta, come se avesse il fuoco al culo?»

«Non so, è fatto così. Come se la cava Nardi con le scartoffie che ha da esaminare?»

«Ci sta passando le notti. Dice che ci sono cose che non quadrano.»

«E col pedinatore a che punto siamo?»

«Aliberti non riesce a scovarlo. Però l'ha visto anche uno dei portieri del residence, che prima era in ferie. Adesso fanno un identikit nuovo.»

«Se arriviamo a beccarlo siamo a oltre metà strada.»

«Se arriviamo a beccarlo risolviamo il caso.»

52

Nessun colpo di culo. Avevano frugato la casa di Nicola
con attenzione meticolosa e non era saltato fuori niente di
utile, segno che l'assassino si era portato via quello che gli
premeva. Rovistare tra abiti e biancheria di quel povero
disgraziato (mutande ingiallite, calzini scalcagnati, qualche felpa griffata), tra le sue scarse provviste alimentari
(scatole di sardine, sottaceti, biscotti, bibite e caffè solubile
da discount), tra qualche "Dylan Dog", "Diabolik" e "Tex
Willer", aveva messo addosso a Gaetano un supplemento
di malinconia. Una vita con pochi spiragli di luce, con poco affetto, poche prospettive. Ogni tanto gli capitava di
pensare a quante esistenze si bruciano senza colpe gravi,
solo per un accumulo di miseria materiale e mentale, esistenze che non entrano nelle statistiche e che sfuggono ai
rilevamenti ufficiali. Vuoti a perdere, scarti da discarica.
Dino aveva trovato una dozzina di videocassette e le stava passando in fretta al registratore, immaginando già
prima quello che contenevano: ammucchiate, organi geni-
tali in primo piano, pezzi di carne di macelleria umana.
Ordinaria pornografia a basso costo, surrogato triste del
sesso vero. Nessuna agenda, nessun appunto, nessuno
scritto che potesse fornire qualche indizio. Alla fine lui e
Gaetano avevano dovuto arrendersi e per non lasciare
niente di intentato erano andati a Ciriè per sentire ancora
una volta la sorella, caso mai le fosse tornato in mente
qualcosa. Non le era tornato in mente niente di nuovo.

«Continuiamo a sbattere la testa contro un muro» aveva commentato Dino, e Gaetano aveva temuto che avesse intenzione di mollare. Però poi a tutti e due era venuta l'idea di dare un'occhiata agli effetti personali di Nicola, a quello che aveva addosso la sera che era morto: in una busta sigillata di plastica, insieme a portafoglio scarpe eccetera, c'erano i jeans e in fondo al taschino anteriore dei jeans avevano finalmente trovato qualcosa.

«Ho bisogno di fare una doccia» dice Francesca più tardi, «ma i miei borsoni sono rimasti in macchina.»

«Posso darti un telo di spugna e delle ciabatte nuove, anche un accappatoio, ma la mia biancheria non è della tua misura» risponde Camilla, libera ormai da ansia furia e pensieri maligni.

«Grazie, va benissimo l'accappatoio, poi Gaetano mi porta la mia roba.»

Francesca sparisce in bagno, Livietta racconta l'avventura delle ghiacciaie:

«Sono profonde, mamma, come degli imbuti grossissimi, delle caverne ma di mattoni, tu le hai mai viste? L'Indistruttibile dice che quando non c'erano i frighi – è giusto frighi? –, no, allora frigo, insomma quando non c'erano, la gente metteva lì dentro la neve che poi diventava ghiaccio e quando ne avevano bisogno andavano a prenderlo, d'estate però, perché dice che d'inverno non gli serviva. Ma se d'inverno gli veniva voglia di un ghiacciolo, come facevano? Ah, dici che stavano senza. Lui, l'Indistruttibile, dice anche che il ghiaccio di neve è più buono di quello del frigo, sarà vero? A me non mi... a me non pare, guarda che ho detto giusto, perché il ghiaccio è sempre fatto di acqua. No? Allora proviamo a fare il ghiaccio con l'acqua del rubinetto e con la minerale e vediamo quale è più buono. Poi quando andiamo in montagna proviamo anche a farlo con la neve. Dici che Francesca si ammazza di nuovo o non lo fa più?»

Appena ha finito di raccontare l'avventura suonano al citofono:

«Chi è?» chiede Camilla.

«Medico fiscale, apra per cortesia. Che piano?»

«Lei è davvero un medico fiscale?» chiede allo sconosciuto di mezz'età quando esce dall'ascensore.

«Certo. Vuole vedere il tesserino?»

«Non serve. Se lei non fosse quello che dichiara di essere, il tesserino direbbe comunque il contrario.»

«Scusi signora, ma perché non dovrei essere il medico fiscale?»

«Perché di questi tempi girano un mucchio di vigili, tecnici dell'acquedotto della Telecom dell'Enel dell'Italgas che non sono affatto tali. Poi perché è roba da non credere che la visita fiscale arrivi il primo giorno di malattia. Però lei non ha una faccia truffaldina, entri pure.»

«Com'è una faccia truffaldina?»

«Diversa dalla sua. Io sono di scuola lombrosiana.»

«Non si è mai sbagliata?»

«Un sacco di volte. Ma mi piace pensare che non avessi osservato con sufficiente attenzione. Preferisco salvare la teoria. Vuole un caffè, qualcosa da bere oppure non può perché è in servizio?»

«Posso benissimo. Accetto volentieri un caffè. Vedo che ha la macchina espresso.»

«Ebbene sì. Intanto si sieda. E mi spieghi, se può, com'è che la burocrazia è diventata così sollecita.»

«Dovrebbe spiegarlo lei a me.»

«Io?»

«Sì. Ha per caso minacciato di ammazzare la sua preside, l'ha insultata, picchiata o che cosa?»

«Non le ho fatto proprio niente. Però non approvo tutti i suoi progetti, non faccio la lecchina o la spia e questo la manda in bestia.»

«Quante volte ha chiesto un congedo per malattia negli ultimi cinque anni?»

«A parte questo, una volta sola. Tre giorni, per un'influenza.»

«Allora la sua preside ce l'ha proprio con lei. Stamattina si è attaccata al telefono e ha rotto le balle, pardon, le scatole a un sacco di gente per farle fare subito il controllo fiscale. Quanti giorni ha chiesto?»

«Una settimana. Sono tesa, ho mal di stomaco, non riesco a dormire senza sonniferi e qualche volta neppure con quelli.»

«Cosa le è capitato?»

«Sono sospettata di omicidio.»

«Porca putt...! Mi scusi. Che omicidio?»

«Dora Vernetti, la signora spinta contro un tram.»

«Ah, ecco, mi sembrava di averla già vista. Nella foto sui giornali. Però, dato che sono un po' lombrosiano anch'io, mi lasci dire che non le trovo una faccia da assassina.»

«Grazie. Oggi è la mia giornata fortunata: lei è la seconda persona che me lo dice.»

«Squisito, il suo caffè. Che marca usa?»

«Lo compro in torrefazione. Ottanta per cento Arabica, venti per cento non so, sarebbe meglio macinato sul momento ma ho rinunciato al perfezionismo.»

«Senta, facciamo così. Io di giorni gliene do quindici, poi se vuole tornare a scuola prima lo decide lei.»

«Molto gentile. Tra noi lombrosiani ci si intende subito.»

53

In fondo al taschino anteriore dei jeans c'era una pallotto-
lina di carta che, spianata, risultò essere uno scontrino fiscale. Data di emissione: il giorno stesso della morte di
Nicola, alle diciotto e cinquanta; importo 16,65 euro; merce acquistata: una bottiglia di whisky Jack Daniel's, la
stessa ritrovata mezza vuota. Lo scontrino era stato emes-
so da Vizi e Sfizi, un supermercato di vini, liquori e de-
likatessen ubicato sulla statale 29 tra Moncalieri e Trofa-
rello, a circa una dozzina di chilometri da Torino. Gaetano
chiamò subito al cellulare Richi per sapere se Nicola quel
giorno avesse ancora in prestito un'auto o un motorino
del suo parco macchine e la risposta fu no. Improbabile
quindi che la bottiglia l'avesse comprata lui, quasi certo
invece che l'acquisto fosse stato fatto dal suo visitatore e
assassino.

«Dici che siamo sulla buona strada?» chiese Dino.

«Speriamo» sospirò Gaetano.

Salirono in macchina e si precipitarono al Vizi e Sfizi,
con l'eccitazione di due segugi che hanno annusato una
pista e non vogliono lasciarla raffreddare, ma anche con il
timore inespresso di scoprirla ormai gelida. Quella pallot-
tolina era un buon indizio – glielo diceva il loro fiuto di
investigatori –, era forse ciò che aveva spinto l'assassino a
tornare sui suoi passi, ma era passato troppo tempo per
sperare che qualcuno ricordasse qualcosa.

Il proprietario del supermercato si dimostrò eccezional-
mente collaborativo (segno che ha qualcosa da nascondere
e vuole liberarsi in fretta di noi, pensarono di striscio Dino e
Gaetano), scartabellò subito un suo registro e disse che erano proprio fortunati, che la cassiera che aveva battuto quello scontrino era presente, che avessero la pazienza di aspettare dieci minuti e lui la faceva sostituire e gliela mandava.
Non dieci, ma cinque minuti dopo la cassiera arrivò davanti a loro e, come temevano, non ricordava proprio niente. Di
scontrini ne batteva centinaia ogni giorno, tutti, dato il tipo
di supermercato, per l'acquisto di vini, liquori o prodotti
alimentari: le facce dei clienti non potevano restarle impres-
se per più di qualche secondo, giusto il tempo di ritirare i
soldi o la tessera del bancomat e di porgere eventualmente
il resto. Però, siccome non aveva niente da nascondere, e il
diversivo di mollare la cassa le era gradito, e in più le piacevano quei due poliziotti, aggiunse spontaneamente che il
locale era sottoposto a videosorveglianza, come era del resto dichiarato da un paio di cartelli posti all'ingresso, cartelli che Dino e Gaetano nella loro fretta non avevano notato.
E le registrazioni per quanto tempo venivano conservate?
Questo lei non lo sapeva, dovevano chiederlo al ragionier
Delli Carri, cioè al proprietario. Richiamarono il proprietario, che aveva l'aria di chi ha un doloroso mal di pancia
(evasione dell'IVA? merce proveniente da qualche TIR sgraf-
fignato e svuotato? dipendenti extracomunitari in nero? lo-
cali non perfettamente a norma?) e gli fecero la stessa domanda. Non c'è una regola fissa, rispose, dipende da vari
fattori. Quali? Beh, se per esempio i due sorveglianti in borghese notavano dei tipi sospetti che si guardavano un po'
troppo attorno, che tornavano troppo spesso senza fare acquisti, oppure se i furti erano al di sopra di una certa soglia,
beh, allora le registrazioni erano conservate anche per due
tre settimane o un mese, in caso contrario erano cancellate
dopo quattro o cinque giorni.

«A noi interessa quella del 5 aprile, vuole controllare se
c'è ancora?»

«Subito» disse il proprietario, e si avviò fuori dall'ufficio, seguito per prudenza da Dino, che nel corso degli anni aveva maturato la convinzione che fregare la polizia fosse una diffusa ambizione nazionale cui non si sottraevano neppure i più specchiati cittadini. Il Delli Carri proprio specchiato non doveva essere, tanto che, nella sua agitazione, si era dimenticato di rispedire la cassiera al suo posto di lavoro e l'aveva invece lasciata lì in ufficio a fare gli occhi da pesce lesso a Gaetano.

«Ma porca di una miseria schifa, una che è una non ci va liscia, in questa indagine di merda!» commentò Dino più tardi salendo in macchina e sbattendo forte la portiera. Registrazione cancellata, un altro buco nell'acqua. «Cosa facciamo adesso? Andiamo dai caramba a dirgli quello che sappiamo, cioè che non sappiamo ma sospettiamo, oppure aspettiamo che succeda un miracolo?»

«Più che un miracolo ci servirebbe una talpa.»

«Una talpa dei caramba?»

«Già.»

«Cosa vorresti che ci soffiasse?»

«Qualcosa sui tabulati telefonici della Vernetti, qualcosa sui suoi soldi, per esempio.»

«Non conosci nessuno, da loro?»

«Nessuno disposto a sbilanciarsi fino a quel punto. Per di più io a questo caso ci lavoro di sfrodo, non dimenticartelo.»

«E il questore?»

«Non ha nessun interesse a muoversi. Gli equilibri e i buoni rapporti formali non vanno toccati se non ci sono delle ragioni importanti.»

«E allora?»

«Allora non so. Avrei voglia di prendermi una bella sbronza per non pensare a niente.»

«Possiamo prenderla insieme. Due poliziotti amareggiati e infelici seduti sugli sgabelli davanti al bancone di un bar, come nei film americani.»

«Infelice anche tu?»

«Incazzato, più che altro.»

«Perché?»

«Per gli alimenti che devo passare alla mia ex.»

«Divorziato?»

«Non ancora, solo separato. Mi farà vedere i sorci verdi per il divorzio. Allora sta sbronza ce la prendiamo o no?»

«Non posso.»

«Devi vedere la tua bella signora?»

«Devo portare i borsoni a mia sorella.»

«Non capisco.»

«Storia lunga anche questa. Mia sorella sta da lei, dalla bella signora come dici tu, perché è in crisi, crisi brutta, e non sapevo dove lasciarla.»

«Madonna che casino. Mi sa che stai messo peggio di me.»

«Credo proprio di sì.»

54

Profumata di sciampo e di balsamo, con un colorito non più verde-giallo, Francesca appare meno sciupata, ma negli occhi conserva una luce inquieta, quasi febbrile.

«Cosa faccio adesso?» chiede a Camilla.

«Adesso aspettiamo che Gaetano si faccia vivo e porti qui le tue cose.»

«E poi?»

«Poi non so, dipende soprattutto da te.»

«Se fosse dipeso da me, adesso non sarei qui.»

«Saresti sottoterra, e non potresti tornare indietro.»

«Chi ti dice che io abbia voglia di andare avanti?»

«Nessuno, però so che poi passa.»

«Cosa passa?»

«La voglia di morire e tante altre cose.»

«Quali per esempio?»

«La disperazione, il senso di fallimento, il disamore di sé, l'amore rovinoso per qualcun altro.»

«Tieni per caso una rubrica di posta del cuore?»

«No, ma mi piacerebbe.»

«Per dare consigli del cazzo dall'alto della tua saggezza?»

«Semmai dal basso delle mie contraddizioni.»

«Ah già, dimenticavo che anche tu hai un amore rovinoso.»

«Non è rovinoso, perlomeno non ancora.»

«Cosa hai intenzione di fare?»

«Non lo so, anch'io dovrò prendere una decisione e non credo che sarà facile.»

«Non mi sembra tanto difficile decidere se scopare o no con qualcuno.»

«Non si tratta di decidere se scopare o no.»

«Che cosa allora? Piantare tutto per metterti con mio fratello? Mi sa che la stai mettendo giù grossa mentre non è il caso.»

«Francesca, smettila di dire stupidaggini: chi l'ha messa giù grossa sei tu, che volevi addirittura mòrire. Più grossa di così!»

«Ma che ne sai? Io avevo mille ragioni per farla finita.»

«Mille ragioni sarebbero che Laurent ha un'altra, oppure che ti tratta male e magari ti mena, oppure che se ne frega di te, oppure che si è stufato e non vede l'ora che tu ti tolga dai piedi?»

«Già, ma elimina tutti i tuoi oppure.»

«Bella carogna non perché abbia un'altra, ma perché ti tratta male... E a uno così tu vuoi pure rendere le cose facili?»

«Non voglio rendergli le cose facili, voglio che mi ami.»

«Guarda che non si ama a comando e quando è finita, è finita; alla tua età l'hanno imparato anche i ritardati mentali.»

«Sei davvero una stronza.»

«Me l'hai già detto e non me la sono presa solo perché stai male.»

«E perché sono la sorella di Gaetano.»

«Esatto, a un'altra avrei già dato due calci in culo.»

«Con le ciabatte che porti non faresti un gran male.»

«Mi sarei messa prima gli anfibi, cosa credi.»

«Non ti vedo con gli anfibi, non sei il tipo.»

«Infatti non li ho, ma posso sempre comprarli.»

«Faresti meglio a comprare prima delle altre ciabatte.»

«Su questo non posso darti torto, cosa mi consigli? Babbucce azzurre con le piume di struzzo, pianelle marocchine con la punta all'insù, pantofoline di feltro ricamate, scarpette di cristallo da Cenerentola?»

«Quello che ti pare, puoi anche andare scalza.»

«Scalza no, lascerei le impronte sulla cera e mi dispiacerebbe per Luana.»

«Chi è Luana?»

«La mia colf.»

«Non dev'essere un'aquila, a giudicare dallo stato della casa.»

«Sai una cosa, Francesca? Comincio a pensare che Laurent non abbia tutti i torti a volersi sbarazzare di te, oppure con lui fai l'agnellino e con tutto il resto del mondo la vipera?»

C'è una pausa nella zuffa verbale e nella pausa gli occhi di Francesca si fanno più lucidi, come di lacrime trattenute.

«Forza, dammi una mano a rassettare la casa prima che diventi un accampamento di zingari» dice Camilla, «poi prepariamo insieme la cena. Sai cucinare?»

«Un po'.»

«Che cosa fai meglio?»

«La carne.»

«Allora tu ti occupi della carne e io del primo. Ti piace di più la pasta o il riso?»

«Il riso.»

«Riso pilaf con fonduta di Castelmagno, alla faccia della dieta. Ci vorrebbe una spolverata di tartufo, ma non è più stagione.»

Mentre riordinano in silenzio la casa, Camilla si chiede se non è stata troppo dura. Probabilmente sì, pensa, ma questa ragazza riesce a esasperarmi come poche altre persone. In un momento in cui sono piena di preoccupazioni, di ansia, di tensioni che non riesco a dominare. Vero che lei non ne è responsabile, è infognata in un malessere anche più grave del mio e non ha la capacità né la volontà di tirarsene fuori. Come faccio ad aiutarla? E me, chi mi aiuta? Per fortuna che Renzo è fuori e non è sottoposto al contagio. Non devo pensare a lui, se no sto pure peggio. Ma come faccio a non pensarci, è mio marito, gli voglio bene... e domani torna.

«Chi mi accompagna domani a scuola» chiede Livietta, «tu o la nonna?»

«Io. E Francesca, se ha voglia di alzarsi presto. Poi, sempre se ne ha voglia, accompagna me a comprare delle ciabatte, no non ciabatte ma scarpe da casa.»

«Cos'è» dice Francesca, «una dichiarazione di pace?»

«Di armistizio. Sai andare in bici?»

«Sì, ma che c'entra?»

«Così, un'idea che mi è venuta. Ne parliamo domani.»

«Sempre che domani io sia ancora qui.»

«Certo.»

Poi arriva Gaetano a portare i borsoni di Francesca. Abbraccia la sorella con una tenerezza dolorante, la preoccupazione per lei deve essere rimasta in sottofondo ai suoi pensieri per tutta la giornata. Le vuole un bene indulgente, pensa Camilla, forse tutti in famiglia le vogliono un bene così e finiscono per permettere che si faccia del male. Ma chi sono io per giudicare? Di *amour fou* è piena la vita la letteratura il teatro il cinema e il mito.

«Non siamo riusciti a combinare granché, il mio collega e io» dice Gaetano, e poi racconta cosa hanno fatto, chi hanno sentito, dove sono andati. «Se avessimo qualche informazione su quanto stanno appurando i carabinieri, forse sbroglieremmo il caso, invece così...»

«Perché non parlate apertamente al tenente e ai suoi marescialli?»

«Perché al momento peggioreremmo le cose. Ci andrebbe di mezzo l'Indistruttibile. È probabile che a sto punto abbiano un suo identikit.»

Mangiano il riso con la fonduta e la carne che ha cucinato Francesca. Squisita, qualche dote la ragazza ce l'ha, pensa Camilla. Ma pensa soprattutto a Renzo che il giorno dopo tornerà a casa.

55

«Gianni, ho bisogno del tuo aiuto.»

«Agli ordini, prof.»

Gaetano è andato via subito dopo cena: tra lui e Camilla c'è un imbarazzo reticente, c'è la difficoltà di sostenere lo sguardo reciproco. Francesca non ha più parlato di fuga, sta tirando fuori un po' di roba dai borsoni, aiutata e intralciata da Livietta. Camilla si è rifugiata nello studio per telefonare.

«Continui sempre con la bici?»

«Sì, insieme a Loris, un paio d'ore tutti i pomeriggi se non piove.»

«E va meglio?»

«Un po'.»

«Ce l'avreste, tu o Loris, un'altra bici?»

«Per lei? Vuole tentare la terapia ciclistica?»

«Non per me, per una ragazza che sta male.»

«Male d'amore come il mio?»

«Peggio. Se domani pomeriggio passaste a prenderla qui da me e la portaste in giro con voi... non so, magari si distrarrebbe un po'.»

«La bici la trovo. Come dobbiamo trattarla, sta ragazza?»

«Con cameratismo, ma senza coccole. Ha una certa tendenza al masochismo. Fatela stancare.»

«Alle due va bene?»

«Benissimo.»

«Ma lei ci sta? Ad andare in bici, voglio dire.»

«Ci starà.»

L'indomani mattina si alzano presto. Camilla porta giù il cane, Francesca è incaricata di preparare la colazione per tutte e tre. Esegue senza protestare, poi insieme accompagnano Livietta a scuola.

«Davvero vuoi comprare delle ciabatte?» le chiede.

«Sì, perché sulle ciabatte hai proprio ragione. Prima però vorrei combinare un baratto di informazioni, se ci riesco. Ti va di buttarti in un'avventura di spioni e mezzi spioni?»

«Spioni? Non ti basta il thriller, vuoi anche la spy-story?»

«Non mi faccio mancare niente. Cerchiamo un telefono.»

«Hai dimenticato il cellulare? Ti do il mio.»

«Niente cellulare, meglio una cabina.»

«Ah già, siamo in un film di spionaggio.»

Camilla chiama mister McDonald, che le ha lasciato un numero di telefono caso mai le venisse in mente qualcosa. Fissano un appuntamento di lì a un'ora nel bar della volta precedente: nell'attesa c'è tempo per le ciabatte. Che non sono ciabatte, ma vere scarpe da casa, molto comode e insieme gradevoli alla vista. Tutte le regole conoscono eccezioni.

Mister McDonald arriva con qualche minuto d'anticipo, ma loro sono già lì da un quarto d'ora, come modesta precauzione contro eventuali occhi indiscreti. Camilla presenta Francesca solo col nome e la qualifica di amica, poi entra in argomento senza formule dilatorie.

«Ho delle informazioni da darle e altre da chiederle. Ci sta?»

Lui non ha l'aria stupita: forse, pensa lei, se l'aspettava, nel mondo delle spie le formule di avvicinamento graduale, le schermaglie tattiche per studiarsi come quelle dei pugili sul ring non sempre vengono usate.

«D'accordo» dice lui.

«Comincio io» dice lei.

Spiega che a seguire Dora erano in due, Nicola e l'Indistruttibile, spiega come, secondo lei, la morte di Dora e quella di Nicola siano collegate, racconta insomma tutto quello che sa. Lui la segue con attenzione, senza alcuna dimostrazione di sorpresa o stupore, e lei non sa se e quanto gli sta dicendo gli sia già noto. Ma era prevedibile, pensa, le spie non emettono gridolini di meraviglia, sono impenetrabili per cliché.

«Cosa vuol sapere?» chiede lui dopo.

«Tre cose. La prima è a che punto sono i carabinieri con le indagini.»

«Non le sembra una richiesta impossibile?»

«No. Sono convinta che il dottor Amoruso possa riuscire a saperlo.»

«E il commissario Berardi no?»

Lei non è impenetrabile come una spia, ma aveva previsto l'obiezione.

«No. Rischierebbe di turbare troppo i rapporti tra l'Arma e la polizia. Lei sa che sono sempre stati delicati.»

«Sentiamo la seconda richiesta.»

«La seconda è una cosa da niente, il nome della madrina di Andrea Cantino e l'indirizzo della casa di riposo in cui vive. Il dottor Amoruso è di sicuro andato a parlarle.»

«Glielo chiederò.»

«La terza è questa. Lei mi ha detto che il giorno in cui è morto, il marito di Dora aveva un'agenda fitta di appuntamenti. È possibile sapere con chi?»

«Temo di no.»

«Perché?»

«È passato molto tempo, la faccenda è chiusa e non credo desiderino riaprirla. Comunque erano tutti normali appuntamenti di lavoro.»

«Guardi che a me non interessano né la morte di Andrea Cantino né i suoi contrasti con colleghi o superiori. M'interessa sapere se aveva avuto dei contatti con qualcuno di qui.»

«Qualcuno chi?»

«Se lo sapessi non glielo chiederei. Qualcuno comunque non legato al suo ambiente di lavoro.»

«Qualcuno che poi si agita quando Dora cerca il presunto figlio del marito?»

«Potrebbe essere, no?»

«Potrebbe. Vedrò cosa posso fare.»

«E poi mi farà sapere?»

«Certo. I patti vanno mantenuti.»

Anche nel mondo delle spie?, si chiede lei. Ma non lo chiede a lui.

Siamo animali saggi di una saggezza inconsapevole e innocente. Incapaci di reggere a lungo i picchi emotivi. Per fortuna. Stamattina Francesca si è divertita, pensa Camilla.
Non che sprizzasse felicità, la felicità è un'altra cosa, una
condizione effimera che basta un niente a incrinare e allontanare: una parola astiosa, uno sguardo inquisitore, le scarpe troppo strette, un bruscolo in un occhio. Ma anche il
dolore profondo, il lutto di una perdita, l'abbandono concedono delle tregue. I grandi pranzi funebri della civiltà con-
tadina: un rito sapiente per rivendicare la forza della vita,
per impedire al pensiero di soffermarsi sul corpo che sta
decomponendosi sotto terra, sul viso trasformato in ma-
schera, su quella cosa miserabile e oscena, materia bruta in
sfacelo che fino a poco prima era una persona. Certe visio-
ni, certi pensieri sono cacciati via dal vino dal cibo dalle parole da un piccolo imprevisto. Stamattina Francesca si è divertita. Non ha pensato a Marsiglia, a Laurent che non l'ha
cercata neppure con uno squillo di telefono, che non è andato a trovarla quand'era in ospedale, che osservava indifferente, appoggiato a un muro, Gaetano che raccattava e
stivava le cose da portare via. Laurent (ma questo lei non lo
sa) che ha commentato "Enfin elle m'a foutu la paix" quando lui stava per caricarsi dei borsoni e andarsene – e allora
invece di andarsene Gaetano si è voltato rabbioso e gli ha
rifilato prima una ginocchiata dritta sui coglioni e subito

dopo un pugno al mento e un calcio negli stinchi. Chissà se aveva gli anfibi. Laurent non la vuole più, non sa che farsene di lei, l'attrazione fisica è finita, invece Francesca lo assilla con la sua pretesa di essere amata e lui non vede l'ora che sparisca per sempre. Con un flacone di sonniferi o in qualunque altro modo. La crudeltà del disamore, dell'indifferenza che si trasforma in ripulsa, in rifiuto arrogante, senza compassione e comprensione. Quand'è finita è finita, ma l'altro (l'altra) non è una cosa. Eppure le ferite più gravi le infliggiamo proprio a chi prima amavamo o cui prima eravamo legati dal desiderio. Laurent dev'essere uno di quei maschi protervi incapaci di un rapporto che non sia basato soltanto sul sesso, uno che crede che intorno al suo cazzo ruoti il mondo intero. Lei lo accetta ma vuole una cosa impossibile, vuole essere amata. Stamattina però si è divertita. Era interessata dalla vicenda, curiosa di come potrà evolversi. Un interesse neutro, non legato alla mia sorte e ai miei guai, ma alla storia in sé. È già qualcosa. Una piccola momentanea fuga dalla sua ossessione, uno sguardo altrove. Più tardi non si è ribellata alla gita in bici, ha acconsentito con una specie di distaccata rassegnazione, come una bambina che fa il compito imposto dalla maestra. Solo che in questo campo io non sono una maestra, procedo a tentoni, servendomi dei mezzi che ho sottomano, navigo a vista e magari centro qualche scoglio. Lo scoglio, per esempio, dei miei scatti di nervi e della mia incapacità di incassare quelli altrui. Gianni, che pure è ancora un ragazzo, probabilmente troverà una chiave migliore per entrare in sintonia con Francesca, per arrivare al suo groviglio di pena senza scorticarlo. E l'esercizio fisico, la concentrazione anche minima che esige, faranno il resto. Curioso che io, che vado poco in palestra, che non pratico nessuno sport, abbia tutta questa fiducia nel movimento dei muscoli. Un'altra delle mie contraddizioni.

Alla casa di riposo "Villa fiorita" non ci sono orari di visita prestabiliti, basta non disturbare gli ospiti durante i pasti o il riposo. La signora Angiolina Barovero sta seduta in giardino al sole primaverile, insieme a un paio di coetanee che guardano come lei nel vuoto. Non le ho portato nulla per ingraziarmela, pensa Camilla, non un fiore, una scatola di biscotti o cioccolatini. Non è che non ci abbia pensato, è che proprio non me la sono sentita. Ha amareggiato gli ultimi mesi di Dora, l'ha inchiodata a un dubbio penoso, ha scardinato le sue certezze sul passato: perché dovrei essere affabile con lei? Solo perché è vecchia? La vecchiaia è forse un alibi che assicura l'impunità, che sminuisce le vigliaccate? Quanto rancore c'è in certi vecchi verso chi vecchio non è? Quanta invidia della giovinezza o degli anni pieni della maturità mentre avvertono sul collo il fiato della morte? Invidia malevola, non rimpianto, non nostalgia di un'altra età è quella che ha spinto Angiolina Barovero a ferire Dora. Non riesco a non avercela con lei.

«Signora Barovero, devo parlarle. Sono un'amica di Dora, mi chiamo Camilla Baudino.»

Angiolina Barovero solleva su di lei uno sguardo grigio e duro, due occhi guardinghi in un viso dalla pelle di lucertola, il mento proteso in avanti ad affermare un'indomabile quanto assurda imperiosità.

«Dora è morta.»

«È stata uccisa, signora Barovero. Ho alcune cose da chiederle.»

Le due compagne non accennano ad alzarsi, osservano Camilla con uno sguardo non più perso ma indagatore. Ci sarà un imprevisto nella monotonia delle giornate sempre uguali, e non hanno intenzione di perderselo.

«Cose strettamente private e della massima importanza.»

Le due si alzano riluttanti, accentuando volutamente, pensa Camilla, la fatica e la difficoltà di mettersi in piedi e allontanarsi verso un altro gruppo di poltroncine.

«Io non la conosco. Non ho niente da dirle.»

«Signora, la prego. Se non parla con me, dovrà parlare con la polizia o con i carabinieri.»

«Di cosa?»

«Di quello che ha raccontato a Dora, del figlio di Andrea.»

«È già venuto un poliziotto, ne ho parlato con lui.»

«Ha parlato col dottor Amoruso, che non è un poliziotto ma un investigatore privato. Mandato da Dora.»

«Lei da chi è mandata?»

«Da nessuno. Ma non sono qui per immischiarmi in faccende che non mi riguardano, sono qui per capire qualcosa sulla morte di Dora. Ero con lei quando è stata spinta contro il tram.»

«Cosa c'entra il figlio di Andrea?»

«Credo che c'entri. Signora, per favore, mi dica quello che sa di lui.»

«Non so niente. Andrea mi ha parlato solo una volta di un bambino. È stato tanto tempo fa.»

«Che cosa le ha detto di preciso? Riesce a ricordarlo?»

«Voleva un parere.»

«Su cosa fare?»

«Più o meno. Io volevo molto bene ad Andrea.»

«E a Dora?»

«Dora, Dora... Dora era sua moglie e basta.»

«Mi dica del bambino.»

«Andrea si confidava sempre con me. Mi raccontava tutto. Poi da quando è andato in America l'ho sentito poche volte, era sempre occupato, scriveva di rado, al telefono rispondeva sempre lei.»

«Il bambino.»

«Me ne ha parlato un giorno che era venuto a trovarmi. Mi ha raccontato la storia.»

«Cioè?»

«Lui ne ha parlato come se fosse una questione che riguardava un altro, ma io ho capito che si trattava di lui, io lo conoscevo bene... C'era di mezzo una donna sposata. Il bambino non era del marito. Mi ha chiesto se il vero padre faceva bene a non farsi avanti, a dare solo dei soldi per mantenerlo.»

«Lei cosa gli ha risposto?»

«Che doveva decidere lui. Dipendeva da tante cose.»

«Andrea era sicuro che il figlio fosse suo?»

«Non lo so. Non me l'ha detto.»

«Eppure si confidava sempre con lei.»

«Sì, ma quella volta era diverso.»

«In che senso?»

«Non mi ha detto chi era la donna, che tipo di persona era, sembrava... sembrava che non gliene importasse tanto. Io non ho voluto chiedere.»

«Però, a sentire Dora, Andrea non era così.»

«No, e un figlio lo voleva, ma lei non è stata capace di darglielo.»

«Anche lei lo voleva e non è colpa sua se non è venuto. Ma mi sembra tutto così strano...»

«Che cosa è strano?»

«Che Andrea non si sia mai occupato del figlio, che non ne abbia mai parlato a Dora, che di questo figlio non ci sia traccia.»

«Dopo tanti anni le tracce si perdono.»

«Quelle bancarie no, se si ha voglia di andare a fondo.»

«Si vede che quell'investigatore, come si chiama, ah sì Amoruso, tanto a fondo non è andato.»

«Sono sicura di sì, invece. Ancora una cosa: perché, quando Andrea gliene ha parlato, lei si è fatta l'idea che non gli importasse tanto del figlio?»

«Perché... perché ne ha parlato come in terza persona, ecco.»

«Come se raccontasse una storia?»

«Sì.»

«E non potrebbe essere che raccontasse proprio la storia di qualcun altro?»

«Perché avrebbe dovuto raccontarmela?»

«Per avere il suo parere, me l'ha detto lei. Il suo parere sulla vicenda in cui si trovava coinvolto un amico, per esempio.»

«Non so, non credo... Non ci ho mai pensato.»

«In questo caso si spiegherebbero tante cose: l'indifferenza di Andrea, il fatto che non ne abbia mai più parlato con lei, che l'abbia tenuto nascosto a Dora, che di questo figlio non ci sia traccia.»

«Non lo so, non lo so, sono stanca.»

«Mi scusi. Posso tornare domani, se vuole.»

«No. Non voglio più parlare di questa storia.»

«Ho ancora due domande da farle.»

«Le faccia e poi se ne vada.»

«Chi erano, all'epoca, gli amici più stretti di Andrea?»

«Tre o quattro compagni di liceo, che continuava a frequentare. Ma non ricordo i nomi.»

«L'ultima. Perché ha parlato di questa storia con Dora?»

Angiolina Barovero volta la testa da un'altra parte. Sembra che non abbia intenzione di rispondere. Poi guarda in faccia Camilla e si decide:

«Aspetti di diventare vecchia e lo saprà.»

Dicono che le donne patiscano l'arrivo dei quarant'anni e lei ne ha appunto quaranta. Ma gli uomini quand'è che entrano in crisi, a cinquanta, sessanta o a quarantacinque? Dicono che nei matrimoni il periodo critico sia il settimo anno. Per noi c'è stato un ritardo di tre anni e il periodo critico è arrivato adesso. Dopo, se lo si supera, va tutto bene oppure ci si rassegna e si tira avanti per pigrizia o per ipocrisia? Lei è insoddisfatta e inquieta, e io anche, almeno quanto lei, nonostante il bene e il rispetto reciproco. La convivenza che diventa una gabbia, l'abitudine che impolvera ogni gesto e ogni parola. La voglia di evadere, di cambiare il ritmo della quotidianità. L'insofferenza che si sostituisce all'indulgenza di fronte alle manie dell'altro. La noia delle mille mediazioni per evitare gli scontri. La caduta del desiderio. Un corpo che si conosce troppo. Altri corpi, altre facce, altri sguardi che catturano l'interesse, che scatenano l'eccitazione. Il volersi bene ha rimpiazzato l'amore, ma è la sua evoluzione o un surrogato tiepido? Stasera torno a casa e vorrei non farlo. Abbiamo davvero bisogno l'uno dell'altra o ce lo diciamo per consolarci, per non scavare troppo a fondo? Siamo diventati prudenti, attenti a non urtarci reciprocamente, ci muoviamo appoggiati alle stampelle della buona educazione. Durerà, oppure uno dei due avrà uno scatto di impazienza, di fastidio o di rabbia e romperà questo stato provvisorio di attesa? Cosa ci diremo, allora? Continueremo a essere cauti per non pregiudicare del tutto il futuro, oppure avremo il coraggio della verità, andremo anche oltre la verità, e le parole dette, pesando come macigni, spaccheranno la lastra sottile di ghiaccio su cui stiamo in equilibrio? Ma soprattutto, cos'è che spero che avvenga?

58

«Mamma, non puoi guidare un po' più piano?»

«Ho fretta tesoro, e mille cose da fare.»

«A che ora torna papà?»

«Verso le otto, otto e mezzo, per cena.»

«Viene anche Gaetano?»

«Non lo so.»

«Francesca resta da noi?»

«Non lo so.»

«Ha sempre voglia di morire?»

«Non so neppure questo.»

«Ma uffa, oggi non sai niente!»

«Ogni tanto capita.»

«Ma dov'è adesso Francesca lo sai?»

«È andata a fare un giro in bici con due miei allievi.»

«Come sono?»

«In gamba, uno soprattutto.»

«Anche bello?»

«Sì.»

«Magari si innamora di lui.»

«Non credo.»

«Perché? Se è in gamba e anche bello...»

«Troppo giovane. E poi non mi sembra il suo tipo.»

«Ma il suo tipo non la vuole più.»

«Sì, però lei è ancora innamorata.»

«Vedrai che le passa.»

«Sì, certo. Hai voglia di portare giù il cane quando torniamo?»

«No, ma lo porto giù lo stesso.»

«Sei un amore di bambina.»

«Lo so.»

«Si è fatto vivo Gaetano?» chiede Francesca appena entrata in casa.

«No, non l'ho sentito. Com'è andata in bici?»

«Bene. Ma ho bisogno di sapere.»

«Sapere cosa?»

«Casa fa lui, cosa faccio io.»

«Tu cosa vuoi fare?»

«Non lo so.»

«Sono il commissario Berardi. Vorrei parlare con la signora Sorrentino.»

«Non c'è.»

«Quando la posso trovare?»

«Non lo so.»

«Scusi, lei è il marito?»

«Già.»

«Può darmi il numero del suo cellulare?»

«Non serve, l'ha lasciato qui.»

«Dove posso chiamarla?»

«Non lo so.»

«Allora può dirle appena torna di telefonarmi?»

«No.»

«Scusi, perché?»

«Perché se n'è andata. Andata, ha capito? Stamattina ha aspettato che io uscissi per andare in negozio e i figli a scuola, poi ha fatto le valigie, ha preso in garage la roba di quella poco di buono di sua madre e via che se n'è andata. Oh, ha lasciato un biglietto: "Ho bisogno di stare da sola. Scusatemi" e mi ha mollato qui come neanche un cane. Mollati anche i figli. Tutto per colpa di quel bastardo di suo fratello che riesce a rovinarci la vita anche da morto. Bastardo, ladro e drogato.»

«Drogato no.»

«Ma se è morto di overdose!»

«L'hanno ammazzato, signor Gobbi, l'overdose gliel'hanno fatta. Sua moglie probabilmente non riesce a farsene una ragione, ad accettarlo.»

«E da sola lo accetta meglio, secondo lei? Me lo sa dire che cosa cazzo passa nella testa delle donne?»

«Non lo so, signor Gobbi.»

«È la Sorrentino. Vuole te. Me non mi fila.»

«Commissario Berardi, devo parlarle. Mi è venuta in mente una cosa. E ne ho trovata un'altra.»

«Quando vuole, anche subito, e dove vuole.»

«Non a Ciriè, sono venuta via.»

«Sì, ho saputo.»

«Ha parlato con mio marito? Come l'ha presa?»

«Non lo so... al telefono è difficile capire.»

«Dove ci vediamo allora?»

«Qui in commissariato le va bene?»

«Tra mezz'ora, quaranta minuti.»

«D'accordo. Io e il mio collega l'aspettiamo. Stanza numero sei.»

«Francesca, puoi controllare tu che il soffritto non attacchi?»

«Esci?»

«Mi è venuta in mente un'idea. Scendo a telefonare.»

«Sempre da una cabina?»

«Sì.»

«Ma il telefono ce l'hai proprio sotto controllo?»

«Non lo so ma preferisco non rischiare.»

«Signor McDonald, mi scusi, sono ancora io.»

«Mi dica, signora Baudino.»

«Ho bisogno di parlare con il dottor Amoruso. C'è una novità.»

«Da dove telefona?»

«Da una cabina.»

«Resti lì e mi richiami tra cinque minuti.»

«Ho il telefono sotto controllo, vero?»

«Non lo so.»

«Mentre eri via mi ha chiamata Gaetano e ha telefonato tuo marito» dice Francesca.

«Cos'hanno detto?»

«Gaetano che mangia una pizza con un collega e poi viene verso le nove e mezzo; tuo marito che tarda, arriva verso le nove e mezzo anche lui e di non aspettarlo per cena.»

«Anche Amoruso viene alle nove e mezzo, dice che non c'è problema.»

«Che problema?»

«Non sono pedinata né sorvegliata, per il telefono non sa.»

«Viene anche McDonald?»

«Non lo so.»

«Un bel summit, comunque.»

«Speriamo che ne nasca qualcosa. Tu hai deciso cosa fare?»

«Non ci ho pensato, non lo so.»

59

Il summit ebbe inizio poco dopo le nove e mezzo. Mancava Renzo, che aveva di nuovo chiamato per dire che, essendo partito in ritardo, si sarebbe fermato a mangiare in un autogrill, ma c'era in più Dino De Beni, che aveva fatto pressione su Gaetano per poter partecipare. Ad autoinvitarsi l'aveva spinto l'interesse professionale, ma soprattutto la curiosità. Curiosità nei confronti della donna per cui il collega si dava tanto da fare, e curiosità verso la sorella che creava tanti casini. C'entrava anche la sotterranea depressione del separato che non ha ancora trovato una nuova compagna, mentre l'ex moglie si gode l'assegno di mantenimento insieme a un fidanzato bello fresco. E c'era pure da aggiungere che la Sorrentino, che non era niente male e che magari cercava compagnia, lui non l'aveva manco guardato, perché gli occhi ce li aveva solo per Gaetano.

«Di' un po', ma cos'è che le donne trovano in te?» gli aveva chiesto dopo, «cos'è che gli fai?»

«Proprio niente» aveva risposto lui, «e sappi che una ex moglie ce l'ho anch'io.»

«Separato pure tu?»

«No, divorziato.»

«E quanto le sganci?»

«Niente, perché lei si è risposata appena ha potuto.»

«Porcamiseria, hai tutte le fortune.»

«In questo momento non mi pare proprio.»

«Beh, io il cambio con te forse lo farei.»

Gaetano gli aveva rivolto uno sguardo divertito e Dino aveva capito il perché, ma quando vide Camilla Baudino le fantasie che si era fatto su di lei si dimostrarono infondate. Se l'era immaginata – come dire? – un po' più appariscente, con qualcosa almeno da far girare la testa, da spingere un uomo a precipitarsi da lei per toglierla dalle grane, da fargli desiderare di strapparla al marito e tenersela tutta per sé e invece era una come tante, una che a miss Italia, venti o venticinque anni prima, non l'avrebbero mai selezionata. Guarda te come siamo fatti, stava pensando, la Sorrentino che era tutta un invito, che bastava sfiorarla per portarsela subito a letto, lui ce l'aveva davanti ma era come se non la vedesse, mentre da questa non riesce a staccare gli occhi, e quando lei ha aperto la porta lui sembrava che volesse saltarle addosso, fregandosene di me, di tutti e di tutto. Lei... lei cerca di fingere un po' di più, ma non è che le riesca tanto bene, ha degli sbalzi di voce e respira troppo in fretta, dopo dieci anni passati a studiare le reazioni della gente non ci vuole tanto a capire se chi hai davanti è tranquillo e rilassato oppure se il cuore gli va su e giù. La sorella di Gaetano è una bella ragazza, ma meglio starle alla larga perché per una così si può anche perdere la testa ma non è che convenga tanto. Ti può rendere la vita un inferno, ha l'aria troppo inquieta per i miei gusti, basta osservarla due minuti per capire che con lei la tensione sarebbe continua, e a parte tutto il resto mica ho voglia di cercare rogne proprio con la sorella di un collega. È vero che poi le cose vanno sempre diversamente da come te le aspetti, con Barbara io pensavo di avere una vita tranquilla, lei sembrava accomodante su tutto, non protestava per gli orari e per niente e poi, dopo neppure due anni, io non mi capacitavo che fosse la stessa che avevo sposato. Sempre il muso, sempre nervosa, non le andavo bene io, i miei, il mio lavoro, la casa che prima le piaceva tanto, gli amici che frequentavamo... e meno male che i figli non li volevamo e ci siamo stati attenti. Per fortuna è finita, lei da una parte e io dall'altra, è vero che io mi sono tenuto la casa che però era mia già da prima, ma è anche vero che le scucio tutti i mesi una bella somma. Perché lei fa il part-time, poverina, non può lavorare a tempo pieno come fanno tante, lei ha bisogno dei suoi tempi di meditazione, dato che si è fatta buddista, la stronza, lei che era sempre inviperita e ce l'aveva su con tutto e tutti. Si è fatta buddista e vegetariana e non-violenta, mentre prima faceva fuori da sola delle costate da sei etti e a me mi tirava dietro di tutto quando litigavamo. E si vede che il buddismo le fa bene a modo suo, perché invece di indurle la pace dei sensi le ha fatto venire una voglia matta di scopare e così non ha perso tempo a mettersi con un altro. E se mi farà vedere i sorci verdi per concedermi il divorzio, come ho ben paura, giocherò sporco anch'io e vediamo chi la vince, cara la mia finto-buddista della mutua. Certo che sta Francesca è proprio bella bella, una che se la vedi una volta non te la dimentichi più...

«Dino, lo vuoi o no sto caffè?» chiede Gaetano.

«Sì grazie, senza zucchero.»

«Senza zucchero e senza niente o con un goccio di grappa?» dice Camilla.

«Ah beh, con la grappa è meglio.»

Lei si è accorta di essere osservata e giudicata da lui, ma alla cosa non ha dato troppo peso. Ha tutti i motivi per essere incuriosito, pensa, chissà cosa sa o suppone su me e Gaetano. Anche gli uomini si scambiano confidenze, e non solo dal barbiere.

In quanto ad Amoruso, è ben diverso da come me lo aspettavo. Chissà perché, l'avevo immaginato come una fotocopia di mister McDonald, con una faccia sbiadita e difficilmente archiviabile nella memoria, e invece è un bell'uomo, non secondo i canoni in voga oggi che vogliono fisici ipertrofici coi muscoli scolpiti (ma per fortuna non scorticati come nei manuali di anatomia!) è un bell'uomo da film francese in bianco e nero degli anni Cinquanta, anche un po' da film americani di registi come

Michael Curtiz o Howard Hawks che sapevano scegliere giusti gli attori. Investigatore privato private eye Hammett Chandler Marlowe. Non ha l'aria di chi si occupa di corna, porte sfondate nei motel, flash accecante del fotografo, la coppia che sgrana gli occhi basita dalla sorpresa e tira su il lenzuolo fino al mento. Spionaggio industriale: più probabile. Ma lo spionaggio lo chiamano sempre controspionaggio, come le guerre offensive che sono difese preventive. La potenza falsificatrice del linguaggio, la nostra superiorità sugli animali che si basa anche sulla capacità di simulare. Anche loro simulano, ma è un'astuzia dell'evoluzione nella lotta per la vita. E noi, allora? Noi non abbiamo l'amorale innocenza degli animali e patiamo le nostre colpe. Non tutti, però. Il rimorso è di sicuro una condanna elitaria.

«Da' qua, faccio io» dice Francesca in una pausa di silenzio imbarazzato, togliendole di mano la bottiglia di grappa che lei non si decide a stappare. Tutti stanno studiando tutti nell'attesa di mettere le carte in tavola. Francesca, che non è della partita, studia soprattutto Amoruso. Che, per sua disgrazia, di nome fa Narciso, e Camilla, che divagando cerca di riprendere un minimo di lucidità e padronanza di sé, si chiede intanto quale miopia o leggerezza possa indurre due genitori a chiamare il figlio Narciso se il cognome è Amoruso. Il narciso è un bel fiore, con il suo profumo che sa di montagna, di silenzio e aria leggera, ma evoca un mito ambiguo e chi ne porta il nome si porta anche una piccola croce addosso. Ma Narciso Amoruso dev'essere tosto, perché il suo nome ingombrante non l'ha camuffato sotto un diminutivo, per altro difficile da trovare.

«Cominciamo, Camilla?» propone Gaetano che si è accorto del turbamento di lei e ne è intenerito e insieme lusingato. Com'è cambiata in questi ultimi giorni, pensa, com'è diventata fragile e meno capace di padroneggiare le sue emozioni attraverso il distacco dell'ironia...

«Certo, comincio io» risponde lei e spiega come, a parer

suo, il figlio irrintracciabile di Andrea Cantino sia probabilmente il figlio di un amico, sul cui comportamento lo stesso Cantino aveva avuto delle perplessità, tanto da essere indotto a chiedere il parere della madrina. Che, all'epoca, doveva essere meno astiosa e meno catafratta nel suo egocentrismo.

«Se, cosa di cui io ero convinto, Andrea Cantino non aveva un figlio, questa pista si chiude» dice Amoruso.

«Secondo me, no» ribatte Camilla. «Ci ho pensato molto, ho riflettuto sui tempi e mi sembra che tutto si sia messo in moto dopo quella maledetta rivelazione.»

«Messo in moto in che senso?»

«La signora Vernetti si rivolge a lei, dottor Amoruso, e...»

«Prima che a me, la signora aveva chiesto informazioni al dottor Bonadé-Bottino, l'amministratore dei beni del marito e suoi.»

«Che evidentemente non aveva trovato nessun riscontro di pagamenti durati per anni e anni. Però poco dopo qualcuno comincia a pedinare Dora.»

«Chi ci assicura che non fosse pedinata già da prima?»

«Il mio amico Secondo Traversa, che nonostante ogni apparenza contraria a me sembra attendibile. Il pedinatore con le scarpe rosse, cioè Nicola Sorrentino, entra in campo solo a un certo punto, e poi dopo un po' smette il pedinamento. Smette quando Dora si arrende all'idea di non poter ritrovare il figlio del marito o quando si convince, ammesso che si sia mai convinta, che questo figlio non esiste. Io sono dell'idea che ci sia un legame forte tra questi fatti, anche se non riesco a immaginare quale sia.»

«Allora, se ho capito bene, lei vorrebbe che si continuasse a cercare un figlio, non riconosciuto come tale, di uno degli amici intimi di Andrea Cantino.»

«Proprio così, dottor Amoruso, anche se può sembrare assurdo.»

«Ha idea di chi potessero essere questi amici?»

«La madrina dice che Andrea Cantino era molto legato a tre o quattro suoi compagni di liceo.»

«Allora non sarà molto difficile rintracciarli. Le ha detto quale liceo aveva frequentato?»

«No, non gliel'ho chiesto. Sono stata sbadata, ma devo dire che la conversazione era piuttosto difficile.»

«Non importa, una piccola ricerca in più e posso scoprirlo. Oppure preferisce occuparsene lei, commissario Berardi, insieme al suo collega?»

Dino e Gaetano si consultano con gli occhi e la risposta è no, è meglio che la polizia non invada il campo delle possibili ricerche dei carabinieri, andando a frugare nel passato del marito di Dora per scoprire chi fossero i suoi amici.

«Sono d'accordo» dice Amoruso, «tanto più che, secondo quanto mi è stato riferito, gli uomini del tenente Craighero stanno lavorando sui conti bancari di Andrea Cantino.»

«Chi gliel'ha riferito, una talpa dei caramba o delle banche?» chiede Dino.

«I carabinieri non parlano, mai stati così zitti.»

«Le banche invece sbragano, eccetto che con noi. Anche con tutti i cristi e le madonne delle ingiunzioni dei magistrati, cercano sempre di dire il meno possibile, di metterci i bastoni tra le ruote. E quando tirano fuori una ricevuta, un estratto conto, un tagliandino sembra che sputino l'anima, i bronchi e i polmoni.»

«Lascia perdere, Dino, andiamo avanti» dice Gaetano. Ma a Dino sta girando l'anima: prima la Sorrentino che non l'ha cagato manco di striscio, come se lui non ci fosse neppure, lì in ufficio; poi gli sguardi da affamati tra Gaetano e la sua donna – sì, lui ha un bel contargliela che sono solo allo stadio degli sguardi e delle parole, del vorrei ma non posso –; poi il pensiero di quella stronza della sua ex che si scopa il figone che ha incontrato dai buddisti; poi la suicida mancata che anziché ricambiare almeno un suo sguardo si sta arrapando per Amoruso, un succhialardo che con un paio di pedinamenti e quattro foto guadagna in una settimana quanto lui in un trimestre, e in più gli basta sganciare una mancetta o fare un ricattino velato per mettere in movimento le tre scimmiette del non vedo non parlo non sento...

Camilla intanto ha riempito un vassoio di bicchieri e bottiglie: whisky, calvados, eccetera ed è a lui che si rivolge per primo:

«Dottor De Beni, se le piace la grappa, provi questa. È di una distilleria di Piobesi d'Alba. Io la trovo ottima, è l'unica che non mi dia il mal di testa neppure quando eccedo.»

«Lei eccede con la grappa, signora?»

«Non sono un'assassina, ma qualche difetto ce l'ho, dottor De Beni.»

«Mi chiami Dino, per favore.»

«E lei, Camilla.»

Ho capito. Sa fiutare gli umori. Afferra la tensione. Riesce a svelenire l'atmosfera. Magari con una banalità ma ci riesce. Non è il mio tipo ma può piacere. Non è stupido, Gaetano. Chissà se la sua ex moglie era una rompiballe come la mia.

Camilla intanto fa la barista e si serve per ultima della stessa grappa che ha offerto a Dino. Una dose generosa, non "da signora": lo notano tutti e Francesca la provoca:

«Ci vai giù forte con la grappa!»

Lei non risponde ma la guarda in faccia, e gli occhi dicono che la grappa è meglio dei sonniferi. Francesca capisce e volta la testa altrove.

«In quanto all'altra sua richiesta, signora Baudino» interviene McDonald, «sto aspettando una risposta e poi le farò sapere.»

«Quale richiesta?» chiedono praticamente con una voce sola Dino e Gaetano.

McDonald non ha troppa voglia di rispondere, ma siccome è stato così incauto da tirare in ballo l'argomento, si rassegna a dare una spiegazione. Che gli riesce reticente e imprecisa, al punto che Dino sta di nuovo per sbottare, ma Camilla, alzatasi per prendere del ghiaccio, gli fa un piccolo cenno come per dire "ne parliamo dopo".

«Le nostre novità vengono da Alessia Sorrentino» dice Gaetano, «e sembrano interessanti. Sono un ricordo e una foto, questa» e tira fuori dalla tasca un'istantanea dai colori malamente sbiaditi. Amoruso McDonald Camilla e Francesca allungano il collo per vederla, poi se la passano per osservarla con più agio. Nella foto ci sono un uomo e una donna che guardano dritto davanti a loro, cioè verso l'obiettivo, e l'uomo ha un braccio passato intorno alla vita della donna, che è bellissima e sorride. Dietro c'è una staccionata che delimita un prato e sullo sfondo una montagna con il pendio innevato. Sul retro della foto una scritta, "A Champoluc con il capo", vergata con una grafia femminile, e una data, 25 aprile 1968.

«La donna» dice Gaetano «è la madre di Alessia e Nicola, l'uomo non è il padre.»

«Chi è il capo?» chiede Camilla.

Stavolta è Dino a fornire le spiegazioni: Nicola Sorrentino ogni tanto faceva qualche lavoretto più o meno sporco per qualcuno che chiamava "il capo" o "il boss", stando a ciò che diceva quello che doveva essere il suo unico amico, cioè il pregiudicato Richi o Riccardo Colato, detto anche "Richi la boia".

«La boia?» chiede McDonald.

«Vuol dire scarafaggio» accondiscende a spiegare Dino, «e in effetti lo è. Brutto e schifoso come uno scarafaggio.»

McDonald ha qualcosa da eccepire:

«Io mi diletto di entomologia e le assicuro che gli scarafaggi non sono né brutti né schifosi.»

«Tutti i gusti sono gusti» è il commento sprezzante di Dino. Ma cosa rompono sti due cazzoni – sta intanto pensando –, uno con la sua aria da padreterno, l'altro con la mania delle boie? Il primo che riesce a scartabellare nelle carte segrete delle banche come fossero guide telefoniche, il secondo che tra una porcata internazionale e l'altra alleva blatte e bacherozzi sul balcone o nel bagno, tanti scarafaggi schifosi con tutte le loro antennine e zampette che poi magari scappano dalle bacheche di vetro e gli vanno a chiedere una grattatina sulla capoccia o sul pancino... Ma mi faccia il piacere... Poi però gli viene in mente Totò e gli scappa un mezzo sorriso.

«Inoltre» interviene Gaetano che stasera non capisce gli sbalzi di umore del collega, «inoltre Alessia Sorrentino ci ha riferito che la scritta sulla foto le ha fatto venire in mente che qualche volta sua madre era uscita con espressioni come "meno male che c'è il capo", oppure "speriamo che ci pensi il capo".»

«Il datore di lavoro di Nicola che potrebbe essere stato un amico della madre. Interessante» commenta Amoruso e Dino lo fulmina con lo sguardo. Ma si ricorda subito che lui e Gaetano avevano usato lo stesso aggettivo di fronte alla stessa deduzione ed è costretto a chiedersi cosa gli stia capitando per essere così invelenito.

Poi McDonald e il compagno chiedono ciascuno una copia della foto, Camilla tenta più volte di riprodurla con lo scanner ma viene sempre uno schifo e le facce risultano indecifrabili. Breve conciliabolo e successivo accordo di passare subito in ufficio da Amoruso per ottenere copie migliori.

Il summit si scioglie verso le undici. Camilla e Gaetano non si sono parlati. Francesca ha deciso di rimanere per un altro giorno. Renzo non è ancora rientrato.

60

Il giorno dopo Camilla si alza alle sette. La sera precedente ha chiesto a Renzo qualche neutra informazione rituale – com'è andata, come stai, hai bisogno di qualcosa – alle quali lui ha risposto con distratta stanchezza: tutto bene grazie, ho solo bisogno di dormire. Sono andati a letto, spalla contro spalla ma a distanza, tutti e due attenti a non muoversi e a controllare il respiro, fingendo un sonno che tardava ad arrivare. Adesso lei prepara la colazione, poi lo sveglia e non vede l'ora che se ne vada. Non sono pronta, non ancora, pensa, per affrontare un discorso serio.

«Livietta dov'è?» chiede lui.

«Dalla nonna, ha dormito lì.»

«Chi la porta a scuola?»

«La nonna, io invece vado a riprenderla.»

«Bene, perché non so fino a che ora ne avrò in ufficio. Ci sono novità nelle indagini?»

«Qualche spiraglio, ma non è detto che porti a qualcosa.»

«Mi racconti tutto stasera, adesso devo andare.»

Bene, se ne è andato. Stiamo diventando due estranei che cercano di ridurre al minimo le occasioni di incontro. Due inquilini dello stesso alloggio che patiscono la coabitazione.

Si mette in moto a riordinare la casa (Luana non viene da quattro giorni, ha un'influenza tardiva o bugiarda), seguita dal bassotto che chiede con gli occhi parole e coccole. Lei si inginocchia a fargli qualche carezza veloce e zittisce i suoi mugolii di contentezza perché non vuole svegliare Francesca. Poco dopo però, passando davanti alla porta della sua camera, sente il suono inequivocabile di singhiozzi non soffocati. Non sa se entrare, bussare o passare oltre, esita qualche secondo; poi siccome i singhiozzi non cessano, apre la porta con decisione, si siede sul letto e abbraccia stretta la ragazza.

«Poi passa, Francesca, credimi.»

«Come fai a saperlo?»

«Avevo ventun anni quando mi sono innamorata persa, non pensavo ad altro che a lui, saltavo gli esami all'università, credevo durasse per sempre.»

«E poi?»

«Poi lui si è innamorato di un'altra, è stato onesto e me l'ha detto.»

«E dopo?»

«Dopo, un bel po' dopo, mi sono innamorata di Renzo. Ho di nuovo creduto che fosse per sempre.»

«Ma io non ce la faccio più.»

«Ce la farai, invece, poco per volta.»

«Tu non sai, non è solo per Laurent...»

«Non so ma posso immaginare. Laurent, i tuoi, tutto da ricominciare...»

«Non torno dai miei, non me la sento, non resisterei più di due giorni.»

«Resta con Gaetano, poi deciderai con calma. Adesso alzati, usciamo, anche se piove.»

«Per andare dove?»

«Dall'Indistruttibile, gli devo delle spiegazioni. E ho anche voglia di vederlo.»

L'Indistruttibile forse aspetta una visita, o la sua visita, perché stavolta apre il portone e la porta senza farsi pregare.

«Come stai» chiede prima a Camilla e poi a Francesca, e tutt'e due rispondono:

«Così così, e tu?»

«Anch'io così così, l'impermeabile non l'ho più messo, col giaccone sto bene anche se sta diventando un po' pesante, però devo sapere perché.»

Camilla comincia a spiegarglielo, ma lui a un certo punto la ferma:

«Va bene, va bene, basta. Non farmi girare la testa. Io adesso vado a vedere i palazzi che tirano su sulla Spina Tre. È tutto diverso da prima, sembra un'altra città. Se volete, potete venire anche voi.»

«Non posso, Indistruttibile, ho troppo da fare. E poi piove» dice Camilla.

«E allora? Basta prendere il tram o il pullman. Io li so prendere alle fermate giuste, così mi siedo, viaggio bello comodo e mi guardo il panorama.»

«Ci vengo io» dice Francesca.

«Brava, poi ti invito al ristorante.»

«Al ristorante?» si stupisce Camilla.

«Sì, dai ragazzi della cooperativa di via Mantova. Si mangia bene, ci sono due primi e due secondi con contorno che puoi sceglierne uno, quello che vuoi, e un quarto di vino o mezza minerale. Fa cinque euro a testa.»

«Sicuro che si mangia bene?» chiede ancora Camilla.

«Se ti dico di sì! Non è mica una mensa per i poveri, è un vero ristorante. Quando prendo la pensione il mese prossimo ci porto anche te e offro di nuovo io.»

61

«Ti è migliorato l'umore stamattina?» chiede Gaetano.

«Mai stato di cattivo umore, io» risponde Dino.

«Beh, veramente ieri sera...»

«Ieri sera mi stava sulle balle il succhialardo. Che ne dici se lo giochiamo d'anticipo?»

«Come?»

«Dandoci da fare per scoprire chi erano gli amici del Cantino, chi può aver avuto sto maledetto figlio.»

«Gli abbiamo detto che se ne occupasse lui.»

«E chi se ne frega! Abbiamo cambiato idea, calchiamo la mano sul fatto che noi siamo la polizia, e pretendiamo risposte veloci. E sai una cosa? Me ne frego anche di invadere il campo di Craighero, perché ho pensato a quello che ha detto Camilla e mi sono convinto che è anche campo nostro.»

«Campo tuo, io ufficialmente sono in permesso.»

«Ma figurati, che stai dentro a st'indagine lo sanno anche le sedie, in questura.»

«Però fino adesso hanno fatto finta di niente. Cominciamo coi licei?»

«Classici o scientifici?»

«Classici, secondo me. Quanti ce n'erano a Torino all'epoca?»

«Non lo so, meno di adesso comunque. Vado a chiederlo a Gramaglia, che di Torino sa tutto.»

Poco dopo Dino riferisce i nomi dei licei classici che all'epoca erano sei, quattro statali e due privati. Decidono di partire da quelli statali e cercano i numeri di telefono.

«Se le segretarie o applicate o quel che sono fanno le difficili e chiedono tempo, dico che faccio richiamare la presidenza dal questore e vedrai come alzano subito il culo dalle sedie! Stamattina sono in vena di azione, sono un duro da film americano, sono un macho, sono Robert De Niro!» dice Dino.

«Veramente De Niro di solito fa il gangster» obietta Gaetano.

Un'ora e un quarto dopo hanno la risposta: Andrea Cantino ha frequentato il liceo-ginnasio Cavour negli anni '48-53 e si è diplomato col massimo dei voti.

«Con quanto si è diplomato non ci interessa, signorina, invece abbiamo bisogno dell'elenco di tutti i suoi compagni di classe. Entro mezz'ora. Ce li mandi via e-mail o via fax.»

«Ma devo copiare tutti gli elenchi dai registri!»

«Non mi dica che non avete una fotocopiatrice, non ci credo che lo Stato vi tratti così male. Guardi che il questore non sente ragioni e fuori c'è mezzo mondo di giornalisti.»

«Faccio il più in fretta possibile, ma non so se in mezz'ora ci riesco. Sa, i registri...»

«Si faccia aiutare signorina, non tiri fuori altre scuse.»

Venticinque minuti dopo il fax sputa gli elenchi e loro cominciano a studiarli.

«Porcamiseria, quanto stangavano! Trentadue in quarta ginnasio, sedici in quinta: ne hanno fatti fuori la metà. In prima sono di nuovo in trenta perché devono aver unito due classi, in seconda ventidue, in terza diciannove. Da dove partiamo?» chiede Dino.

«Dalla terza liceo e dalla quarta ginnasio.»

«Cioè?»

«Selezioniamo quelli che hanno fatto tutto il corso di studi con Andrea Cantino e per il momento escludiamo gli altri. Più probabile che sia rimasto amico dei primi.»

«Ne restano dieci. E guarda, guarda qua chi compare:

Pietro Bonadé-Bottino, l'amministratore! Abbiamo fatto Bingo! Andiamo subito a fargli qualche domandina.»

«Non possiamo, è morto.»

«Quando? Ieri?»

«Quattro anni fa o giù di lì.»

«Ma se Amoruso ha detto di avergli parlato poco tempo fa!»

«Ha parlato col figlio, che evidentemente è subentrato nello studio del padre.»

«E tu come lo sai?»

«Il Bonadé-Bottino figlio era presente al funerale della Vernetti, insieme con la moglie, e c'era pure l'americano, McDonald.»

«Che tipo è questo figlio?»

«Uno con l'aria distinta, anche se non si può mai dire. La moglie, bionda alta magra e con gli occhiali scuri.»

«Da cieca o da star?»

«Il bastone bianco non ce l'aveva.»

«Gli hai parlato, al distinto e alla star?»

«No, si sono presentati a Camilla e basta.»

«E a te no?»

«Io sono arrivato in ritardo, a funerale quasi finito. E non ci tenevo a farmi vedere.»

«Dici che il figlio non ci può essere utile?»

«Forse sì, ma così entriamo direttamente in collisione col tenente Craighero.»

«Hai ragione. Vediamo se riusciamo a scovare gli altri amici, sempre che non siano morti anche loro.»

«Speriamo di no. Richiama la segretaria o applicata o quel che è e fatti dare gli indirizzi di questi dieci, anzi nove, poi attraverso l'anagrafe risaliamo agli indirizzi attuali.»

«Quella mi manda a stendere.»

«Manda a stendere Robert De Niro? E quando mai?»

62

«Dici che il tenente lo tiene buono ancora per un un po', il dottor Ciccarelli?» chiede il maresciallo Abatangelo.

«Ma sì» risponde il collega Saracco, «secondo me quello abbaia tanto ma poi non morde.»

«"Bisogna fare in fretta, bisogna chiudere!" Neanche lo pagassero a cottimo.»

«Secondo me è perché è timido.»

«Chi? Ciccarelli?»

«Sì. Guarda sempre da un'altra parte quando gli parli, e parla anche troppo in fretta, proprio come i timidi.»

«Sarà, però se uno a quarant'anni è ancora timido, oltre che timido è anche un po' ciula, come dite voi.»

«A proposito di ciula, Aliberti a che punto è con l'uomo dell'identikit?»

«Sempre allo stesso punto, cioè a zero. Per essere ciula è ciula, però stavolta non è colpa sua se combina poco, è che le testimonianze non concordano.»

«Ma concordano tutte sul fatto che dietro la Vernetti c'erano un uomo e una donna che poi sono scomparsi.»

«Sì, ma le descrizioni sono imprecise. Della donna non riusciamo ad avere un profilo attendibile, solo che era alta, e l'uomo risulta un po' diverso da come l'hanno visto la parrucchiera e il portiere del residence.»

«Vatti a fidare dei testimoni. Anche quando collaborano, quello che dicono è sempre da prendere con le molle.»

«Però, adesso che ci penso, mi viene in mente un'altra ipotesi.»

«Cioè?»

«Che l'uomo alle spalle della Vernetti e il pedinatore siano due persone diverse. Potrebbe essere, no?»

«Potrebbe essere se le descrizioni di quelli che erano a Porta Palazzo fossero abbastanza concordi tra loro e le altre due anche. Sempre più incasinata sta storia, e oltretutto con un sacco di gente estranea che ci sta ficcando il naso. Noi, finché Nardi non ha finito con le sue carte, siamo qui bloccati a fare quasi niente, visto che coi tabulati dei telefoni della Vernetti ci resta poco da scoprire.»

«Ma dal residence è sicuro che abbiamo portato via tutto quello che serve?»

«Altroché. E poi non è che ci fosse tanto, a parte le carte da cui è partito Nardi: niente computer, niente diari, lettere che risalgono a un sacco di tempo fa, foto che non ci dicono niente.»

«Io mi rimetto a dargli un'occhiata, fosse mai che ci è sfuggito qualcosa.»

La porta dell'ufficio si apre: non è Craighero che viene a chiedere se ci sono novità, ma Nardi che dice:

«Venite un po' a vedere cosa ho scoperto!»

63

Francesca è di ritorno verso le tre. L'Indistruttibile l'ha accompagnata sin davanti al portone, ma non è voluto salire a causa di un impegno.

«Ma che impegni può avere?» chiede Francesca.

«Impegni che si inventa. Per tenersi occupato, per tenere lontani i fantasmi, per dare un senso alle giornate» risponde Camilla.

«Come tutti.»

«Un po' più di tutti. Il destino non ha avuto una mano tanto leggera con lui, eppure a modo suo è riuscito a venirne fuori.»

«Lezioncina d'incoraggiamento?»

«No, nessuna lezione, sono fuori servizio. Com'era il ristorante?»

«Beh, non ci crederai ma non si mangia male. Mi sembrava inverosimile che si potesse fare un pasto completo con cinque euro e invece... Chissà dove l'ha scovato un posto così. Senti, volevo chiederti una cosa...»

«Dimmi.»

«Posso restare qui ancora un giorno o due?»

«Certo. Però ti trasferisco a dormire nello studio, per riguardo verso Livietta, perché non si senta ancora più frastornata. Ti dispiace?»

«No, figurati. Tuo marito cosa dirà?»

«Niente, credo.»

«Tu hai deciso qualcosa?»

«Non riesco a decidere niente. Vivo alla giornata.»

«Come me. Notizie da Gaetano?»

«Nessuna.»

Gaetano era in macchina a fianco di Dino, meta una villa della zona precollinare. Avevano recuperato le tracce dei nove compagni di Andrea Cantino dalla quarta ginnasio alla terza liceo e dividendosi il lavoro erano riusciti a scoprire la loro attuale localizzazione. Due al cimitero, uno a Hong-Kong da più di vent'anni, un altro ridotto allo stato vegetativo da un incidente d'auto: ne restavano cinque. Di questi cinque erano riusciti a raggiungerne al telefono soltanto tre, ma uno aveva subito dichiarato di non aver mai più visto né tanto meno frequentato Andrea dopo la fine del liceo, un altro, amministratore delegato di una multinazionale dolciaria, era a Palermo nel bel mezzo di una riunione di lavoro e aveva promesso che si sarebbe fatto vivo non appena di ritorno a Torino. Restava l'architetto Raimondo Bertone, un professionista affermato con studio in via Viotti e abitazione in strada del Salino, che senza farsi pregare si era reso disponibile a riceverli subito e a parlare con loro.

«Siamo una squadra d'assalto, siamo le teste di cuoio dell'investigazione, noi due!» scherzava Dino bruciando i semafori e infischiandosene delle precedenze alle rotonde.

«Sei sicuro che Robert De Niro guidi così?» lo sfotteva Gaetano aggrappato alla maniglia della portiera.

«Adesso non sono De Niro, sono Steve McQueen.»

«Che è morto giovane.»

«Di cancro, non di incidente. Che fai, semini iella?»

Raimondo Bertone era un bell'uomo che portava bene i suoi anni. Andatura eretta nonostante l'età, abbigliamento casual-chic (la divisa d'ordinanza degli architetti, pensò Gaetano che si sentiva stazzonato e poco presentabile nei suoi jeans-camicia-maglione che non cambiava da due giorni), capelli bianchi e folti tagliati da un buon parrucchiere, occhi di un blu scurissimo. Uno che con le donne non aveva di sicuro avuto le difficoltà di Richi la boia. Uno che compariva ogni tanto in foto sui giornali cittadini in occasione di convegni o dibattiti sull'architettura e che Gaetano riconobbe all'istante come lo sconosciuto presente ai funerali di Dora.

Andrea era stato suo amico e compagno sino a quando era partito per l'America, disse. Poi, come purtroppo capita, il rapporto s'era allentato a causa della lontananza: qualche occasione di incontro c'era ancora stata all'inizio, quando lui capitava per lavoro o per svago negli Stati Uniti oppure Andrea tornava per una visita ai genitori e alla sorella, ma da almeno vent'anni non si erano più visti né sentiti. Però era stata una bella amicizia, una di quelle che segnano l'adolescenza, la giovinezza e l'ingresso nella maturità, un'amicizia finita ma viva nella memoria e ripensata con parecchia nostalgia, come succede quando gli anni avanzano e si comincia a guardare più indietro che avanti. Un'amicizia in cui non esistevano segreti, ma soltanto il pudore o il riserbo nei confronti di emozioni e sentimenti intimi. Andrea era stato il suo testimone di nozze, le prime, durate un decennio, ed era stato vicinissimo a lui e a sua moglie quando avevano perso il primo figlio, per uno choc anafilattico, a due anni di età. Andrea che non si decideva a sposarsi, che aveva trascinato per anni un fidanzamento di cui né lui né lei erano troppo convinti, finché si erano lasciati di comune accordo, senza invelenimenti e ripicche. Andrea che si era innamorato di Dora con l'irruenza di un ventenne, mentre di anni ne aveva già trentaquattro e la ventenne era lei.

«Sapete» aggiunse, «qualche volta mi era capitato di pensare che magari lui sarebbe tornato qui, che avremmo ripreso a vederci e a stare insieme, che ci saremmo raccontati con calma le nostre cose e invece che era morto l'ho saputo solo alla morte di sua moglie, dai giornali.»

«Architetto, secondo lei è possibile che Andrea, poco prima delle nozze, avesse avuto un figlio da una donna sposata e che di questo figlio si fosse disinteressato per tutta la vita, salvo passare un assegno per il suo mantenimento?»

«Un figlio? Impossibile, me ne avrebbe parlato. Ma soprattutto impossibile il resto.»

«Chi erano gli altri amici che Andrea frequentava con assiduità?»

«Pietro Bonadé-Bottino, che dopo la laurea in economia e commercio aveva cominciato a lavorare nello studio del padre; Arturo Gribaudi, che si era laureato in legge con Andrea e che ogni tanto vedo ancora adesso al circolo del whist, e Bruno Olmo, che è morto anche lui come Pietro Bonadé-Bottino.»

«Nessun altro?»

«No. Gli amici intimi erano quelli.»

L'unico che avrebbero ancora potuto interrogare era Arturo Gribaudi, l'amministratore delegato in trasferta a Palermo. Gaetano tirò fuori la foto che gli aveva consegnato Alessia:

«Riconosce per caso l'uomo in questa foto?»

«Certo che lo riconosco, anche se la foto dev'essere di almeno trenta-trentacinque anni fa.»

64

Dino e Gaetano sfogano l'eccitazione tirando quattro calci a una lattina di birra sul marciapiede di strada del Salino, sotto lo sguardo stupito-indispettito di una cinquantenne tardivamente impellicciata che deve passare in mezzo alla via per scansarli.

«Goal! Ti ho fatto goal!» urla Dino. «Due a uno.»

«Non barare, due a due» ribatte Gaetano.

«Il tuo di prima non vale. Era fuori porta.»

«Fuori porta col cavolo. Adesso ti faccio vedere io!» e sferra un calcio al volo. La lattina va a colpire il portone di un condominio di lusso proprio mentre sta uscendo un portinaio con tanto di divisa.

«Devo chiamare la polizia?» chiede con il tono di una divinità offesa.

«Ha un morto ammazzato nella guardiola?» scherza Dino continuando a giocare.

«Dove credete di essere? A San Salvario, a Porta Palazzo?» rincara il portinaio.

«Non vale! Eri fuori gioco!» urla Dino senza dargli risposta.

«Fuori gioco da solo? Ma che regole ti inventi?»

«Dico a voi! O la smettete o faccio venire subito la polizia!» s'inviperisce di brutto il portinaio.

«Ma davvero! E cosa racconta per farla venire? Che qualcuno ha messo una bomba nell'androne o che due

marocchini stanno giocando a calcio davanti alla sua reg-
gia?» chiede Dino scazzandosi.

«Non siete marocchini, siete peggio!»

«Come no, siamo della polizia» dice Gaetano estraendo
il tesserino e lasciandolo sbalordito.

Raggiungono la macchina che hanno parcheggiato poco più avanti sempre calciando la lattina come quindicen-
ni all'oratorio.

«Proprio vero che il mondo è pieno di stronzi» filoso-
feggia Dino. Poi, cambiando argomento: «E bravo l'architetto! Secondo me siamo sulla buona strada».

«Bravo Nardi!» dice intanto il maresciallo Abatangelo.
«Dagli e dagli prima o poi qualcosa doveva saltare fuori.
Quand'è che comincia il casino?»

«Non ci sono ancora arrivato. Un bel po' di tempo fa, comunque.»

«Tenuto coperto coperto.»

«Pare di sì.»

«Pare» chiede Saracco, «o lo sappiamo di sicuro?»

«E come facciamo a saperlo di sicuro? I morti non possiamo interrogarli. Però c'è una cosa che mi sta facendo
girar l'anima mica poco» dice Nardi.

«Sarebbe?» chiedono gli altri due.

«Sarebbe che secondo me qui manca qualcosa. Qualcosa che qualcuno ha fatto sparire.»

«In cambio di mazzette, vuoi dire?»

«E di cosa se no?»

«Se riusciamo a dimostrarlo gli facciamo vedere i sorci
verdi.»

«A chi le ha date o a chi le ha prese?»

«A tutti e due, porco mondo. Sarebbe bello, una volta
tanto. Chiamiamo subito il tenente.»

«Così può dire a Ciccarelli che non è che stiamo a grat-
tarci le balle tutto il giorno.»

«Scusi l'intrusione, signora Baudino» sta dicendo il dottor Amoruso, «ma già che ero nei paraggi ho preferito venire di persona per evitare il telefono. Il signor McDonald è dovuto partire all'improvviso e le manda i suoi saluti. Anche a lei, signorina.»

Ringraziano entrambe con un cenno del capo, Francesca con maggior partecipazione aggiungendoci anche un sorriso, Camilla chiedendogli subito dopo se gradisce una tazza di caffè.

«No, grazie, sono proprio di corsa. Non ho potuto occuparmi di quello che si era deciso. Una questione importante, di famiglia.»

«Niente di grave, spero.»

«No, al contrario. Mia moglie ha appena avuto un bambino, un po' in anticipo sul previsto.»

«Felicitazioni, allora.»

«Grazie. Sono passato soltanto per riferire quanto ha saputo il signor McDonald.»

«Sugli appuntamenti di Andrea Cantino il giorno che è morto?»

«Sì. Non ha avuto nessun incontro imprevisto, solo colloqui di lavoro con colleghi o persone del giro. Di imprevisto c'è stato invece un appuntamento andato a monte quasi all'ultimo momento.»

«Con una persona di qui?»

«Esattamente.»

«Mi dica con chi.»

65

«Certo che lo riconosco» aveva detto l'architetto Bertone, «siamo stati inseparabili per cinque anni; più tardi, durante l'università e dopo, il trait-d'union tra lui me Bruno e Arturo era diventato Andrea, che telefonava per fissare una cena, per andare a vedere insieme la partita, per un film o un concerto. Era Andrea che teneva insieme il gruppo, che impediva che si disgregasse quando tutti, eccetto lui, ci siamo sposati. Lui aveva la sua fidanzata storica – noi dicevamo stagionata, non perché fosse tanto più vecchia di lui, c'erano solo tre anni di differenza tra loro, ma perché non si decidevano ad andare oltre il fidanzamento. Si volevano bene, lui e Amalia, si divertivano insieme, ma era più un'amicizia che un innamoramento. Mi ricordo che un giorno ho chiesto ad Andrea: "Ma te la sposi sì o no?", e lui, dopo anni che stavano insieme, ha risposto: "Non gliel'ho mai chiesto, ma non l'ha mai chiesto nemmeno lei". Poi hanno deciso di lasciarsi e abbiamo festeggiato l'evento del distacco tutti insieme, noi, le nostre mogli, Andrea e Amalia, con una specie di festa a casa mia, tanto la separazione avveniva in modo amichevole. Dopo, quasi contemporaneamente, si sono innamorati tutti e due. Amalia, chi l'avrebbe mai detto, di un hippy – a quel tempo da noi si chiamavano capelloni – e ha mollato tutto e tutti. Faceva la restauratrice di carte, manoscritti, libri, stampe, ed era una delle più brave in Italia e forse in Europa, coi bibliofili che la supplicavano in ginocchio che gli riparasse i loro tesori e i direttori di musei e biblioteche che sgomitavano per avere la precedenza. Lei e il suo capellone sono partiti per l'India, non verso Goa che allora era diventata la capitale dello sballo ma verso il sud, l'hanno girato in lungo e in largo per un po' di anni poi hanno cambiato continente e sono finiti in Canada, lui a fare ancora un po' l'hippy, lei ad aprire un laboratorio di carta pregiata. Hanno avuto dei figli, quattro o cinque o sei, non lo so di preciso perché anche con lei ho perso i contatti da anni. Andrea intanto aveva conosciuto Dora ed era come rimbecillito – beh, questo lo dico col senno di poi – perché parlava e si comportava come se l'amore l'avesse inventato o scoperto lui. Per questo ho detto che non era possibile che nel frattempo avesse un'altra relazione, era troppo occupato con Dora.»

«Non potrebbe averla avuta prima? Quando la storia con la fidanzata stagionata si trascinava stancamente?» aveva chiesto Dino.

«No. Non si sarebbe mai messo con una donna sposata. Non era da lui.»

«Proprio sicuro? Può capitare a tutti...»

«Se ha detto no, è no» aveva troncato Gaetano.

«E soprattutto non sarebbe stato da lui liquidare la cosa come mi avete detto. Pietro invece...»

«Invece?» l'aveva sollecitato Dino.

«Beh, Pietro era diverso. Si era sposato con un'arpia, e se l'è tenuta fino a quando è morta durante un viaggio a Bali. La barca che si rovescia nel mare durante una specie di tifone e lei che ci lascia le penne. Poteva essere una liberazione e invece non molto tempo dopo, poveretto, è morto anche lui. Non di disperazione, di cancro ai polmoni. Aveva fumato come un matto per tutta la vita, una sigaretta via l'altra, forse era un modo per tenere le mani occupate e non usarle per strangolarla. Una di quelle donne, Delfina, fatte apposta per rovinare la vita di chi ha la disgrazia di incontrarle. Bella sì, anzi bellissima, Pietro aveva un debole per le maliarde, quelle che tanti anni fa erano rare, alte, slanciate, regali. Adesso di donne così ne trovi dappertutto, anche sui marciapiedi a battere. Ma poi, per dirla proprio tutta, anche andando sul volgare, credo che Delfina la passera non gliela mollasse troppo spesso, era una di quelle che fanno cadere tutto dall'alto, che tutto gli è dovuto ma loro non devono niente perché gli basta esistere. Una merda di persona, tanto per essere espliciti e non tirarla per le lunghe. Perciò, che Pietro la cornificasse era il meno che le potesse capitare. Lui sì che potrebbe avere avuto un figlio con la bellona sorridente della foto, fisicamente era il tipo che lo faceva stravedere, lo stesso tipo della moglie, però Delfina un sorriso così non credo che l'abbia mai fatto in tutta la sua vita. E potrebbe pure non aver riconosciuto il figlio, visto che una croce addosso ce l'aveva già e di sicuro non aveva voglia di portarne un'altra.»

«Poteva separarsi, divorziare dalla moglie e tirare il fiato» aveva obiettato Dino.

«No che non poteva. Era un cattolico praticante, lo è stato sino all'ultimo.»

«Ma cornificava la moglie.»

«Beh, che ci trova di strano. È sempre stato fatto...»

«Non so, io non sono praticante e da mia moglie ho preferito dividermi.»

«Sono altri tempi, ispettore, ne tenga conto. Pietro ci pativa, di questa situazione, ma non ha mai saputo né voluto venirne fuori. Poi, col tempo, credo che si fosse rassegnato.»

«A noi risulta che fosse l'amministratore dei beni di Andrea. Ne sa qualcosa, architetto?» aveva chiesto Gaetano.

«I Bonadé-Bottino amministrano beni da quattro generazioni. Il nonno di Pietro, suo padre, lui che aveva cominciato a occuparsene, come ho già detto, subito dopo la laurea e poi il figlio, che ha fatto la stessa cosa. Hanno sempre avuto una clientela notevole.»

«Mai avuto grane, dissesti, mai fatto operazioni spericolate?»

«Che io sappia, no. Pietro non era certo un tipo avventuroso, trattava i soldi degli altri con il massimo rispetto e credo che abbia allevato il figlio alla stessa scuola. Andrea si fidava ciecamente di lui.»

«Anche del figlio?»

«Questo non lo so. Però se aveva lasciato che continuasse a occuparsi dei suoi beni, presumo di sì. Adesso mi spiegate cosa c'entra tutto questo con la morte di Dora?»

66

«Allora, ricapitoliamo» dice Dino risalendo in macchina. «Pietro Bonadé-Bottino ha una relazione con mamma Sorrentino, che lo chiama più o meno affettuosamente "il capo". E sempre "il capo" ogni tanto affida qualche lavoretto a Nicola.»

«Ma siccome Bonadé-Bottino padre è morto quattro anni fa, si può presumere che "il capo", per proprietà transitiva, sia diventato il figlio.»

«E vuoi sapere una cosa? Io presumo pure che Nicola sia figlio del capo. Del capo padre, voglio dire. Troppo azzardato?»

«No, ma ci vogliono prove.»

«Da dove cominciamo?»

«Da Alessia Sorrentino. Dalle cose di sua madre che ha preso nel garage e che si è portata via. Se è come pensiamo, e se per una volta ci capita il colpo di culo, scopriamo se e dove la defunta Sorrentino aveva un conto in banca e se qualcuno ci ha versato sopra dei soldi per venticinque anni.»

«Io odio aver a che fare con le banche.»

«L'avevo capito. E se seguiamo la prassi regolare, ci mettiamo una vita.»

«Allora?»

«Amoruso.»

«Eh cazzo, no! E poi perché ci dovrebbe fare sto piacere?»

«Perché deve averci un interesse suo. Legato a McDonald.»

«Tu dici?»

«Sì. McDonald non vuole che si tiri in ballo la morte di Andrea. Vuole che si trovi l'assassino di Dora e che la faccenda si chiuda lì. Non credo che si sia catapultato qui solo per amicizia.»

«E Amoruso è un suo uomo?»

«Certo. Dora si è rivolta a lui proprio su suo consiglio. Però che cosa combinino insieme Amoruso e McDonald non possiamo saperlo.»

«Possiamo chiederglielo.»

«Lascia perdere. Telefoniamo ad Alessia e, se troviamo qualcosa, ad Amoruso chiediamo di occuparsi del conto in banca.»

67

Alessia è a Torino, ospite di un'amica, una collega di lavoro dei tempi del supermercato con cui ha continuato negli anni a vedersi. La telefonata di Gaetano la raggiunge mentre sta ricacciando in gola lacrime di malinconia, di sconforto, di incertezza. Non è facile buttare tutto all'aria a quasi quarant'anni, continua a ripetersi, ma non ce la faccio a tirare avanti come ho fatto finora. Devo trovarmi un lavoro, devo trovarmi una casa. Devo parlare con Giuliano. Devo spiegarmi con i figli. Sarà duro, mi sbatteranno in faccia delle parole terribili, non capiranno. Magari tireranno in ballo il ricordo di mia madre e penseranno o diranno puttana la madre e puttana la figlia. Forse pensarlo o dirlo gli farà bene, li aiuterà a farsene una ragione. Perché non posso confessargli come stanno le cose, non posso dirgli che loro sono la mia prigione e che l'ergastolo non riesco proprio a reggerlo... E spero che il commissario Berardi trovi quello che cerca e che in prigione ci vada chi ha ammazzato Nicola. Povero fratello mio, che solo adesso che non possiamo più parlarci, scopro quanto mi manchi.

«Non riesco a parlare con mio fratello» si spazientisce Francesca, «è mezz'ora che provo ma deve avere il cellulare spento o che non prende.»

«Chiamalo in commissariato» suggerisce Camilla.

In commissariato Gaetano non c'è, ma Dino dice che non dovrebbe tardare e chiede se deve riferire qualcosa.

«No grazie, passo io più tardi» tronca Francesca.

«Il fatto è» spiega dopo a Camilla «che non posso più rimandare, ma non so cosa fare. Non so neppure se riuscirò a non tornare a Marsiglia, a dare un taglio una volta per tutte. Tu dici che passa, ma io continuo a star male. E poi, anche se ce la facessi a non tornare, non so dove sbattermi. Voglio parlare con Gaetano, chiedergli cosa pensa di fare, anche se credo che non lo sappia nemmeno lui.»

«Ti accompagno in macchina» si offre Camilla, «ti lascio lì, poi vado a fare un paio di commissioni e a prendere Livietta a scuola.»

«Terza porta del corridoio a sinistra, stanza numero sei» indica il piantone del commissariato, ma nella stanza c'è soltanto Dino.

«Siediti, dovrebbe essere qui a minuti» le dice. «Come va?»

«Così così. E tu?»

«Il lavoro non male, il resto così così.»

Poi le offre una Coca-Cola e si mettono a chiacchierare. E siccome Gaetano tarda e le chiacchiere vanno per le lunghe, a un certo punto lui la invita a mangiare una pizza e lei dice di sì.

Anch'io vorrei parlare con Gaetano, pensa Camilla, mentre cerca un buco dove parcheggiare poco oltre il commissariato. Ma non so cosa dirgli. Mai illudersi di essere forti, di saper padroneggiare la propria vita, di riuscire a fare la scelta migliore. Questo guaio che non finisce più, questa tensione che si sta trasformando in sfinimento, quest'attesa che è diventata paura del dopo...

Scende dalla macchina, chiude la portiera e quando alza gli occhi Gaetano è lì di fronte a lei.

«Dobbiamo parlare» le dice abbracciandola, e lei fa sì con la testa, perché la voce non vuole venir fuori.

68

Nella vecchia valigia che Alessia ha preso in garage e portato via c'è quello che resta del passato comune della famiglia Sorrentino: fotografie, ritagli di giornale ingialliti, fatture, garanzie di elettrodomestici, il libretto di matrimonio dei suoi genitori, certificati di vaccinazione, pagelle scolastiche e quaderni delle scuole elementari. Frugando in quel ciarpame Gaetano si chiede che tipo di donna fosse Romilda Barra in Sorrentino, che aveva umiliato il marito sino a farlo scappare via per sempre ma che non si era disfatta del libretto di matrimonio, che aveva piantato nei figli i semi di due diverse infelicità e che tuttavia aveva conservato i loro quaderni, i loro disegni, le loro letterine a Babbo Natale. Infelice a suo modo anche lei? Forse, benché il sorriso nelle foto sembrasse smentirlo. Finalmente, tra le tante carte da cui Alessia distoglie gli occhi per non piangere, Gaetano trova quello che spera e cioè la matrice di un libretto di assegni. Ma è troppo tardi, pensa accomiatandosi, perché Amoruso possa ancora occuparsene e bisognerà avere pazienza sino a domani.

Alle nove di sera, nella caserma di via Valfrè, il tenente Craighero e i suoi hanno finito di esaminare un mucchio di appunti e documenti bancari. Le prove del dissesto finanziario di Andrea e Dora Cantino sono chiare e inconfutabili: un patrimonio di titoli e obbligazioni che nel giro di tre anni è stato dilapidato con operazioni sbagliate o peggio e che si è ridotto a ben poco, quasi a niente. Un patrimonio da sempre amministrato dallo studio Bonadé-Bottino che aveva carta bianca per ogni decisione.

«Un bel movente, peccato che non ci serva» dice Nardi riunendo e riordinando appunti e documenti in un fascicolo.

«Siamo proprio sicuri dell'alibi?» chiede il tenente massaggiandosi le tempie per alleviare il mal di testa da stanchezza che lo perseguita ormai da giorni.

«Più che sicuri, controllato e confermato. Una iella da non credere» risponde Saracco.

«Iella per noi, a lui va di lusso. Se no a quest'ora l'avremmo già impacchettato» osserva Abatangelo. «E adesso cosa facciamo, tenente?»

«Niente. Adesso andiamo tutti a casa.»

69

Adesso la catastrofe arriva, pensa Enrico Bonadé-Bottino accendendo una sigaretta col mozzicone della precedente. Arriva e stavolta va tutto a puttane. L'ho scampata una volta, un anno e mezzo fa, ed è stato un doppio miracolo. Primo miracolo che non ne avesse parlato con nessuno, nemmeno con la moglie. Aveva telefonato cinque volte, ero riuscito a tergiversare per due settimane, poi si è impuntato e non ha più voluto sentire ragioni. "Prenda subito un aereo e venga qui" aveva detto, e ho dovuto precipitarmi mentre avrei voluto scomparire. Ma poi, in albergo, prima dell'appuntamento, sono stato preso dal panico e non ce l'ho fatta ad affrontarlo. Sudore freddo, crampi allo stomaco, tremito alle mani. L'ho chiamato e gli ho chiesto di rimandare perché stavo male, però lui non ci ha creduto. Se fossi stato solo penso che mi sarei ammazzato, pur di non doverlo incontrare e sentirmi sbattere in faccia che ero un coglione e un delinquente, ma Adriana aveva insistito per accompagnarmi. Lui al telefono era furibondo, era riuscito a scoprire tutto e mi avrebbe sputtanato. Invece gli è venuto un infarto, il secondo miracolo, più grosso del primo. Io in quell'avventura del mercato americano in principio non volevo entrarci, puzzava un po' di pericolo, era in contrasto con le tradizioni dello studio, però era anche un'occasione grossa se fosse andata bene, se non fosse crollato tutto in pochi mesi, dopo le prime indiscrezioni, i primi si dice, le prime corse a vendere... Non ho voluto crederci, ho preferito pensare che fosse solo una manovra come tante altre che avevo già visto... Mi ha preso una sorta di smania di giocare il tutto per tutto. L'ho fatto e ho perso. Se dopo sono riuscito a resistere, a tamponare le cose, a non mollare e scappar via, è stato per rispetto alla memoria di mio padre, che in tanti anni non aveva mai fatto un'imprudenza, anzi una cazzata come la mia e non aveva mai fregato i soldi di nessuno. Per rispetto verso mio padre e grazie a mia moglie. Adriana non capisce niente di investimenti finanziari, però mi vuole bene, non rinfaccia, non recrimina, sta dalla mia parte. Sembrava fragile quando ci siamo conosciuti, fragile e anche un po' sbandata, e invece incontrarla è stata la mia fortuna. Anche la sua, per la verità, almeno fino adesso. Comunque tutto il contrario di mia madre, che ha avvelenato per più di trent'anni la vita di chi le stava intorno. Le cose, dopo, spostando di qua e di là quello che era rimasto e grazie all'amico della banca, ero riuscito a farle sembrare accettabili agli altri clienti, e tutti credevano che fossero a posto, ma ecco che arriva lei, la vedova Cantino, e chiede notizie di un figlio, e vuole avere un resoconto preciso preciso del patrimonio e siccome io prendo tempo e la tiro per le lunghe sguinzaglia un investigatore che va subito a ficcare il naso in banca. Il solito amico mi avverte, ma cosa posso fare? Solo sperare che quello non vada troppo a fondo, che non scavi sotto la superficie. Incarico Nicola Sorrentino di tener d'occhio Dora, per capire se nella faccenda coinvolge altre persone, ma non riesce a scoprire niente di importante. Lo sapevo già da prima che probabilmente sarebbe stato un buco nell'acqua, Nicola è sempre stato un mezzo balordo che non ho mai capito perché mio padre gli desse dei lavori, anzi dei finti lavori, e perché mi abbia raccomandato di continuare a dargliene, però stavolta non poteva fare tanto di più di quello che ha fatto. E comunque, anche da balordo, un merito ce l'ha sempre avuto, ed è che non si è mai lasciato scappare niente, che è sempre stato in campana, come diceva lui. Stavo all'inferno, mi aspettavo da un momento all'altro che la vedova piombasse in studio con il suo investigatore; di giorno mi riempivo di ansiolitici per stare calmo, per non cedere, come mi raccomandava Adriana, e di notte mi imbottivo di sonniferi per riuscire a dormire, e invece avviene l'imprevisto, cioè un incidente e io ho quasi pensato che era un terzo miracolo. Però poi scoprono che non è un incidente ma un omicidio e un omicidio nessuno può chiamarlo miracolo. Avevo un movente grosso come una casa, grosso come quello dell'amica che la casa la eredita, perché prima o poi i carabinieri scopriranno di sicuro tutto il giro dei certificati fatti sparire e il pasticcio degli spostamenti, ma la mattina dell'omicidio ero in ufficio, a spaccarmi la testa per trovare una soluzione, e ho un alibi di ferro. L'amica invece era con lei, ma se non l'hanno arrestata ci sarà una ragione. E dopo ancora c'è Nicola che muore per overdose. Mai accorto che si drogasse, e dire che in materia un po' di esperienza ce l'ho. Troppi miracoli, troppe coincidenze. Adesso la catastrofe non può non arrivare. E meno male che non ho mai voluto che Nicola mi chiamasse in ufficio o sul cellulare intestato a me, meno male che qualche precauzione l'ho sempre presa...

70

Nell'ufficio del tenente Craighero sono in cinque.

"Con quello che abbiamo in mano non ci conviene più aspettare" aveva detto Dino, "senza contare che il mio capo adesso scalpita." "E senza contare" aveva aggiunto Gaetano "che ho già prolungato una volta il mio permesso e non posso farlo di nuovo. Ma con quello che ha scoperto Amoruso, forse siamo al buono." "Forse, solo forse?"aveva obiettato Dino, "per me invece siamo al buono di sicuro."

«Ispettore, commissario, non posso dire che non stessimo aspettando una vostra visita» afferma il tenente indicando due sedie.

«E infatti eccoci qua. Se vi abbiamo invaso il campo, è perché stiamo indagando su un caso che sconfina nel vostro» dice Dino.

«*State?* A me risulta che il commissario è in permesso per motivi personali» puntualizza Craighero.

«Infatti» risponde Gaetano, «e il motivo personale è costituito dalla signora Baudino, che è una mia cara amica ed è estranea al delitto.»

«È estranea al delitto perché è una sua cara amica?»

«No, tenente. Sono due concetti distinti. E che sia davvero estranea ai fatti deve risultare anche a lei, perché in caso contrario le avrebbe già fatto spedire un avviso di garanzia.»

«Lei mi insegna, commissario, che qualche volta, anzi spesso, gli avvisi non si spediscono subito per avere le mani più libere nelle indagini.»

«Certamente, ma non credo che stavolta sia così. Comunque adesso l'ispettore De Beni le dirà che cosa ha scoperto.»

«Cosa *abbiamo* scoperto. Tenente, se la donna di cui è innamorato fosse implicata in un caso di omicidio, lei non si darebbe da fare?» sbotta Dino.

Gaetano lo fulmina con un'occhiata furibonda, Craighero dà un colpo di tosse, i due marescialli cambiano posizione sulle sedie. Dino, che è l'unico a essere perfettamente a suo agio, si assume il compito della lunga esposizione e sciorina sulla scrivania foto e carte.

Dopo, c'è un lungo silenzio perplesso.

«Come avete fatto a procurarvi questi?» chiede infine il tenente indicando i documenti che attestano venticinque anni di bonifici bancari sul conto di Romilda Sorrentino da parte di una società di copertura.

«Amoruso» dice secco Dino.

«Come pensavo. Riesce ad arrivare dove noi non possiamo. Anche a scoprire chi sta dietro alle società anonime registrate in Liechtenstein. Era in gamba, il defunto Bonadé-Bottino, più in gamba del figlio, a tenere nascosti gli altarini.»

«Quali?»

«Il casino che ha fatto coi soldi dei Cantino, per esempio.»

«Ma allora c'è un movente!» esclamano insieme Dino e Gaetano.

«Sì, ma c'è anche un alibi. Sicuro e confermato, porcamiseria» si lascia andare il tenente.

«Allora siamo daccapo, porcaputtana» si abbatte Dino.

«Proprio daccapo, no» intervengono dandosi sulla voce Abatangelo e Saracco, «adesso, mettendo insieme tutto quello che sappiamo, ci sarebbe una persona da sentire. Che dice, tenente, la mandiamo a prendere?»

71

Ho lo stomaco chiuso in una morsa da tortura medioevale, la bocca più secca della sabbia del Sahara. Secchezza delle fauci, dice il bugiardino dell'ansiolitico, anche noi abbiamo le fauci, non solo le tigri e i leoni, ma lo stritolamento dello stomaco non è un effetto collaterale, è un sintomo che le gocce non sono state capaci di rimuovere. E aggiungiamoci pure i conati di vomito, le mani che tremano e l'incapacità del pensiero di fissarsi su qualcos'altro che non sia questa maledetta attesa. Volevo andarci anch'io da Craighero, ma hanno detto di no tutti e due, Gaetano e Dino a spiegarmi di conserva che non era una prassi corretta. Bello "di conserva", ma non si usa più, e poi si usava per le navi, non per le persone. Della correttezza invece sai quanto me ne importa, in questo caso. Il Bonadé-Bottino figlio ne ha di cose da spiegare, e non tutte devono essere limpide. Ma i carabinieri hanno scoperto qualcosa in proprio o sono stati a grattarsi le balle sino adesso? L'Indistruttibile mi direbbe che parlo come un carrettiere. Anche mia mamma mi darebbe sulla voce. No, non potrebbe, perché non sto parlando ma solo pensando. Come un carrettiere però. Chissà perché proprio i carrettieri. Forse perché sui carretti stavano da soli e potevano imprecare a volontà. Cavalli asini e muli non erano in grado di protestare. Meno Francis, il mulo parlante. Ci hanno fatto sette film, uno più schifoso dell'altro, no tutti schifosi uguale, nessuna scala gerarchica nella schifezza. Me li sono sciroppati tutti e sette al cineforum dell'università, qualcuno anche in lingua originale senza sottotitoli. Rassegne di film americani di genere degli anni Cinquanta. Anche tutti i *Lassie* mi sono vista. A quell'epoca ero masochista senza saperlo. Come Francesca, che oggi mi servirebbe avere accanto, perché così almeno potrei accapigliarmi con lei, e invece è andata in bici con Gianni e Loris. Cosa faccio adesso che non riesco a star ferma, anzi cosa cazzo faccio? Porto a sostituire la cerniera della borsetta marron, quella bella non spelata e quasi nuova. Dove. Al Balon c'è una bottega idonea. "Riparo borse valigie stivali e articoli in pelle" dice il cartello esposto nella vetrina. Al Balon no, non ci sono più andata dopo quella volta, non mi sento di andarci. Dove, allora? Le pagine gialle, ma cosa cerco? Proviamo. Riparazioni non c'è, dovrebbe stare tra rimorchi per automobili e riscaldamento ma non c'è. Non si ripara più niente, si butta via tutto. *Après nous le déluge.* Consumiamo tutto e di quelli che verranno dopo chissenefrega. Moralità da rettili preistorici. Proviamo con borse e borsette. Niente, solo vendita. E pelletterie? Uguale. Calzolai? Nemmeno. Sulle pagine gialle non trovo mai un accidente di niente, potrei buttarle nel camino appena me le portano. Chissà se la carta stampata produce diossina quando la si brucia. La plastica sì, l'ho letto da qualche parte. Esco, in casa non resisto più. Una bella sgambata con Potti, che fa bene anche a lui. Vado a trovare l'Indistruttibile, sperando che sia in casa, e mi porto dietro la borsa marron, fosse mai che incontro un "Riparazioni" sulla strada. Ma quando si decidono a telefonarmi per farmi sapere come è andata?

«Ah, sei tu» dice l'Indistruttibile. «Non hai mica una bella faccia.»

«Lo so. Aspetto di sapere se mi mettono in galera o no. E non riesco a stare ferma.»

«Allora andiamo in giro. Com'è che hai due borse?»

«Una devo portarla a riparare.»

«Io invece devo far risuolare un paio di scarpe.»

«C'è ancora qualcuno che le risuola?»

«Sì, al Balon. C'è scritto sulla vetrina.»

«Sulla vetrina c'è scritto "Riparo borse valigie stivali e articoli in pelle", non "Risuolo scarpe".»

«Se ripara gli stivali ripara anche le scarpe, cioè le risuola.»

«Può darsi, ma non credo.»

«Scommettiamo?»

«Cosa?»

«Se vinci tu, ti regalo un'altra insegna dei gelati.»

«E se vinci tu, cosa ti regalo?»

«Mmm... Mi fai una sorpresa. Ci stai?»

«Ci sto.»

«Allora andiamo.»

"Perché hai uno scatto quando squilla il telefono?" mi ha chiesto lui qualche giorno fa. "Perché sono un po' tesa, anche se penso che finirà tutto bene e in fretta" gli ho risposto. Invece non ne ero sicura, ma dovevo fingere di esserlo per infonderla in lui, la sicurezza. Lo amo, non voglio che crolli. Per cosa, poi? Il rispetto della memoria di suo padre, la correttezza nei confronti dei clienti... Suo padre ci provava con tutte, lo ha fatto anche con me appena mi ha conosciuta, e a Enrico non l'ho mai detto; i clienti, poi, mai che gli abbiano detto un grazie quando ci ha azzeccato e gli ha fatto lievitare il portafoglio. Lo amo, non voglio che crolli. Non ha fatto niente di male, solo un investimento sbagliato. È successo a tanti e se ne sono fregati, invece lui ci patisce da anni, si è fatto venire l'ulcera e dovrebbe riguardarsi, non fumare una sigaretta dopo l'altra, come suo padre. Non è come suo padre, lui. Lui è tutto quello che conta per me. Dei soldi, dei gioielli, della casa non me ne frega niente, possono prenderseli anche subito, per me andrebbe bene lo stesso. Lui invece ci tiene tanto. Allo studio Bonadé-Bottino, al buon nome, alle apparenze, a tutte le fregnacce borghesi. Ma ci tiene tanto anche a me, mi ha amata da subito, senza riserve. Mi ha aiutata quando ne avevo bisogno. Mi ha tirata fuori dai miei guai. Io per lui ho fatto quello che ho potuto. Adesso non devo crollare, ma so che posso farcela. Che devo farcela. Non per me, ma per lui.

Anche se la bottega del Balon era piuttosto lontana e anche se al Balon non aveva voglia di andare, Camilla aveva preso sottobraccio l'Indistruttibile e si era incamminata. Lui era apparso sorpreso e contento del gesto di intimità, aveva raddrizzato le spalle e si era offerto di tenere il guinzaglio del cane. Se mi vedesse mia mamma!, aveva pensato lei, per un momento distratta dal trapano del suo pensiero. Se mi vedesse madama Buonpeso. In congedo per malattia ma a spasso con un mentecatto. Non si vede per niente che è un mentecatto, sempre che lo sia, del resto. I piloti di formula uno nessuno li considera pazzi. Neppure quelli che si buttano giù da un ponte appesi a una fune. E neanche quelli che fanno rafting o climbing o tutti quegli sport che finiscono in -ing. Quelli amano il rischio, dicono. Pure l'Indistruttibile. O forse no, non ama – non amava – il rischio, ma lo cercava per punirsi. La conoscenza di Dora, sia pure unilaterale, lo ha pacificato, gli ha fatto forse perdonare se stesso, chissà. E chissà dove ha messo il suo cappotto blu con la martingala, quello che lo faceva sembrare un milordino proletario. Il giaccone imbottito di Renzo gli sta bene, ma comincia a essere troppo pesante. Se vince lui la scommessa, potrei regalargli un impermeabile nuovo, non grigio e più corto dell'altro. Però a me piacerebbe di più regalargli un cellulare, per poterlo chiamare ogni tanto e sentire come sta. E a lui cosa piacerebbe di più? Potrei chiederglielo, ma così addio sorpresa. Provo con un sondaggio cauto.

«L'hai portato a lavare, l'impermeabile grigio?»

«Sì, ma non gliel'ho lasciato.»

«Perché?»

«Costava troppo caro. E poi la signora della lavanderia ha detto che non sapeva se le macchie venivano via.»

«L'hai buttato?»

«Ma sei matta? L'ho lavato io con l'acqua calda.»

«È venuto bene?»

«No. Sembra macchiato come prima ma è più stretto.»

«E allora?»

«Allora sta lì nell'armadio. Magari per quest'autunno dimagrisco.»

«Meglio di no, stai bene così. Meglio cambiare impermeabile.»

«Non so. Non è che tengano caldo e quando pioveva mi bagnavo lo stesso.»

Dilemma risolto, gli regalo il cellulare. Una giacca a vento ce l'ha e per il prossimo autunno-inverno gli compro un bel giaccone lungo. Imbottito e impermeabile per davvero. Col cappuccio. Glielo compro domani che così approfitto degli ultimi saldi di roba pesante al mercato di corso Palestro. Sempre che domani non debba andare di corsa da un avvocato perché hanno deciso che sono un'assassina. Porca di una miseria lurida bastarda fetente e schifa.

«Vedrai che si aggiusta tutto» le dice lui.

«Mi leggi nel pensiero?»

«Ti leggo in faccia. Guarda che il tuo cane non ce la fa più. Ti offro qualcosa al bar e ci fermiamo un po'.»

«Sì, però offro io.»

«No. L'ho detto io e allora tocca a me. Giovedì prendo la pensione.»

«E come stai a soldi fino a giovedì?»

«Sto che ne ho abbastanza. Nel caso, c'è sempre il Cottolengo e anche il falegname.»

«Ci sono sempre anch'io.»

«Non sta bene farsi prestare i soldi da una donna.»

«Io sono tua amica.»

«Sì, ma sei una donna.»

«E se fossi un uomo potrei farti un prestito?»

«Se fossi un uomo non saresti tu. Lì c'è un bar. Entriamo ma non prendere una cosa cara.»

Avevano preso due canarini (acqua calda, scorzetta di limone e zucchero) e l'avevano pure tirata alle lunghe per lasciar riposare il cane. La barista, giovane carina e tutta firmata, non vedeva l'ora che la strana coppia smammasse e sbuffava abbastanza apertamente. Camilla se ne accorse e chiese per favore un bicchiere d'acqua del rubinetto grazie, e lo bevve lentissimamente a sorsettini. Solo quando ebbe finito si decisero a smammare come si augurava la barista.

La bottega del Balon era piccola, odorava di cuoio ben conciato e aveva l'aspetto rassicurante di un'illustrazione da libro per l'infanzia. Il padrone, un ometto sulla settantina grinzoso come un vecchio gnomo, li accolse con il sorriso un po' storto di chi è in lotta con la propria dentiera. Su un ripiano erano esposte alcune paia di scarpe e stivali riparati.

«Hai visto» disse l'Indistruttibile posando i suoi scarponcini sul banco «che avevo ragione io? Che le scarpe si risuolano ancora?»

«Eh sì» concordò il padrone, «ma adesso tutti preferiscono spendere un po' di più e comprarle nuove. Solo che le comprano di plastica che rovina i piedi e fa venire i calli, oppure di gomma.»

«Che invece i piedi li fa puzzare» aggiunse l'Indistruttibile.

«Non l'ho detto per riguardo alla signora, ma è proprio vero. Sui tram si sentono certi odori che, parlando con rispetto, viene quasi da vomitare. Come li vuole i tacchi, solo rinforzati oppure...»

Il calzolaio si incantò perché si era accorto che il cliente si era a sua volta incantato e non lo stava a sentire.

«Indistruttibile, sta parlando con te» intervenne Camilla.

«Guarda là» rispose lui, indicando la parete di fondo, in alto sopra i ripiani.

Lei sollevò gli occhi, guardò le tre foto appese e sentì che il cuore sceglieva un'altra marcia.

«Ci sei tu, c'è la signora Dora...»

«Belle, vero? Le ha fatte mio nipote» s'inserì il padrone.

«... e dietro c'è una persona che ho già visto ma non so dove» concluse l'Indistruttibile.

«Lo so io» disse Camilla. E poi, rivolta al calzolaio: «Ricorda quando suo nipote le ha scattate?».

«Il 29 marzo. Lo so di sicuro perché il giorno prima, che era il suo compleanno, gli ho comprato un telefonino nuovo. Le foto le ha fatte con quello, poi le ha stampate col computer e me le ha regalate perché si vede l'insegna del negozio. Signora, si sente bene? Vuole per caso un bicchiere d'acqua?»

«Sì, grazie, ne ho proprio bisogno.»

Subito dopo lei chiamò Gaetano al cellulare. Non m'importa che sia in seduta plenaria con Craighero e i suoi, pensò, ste foto forse risolvono il caso. Senza forse. No, non essere avventata, non sfidare le divinità della sfiga. Il 29 marzo è il giorno della morte di Dora. Nella foto si intravede uno dei tre suonatori ambulanti che abbiamo seguito per un po', quello col sax, dietro ci siamo noi, Dora e io, perfettamente riconoscibili, tanto che non c'è neppure bisogno di lavorare sui pixel per avere una definizione migliore, e dietro ancora, subito dietro, c'è la bionda con gli occhiali neri, gli stessi mi pare che aveva anche ai funerali. Una coincidenza? Non gli occhiali, ma la presenza della bionda signora Bonadé-Bottino. Cellulare spento, richiamare più tardi. Non ce la faccio ad aspettare, telefono in caserma e mi faccio passare il tenente, punto i piedi se mi dicono che non può e spiego che è urgente.

Poco più di un quarto d'ora dopo, Craighero e Gaetano entrarono nella bottega del calzolaio. Il quale era stato sommariamente informato di quanto quelle tre foto fosse-

ro importanti e già gongolava all'idea che il nipote incon-
cludente e scansafatiche ne avesse fatta finalmente una
giusta, sebbene senza saperlo. Camilla salutò con un cenno, quasi incapace di parlare per la tensione, e ancora con
un cenno indicò la parete in alto dietro al bancone. Soltanto più tardi, rincuorata dai brevi commenti e dall'espressione sollevata dei due sbirri, si ricordò di una norma ele-
mentare di cortesia:

«Tenente Craighero, le presento il signor... il signor Secondo Traversa.»

«Mi chiamo Indistruttibile.»

«Lo so, e sono lieto di conoscerla. Lei ha dato a tutti noi
una grossa mano.»

«A far cosa?»

«Nelle indagini. Lei ha scoperto che la signora Vernetti
era pedinata, lei ha fornito l'indirizzo del pedinatore e la
targa della sua macchina...»

«E ho anche visto le foto. La profia, qui, non alzava
neanche la testa. È brava, ma tante volte non si accorge
delle cose.»

«Meno male che c'era lei.»

«La bionda degli occhiali adesso l'arrestate?»

«La stavamo già interrogando quando la signora Baudino ha telefonato. Le foto smentiscono l'alibi che ci ha
fornito. Grazie di tutto.»

Camilla guardò il tenente come se lo vedesse per la prima volta. Gaetano intanto si era spostato di fianco a lei, le
aveva posato un braccio dietro alle spalle e l'aveva stretta
forte. Poi, con la mano era risalito al collo e aveva cominciato ad accarezzarla dietro all'orecchio e sulla nuca. Lei
sentì la tensione sciogliersi in un orgasmo improvviso.

74

Adriana Salierno in Bonadé-Bottino aveva resistito a lungo. Un osso duro, capace di guardare dritto in faccia, senza mostrare il minimo smarrimento, i due marescialli e il tenente che si alternavano a interrogarla. Capace di ribattere a ogni rilievo. Capace di non tentennare neppure quando le sue affermazioni risultavano implausibili. Non aveva mai incontrato la signora Vernetti. Non sapeva chi fosse Nicola Sorrentino. Non si era mai drogata. Il mattino di sabato 29 marzo non era andata al Balon. Ma i carabinieri stavano usando una tattica abituale: lasciarla mentire e poi ritorcerle contro le sue stesse menzogne. Partiamo dalla droga signora, le avevano detto: a noi risulta che una volta lei è stata fermata perché ne era in possesso. Roba di più di quindici anni fa, aveva dovuto ammettere a denti stretti, poi mai più toccata. Ma si trattava di eroina, signora, e lei deve saper bene come si usano laccio e siringa. Come si usano lo sanno tutti, basta aver visto un paio di film. Poi su tutto il resto era rimasta ferma a negare. Un muro solido per più di due ore. Nel frattempo era arrivata la telefonata di Camilla, più tardi le avevano mostrato le foto e infine erano riusciti a incrinare la sua ostinazione con un bluff: sulla schiena del soprabito che la signora Vernetti indossava la mattina del 29 marzo i tecnici del RIS avevano individuato tracce del sudore della mano che aveva dato la spinta. Da quelle tracce era stato ricavato il

DNA dell'omicida. Il suo, signora Salierno, lo ricaveremo dai mozziconi di sigaretta che ha fumato qui.

C'erano volute quattro ore di domande e contestazioni per stremarla e farla cedere, poi la storia era saltata fuori. Aveva saputo dell'abitudine della Vernetti di far colazione il sabato mattina al bar Ambaradan con un'amica e c'era andata anche lei. Perché? Così, per curiosità. Per curiosità ci sembra incredibile, signora. Perché incredibile? Voleva solo vedere da vicino la donna che stava avvelenando la vita di suo marito. Poi aveva seguito la Vernetti e l'amica in mezzo ai banchi del Balon e alla tettoia dei contadini e quando erano arrivate al varco del corso, in mezzo alla ressa, la Vernetti stava proprio davanti a lei. Sì, le aveva dato una spinta e no, non aveva premeditato di farlo, era stato un impulso improvviso, tanto è vero che il tram stava già passando. E dopo? Dopo, qualche giorno dopo, si era fatto vivo Nicola a chiedere spiegazioni. Aveva risposto lei alla chiamata sul cellulare riservato e aveva fissato un appuntamento a nome del marito per la sera tardi. Al marito invece aveva dato una dose doppia di sonnifero e all'appuntamento si era presentata da sola. Nicola voleva soldi per non parlare, ma era chiaro che avrebbe parlato comunque. Non ci dica che anche stavolta l'ha fatto senza premeditazione, le aveva sbattuto in faccia il tenente. Mio marito non meritava di essere sputtanato da un miserabile come Nicola, aveva risposto lei. Mio marito l'aveva sempre aiutato. Il miserabile, come lo chiama lei, è il fratellastro di suo marito. Mio marito non ha fratelli né fratellastri. Mio marito è una brava persona. L'ho fatto per proteggere mio marito. Mio marito non ne sa niente e mi dispiace solo per lui. Adesso basta, finiamola qui.

Non avevano insistito oltre: i dettagli li avrebbe chiariti davanti al magistrato.

«... Svegliati, su» ripete a bassa voce Gaetano, accarezzandola al buio con paziente dolcezza. Camilla sente il calore e l'odore del corpo di lui, sente il suo fiato sulla nuca e tra i capelli. Un risveglio lento, pigro, appagato. Un approdare onda dopo onda alla spiaggia della consapevolezza dopo la lunga immersione nell'abisso del sonno. Ancora con gli occhi chiusi, respira a fondo e sorride.

«Come stai?» chiede lui dopo, obbligandola a voltarsi.

«Bene, accanto a te.»

«Anch'io, con te accanto.»

«Accanto a una donna più vecchia di te.»

«Accanto alla donna che volevo.»

«Usi già l'imperfetto?»

«Accanto alla donna che volevo, che voglio, che vorrò. Che mi sono presa e portata via. Che ho quasi rapita.»

«Bello essere rapita. Attenua i sensi di colpa.»

«Vuoi parlarne?»

«Meglio di no. Stringimi più forte e basta.»

«Se ti stringo più forte, ti stritolo.»

«Fallo lo stesso. Mi piace tanto.»

«... Svegliati, su» ripete Renzo aprendo gli scuri della finestra, «ti ho portato il caffè. Sono le dieci passate.»

«Che importa» dice Camilla stiracchiandosi, «è sabato. Finalmente una notte di sonno vero. E tu, hai dormito bene?»

«Non tanto.»

«Che bel caffè, ristretto e cremoso, proprio come mi piace.»

Lui si siede ai piedi del letto e la guarda fisso.

«Quando l'hai bevuto e sei abbastanza sveglia, dobbiamo parlare.»

Lei beve lentamente il caffè e lo fissa a sua volta.

«Meglio di no. Di tutto ciò di cui non è possibile parlare, è meglio tacere. Ludwig Wittgenstein, *Tractatus logico-filosoficus*.»

«Stai barando, non l'hai mai letto.»

«Ma conosco l'affermazione finale. La condivido. Tu no?»

«Mmm... quasi.»

«Quasi non è una risposta. O sì o no.»

«Sei diventata manichea, o sì o no, o bianco o nero. C'è anche il grigio.»

«Non in questo caso. La condividi o no?»

«Ho detto quasi. Non più di quasi.»

«Capito. Hai una domanda che ti brucia. Allora ne ho una anch'io. Una ciascuno e basta. Spara.»

«Il tuo corteggiatore?»

«Partito. Da solo, Francesca ha preferito restare. La tua corteggiata?»

«Non esiste più.»

«L'hai ammazzata?»

«Hai detto una sola.»

«Ah già. Allora si chiude la parentesi e si ricomincia. Senza rimpianti.»

«Quasi.»

«Stavolta hai ragione, quasi. Con allegria però, e se dici allegria di naufragi, ti strangolo.»

«Non l'ho detto e neppure pensato. A strangolarmi non ci riusciresti mai.»

«Perché ti voglio bene?»

«Anche, ma soprattutto perché sei uno sgorbietto che mi arriva solo alla spalla.»

«Sgorbietto? Gli sgorbietti, se non ci arrivano a strangolare, possono mettere il veleno nella minestra.»

«Se il mio sgorbietto me lo mette, io la mangio.»

«Questa l'ha detta Churchill, ma in un altro senso.»

«Lo so da solo, non fare la profia.»

«Me lo porteresti un altro caffè?»

«Chi sono, il tuo maggiordomo?»

«Ma figurati. Però un maggiordomo ce lo possiamo quasi permettere: te lo ricordi cosa mi ha lasciato l'amica americana?»

Grazie ad Antonio Franchini e a Giulia Ichino per la partecipe e affettuosa attenzione al mio lavoro.

Grazie a tutti gli amici e amiche con cui ho scambiato molte proficue chiacchiere e in particolare a Sara Soria (in macchina verso il Roero), Alberto Chiantaretto (nel suo studio e prima di un funerale), Dalia Oggero (durante un paio di cene), Paolo Gramaglia (al telefono), Elena Accati (al telefonino), Carla Capra (soprattutto per e-mail) e al maresciallo dei carabinieri Davide Polo (a casa mia).